Paul Bernard

Urbana, 1974

STUDIEN ZUR GESCHICHTE DER KULTURBEZIEHUNGEN
IN MITTEL- UND OSTEUROPA

herausgegeben vom
Studienkreis für Kulturbeziehungen in Mittel- und Osteuropa

DIE AUFKLÄRUNG IN OST- UND SÜDOSTEUROPA

Aufsätze, Vorträge, Dokumentationen

herausgegeben von

Erna Lesky, Strahinja K. Kostić, Josef Matl und Georg von Rauch

Redaktion
Heinz Ischreyt

1972
BÖHLAU VERLAG KÖLN WIEN

Gesamtherstellung: Buchdruck + Offset Walter Wulf, Lüneburg
Printed in Germany

ISBN 3 412 92872 0

VORWORT

Die in diesem Band vereinigten Aufsätze, Vorträge und Dokumentationen stellen Beiträge zur Erforschung der Kulturverbindungen im 18. Jahrhundert dar, deren Funktion bei der Ausbreitung der Aufklärung in Mittel- und Osteuropa sie beschreiben und erklären wollen. Wenn sie das auf eine recht unterschiedliche Weise tun, so liegt die Ursache dafür in ihrer Entstehung. Die Beiträge von Strahinja K. Kostić, Ákoš Paulinyi, Georg von Rauch und Emanuel Turczynski sind bearbeitete Vorträge, die auf der Konferenz des Studienkreises für Kulturbeziehungen in Mittel- und Osteuropa 1970 gehalten wurden, die Arbeiten von Michał Cieśla, Günther Wiegand und Eduard Wondrák wurden als Aufsätze entworfen, während die Abhandlung von Peter Polz ein umgearbeiteter und erweiterter Auszug aus seiner Dissertation ist.

Aber gerade weil diese Untersuchungen verschieden konzipiert sind, ergänzen sie einander. Die allgemeinen Gesichtspunkte, in den beiden ersten Beiträgen in umfassender Überschau dargestellt, werden am einzelnen Beispiel kultureller Wechselwirkung im russischen, polnischen, böhmisch-mährischen, ungarischen und serbo-kroatischen Bereich konkretisiert. Dabei tritt die Einheit des so vielgegliederten europäischen Kommunikationsraumes deutlich hervor, in dem im 18. Jahrhundert ein ständiges Geben und Nehmen herrschte.

Diese Veröffentlichung ist der Versuch, Grenzen zu überwinden, vor allem auch die Abgrenzungen zwischen den üblichen Wissenschaftsdisziplinen. Er kann als geglückt betrachtet werden, wenn durch die Fülle der gebotenen Aspekte und des Tatsachenmaterials weitere Arbeiten auf diesem Gebiet angeregt werden.

INHALT

POLITISCHE VORAUSSETZUNGEN FÜR WESTÖSTLICHE KULTURBEZIEHUNGEN IM 18. JAHRHUNDERT

Von Georg von Rauch

I

Bei aller Willkürlichkeit von Periodisierungen nach Jahrhunderten erscheint die Zeitspanne zwischen 1700 und 1800 doch als eine in sich geschlossene, abgegrenzte, eine mit sehr spezifischen Merkmalen ausgestattete Epoche. Selbstverständlich ergeben sich im Rahmen einzelner Länder besondere Abgrenzungen. Das 18. Jahrhundert setzt in England wohl schon 1688, in Preußen 1701 ein; es endet in Frankreich, und nicht nur dort, sondern auch in vielen anderen Ländern schon vor 1800 mit der großen Revolution von 1789, in Polen mit den polnischen Teilungen, in Rußland vielleicht 1801. Noch fließender als politische Zäsuren sind die Einschnitte auf der wirtschaftlichen, sozialen, bevölkerungspolitischen oder kulturellen Ebene.

Trotzdem hat der holländische Historiker J. M. Romein 1957 differenziert und nachdrücklich auf Möglichkeit und Notwendigkeit von Untersuchungen über einen bestimmten historischen Zeitraum hingewiesen. Er nennt diese Art der Untersuchungen integrale Geschichtsschreibung; er versucht, alle Lebensgebiete in ihrem strukturellen Zusammenhang zu vergegenwärtigen, vom politischen und wirtschaftlichen zum kulturellen und geistesgeschichtlichen. Versuchen wir demnach, das 18. Jahrhundert in diesem Sinne als eine Epoche — nicht nur im Sinne der Rankeschen Transzendenz — zu kennzeichnen, so ergeben sich folgende Merkmale:

Universalgeschichtlich. Es ist das Jahrhundert des Übergreifens machtpolitischer Kontroversen in Europa auf Kolonialgebiete und das Aufkommen eines Welthandels in überseeischen Maßstäben. An seinem Anfang steht der Eintritt Rußlands in die europäische Staatengemeinschaft, an seinem Ende die Unabhängigkeit Amerikas — eine Parallele, die schon einmal flüchtig und am Rande angeklungen war, als am Ende des 15. Jahrhunderts Amerika neuentdeckt und Rußland, nach Jahrhunderten der Isolation nahezu gänzlich in Vergessenheit geraten, wiederentdeckt wurde. Aber universalgeschichtlich ist das 18. Jahrhundert zugleich auch das des Eintritts Asiens in das europäische Denken. Man braucht bloß Leibniz zu erwähnen, Montesquieu, Voltaire: sie alle haben die Kategorie Asien in ihr Denken aufgenommen, wobei China eine besondere Faszination auszuüben begann — nicht nur in Gestalt von Chinoiserien im Kunstgewerbe, sondern als eine politische und geistige Potenz.

In geistesgeschichtlicher Hinsicht. Das 18. Jahrhundert ist das Jahrhundert der Aufklärung, die unbekümmert an eine gleichbleibende Rationalität glaubte, losgelöst von räumlichen und zeitlichen Bedingungen, was erst in unserer Zeit im Historismus in Frage gestellt wurde, weil der Historismus die Situationsgebundenheit von rationalen und emotionalen Problemen betont. Im Zeitalter der Aufklärung haben Politik und Weltanschauung die früheren Fesseln der kirchlichen Autorität abgestreift, das Zeitalter der Glaubenskriege bleibt weit zurück, das Zeitalter der Ideologien, des Liberalismus und des Nationalismus im 19. Jahrhundert ist noch nicht angebrochen. Oder anders formuliert: Wenn man nicht den Glauben an die Vernunft auch als eine Art Ideologie betrachten will, so wird erst das Jahr 1789 zur Geburtsstunde von Ideologien. Das 18. Jahrhundert stellt demnach, könnte man sagen, eine ideologiefreie Epoche dar, placiert zwischen den Glaubenskriegen der Vergangenheit und den nationalen Befreiungskriegen der Zukunft. Beides, das universalgeschichtliche Element und das Signum der Aufklärung, hat Konsequenzen. Ich möchte sie vierfach gliedern:

1. Konsequenzen auf dem Felde der *Verfassung* und des *staatlichen Aufbaus.* Das 18. Jahrhundert führt zu einer Läuterung und zu einer Auflockerung des Absolutismus in Gestalt des aufgeklärten Absolutismus, sichtbar werdend in den bekannten Leitfiguren auf den Fürstenthronen und in den Kabinetten und den entsprechenden geistigen Helfern in der Bildungswelt.

2. Auf dem Felde der *Kriegführung.* Es ist das Zeitalter der Kabinettskriege, oft in Verbindung mit dynastischen Erbfolgefragen — das Jahrhundert des Spanischen Erbfolgekrieges, des Polnischen, des Österreichischen. Gerade im 18. Jahrhundert sind die bekannten Offiziersgestalten zu finden, die ihre Waffenkunst ohne nationale Bindungen zur Verfügung stellen, wie schon vor 1700 Graf Schulenburg in venetianischen Diensten, so jetzt ein Feldmarschall Loudon, aus Livland stammend, in Preußen nicht akzeptiert und in österreichischen Diensten zu Ehren gelangt; der Marschall Rosen in französischen Diensten, die baltisch-schwedischen Wrangells in der preu-

ßischen Armee und im äußersten Osten Europas, in Rußland, die vielen englischen und schottischen Offiziere, die schon im 17. Jahrhundert dort Dienst suchten und diese Tradition im 18. Jahrhundert fortsetzten.

3. Konsequenzen auf dem Felde der *Gesellschaftsstruktur.* Die ständische Gesellschaft bleibt bis zur großen Zäsur der Französischen Republik erhalten, aber sie stellt sich, stärker als zuvor, als antagonistischer Faktor der Fürstenwillkür entgegen. Hier wird der Begriff der ständischen Freiheit maßgebend, und es ist bekannt, daß auch in dem bürgerlichen Freiheitsbegriff der Französischen Revolution immer noch vieles von der ständischen Libertät vor 1789 mitschwingt. Das 18. ist aber zugleich auch das Jahrhundert, in dem, längst vor der Revolution, Emanzipationsbewegungen anlaufen: des bürgerlichen Standes vor allem gegenüber dem Adel, in Frankreich sich innerhalb der Bürokratie deutlich bemerkbar machend, dann schließlich die Emanzipation des jahrhundertelang geplagten Bauerntums. Diese gerade tritt in den Agrarreformen des auslaufenden 18. Jahrhunderts deutlich als eine Frucht der Menschenrechte und der wirtschaftlichen Vernunft in Erscheinung.

4. Schließlich der Bereich der *Künste,* der *Literatur* und *Musik* und, alles umfassend: des *Lebensgefühls.* Das 18. Jahrhundert bringt den Übergang vom Barock zum Rokoko, vom Gravitätischen zum Spielerischen. Erneut betritt der homo ludens die Weltbühne, nicht nur in den spielerischen Verschnörkelungen und Arabesken des Rokoko-Interieurs und Fassadenornaments, sondern auch politisch. Es setzt ein Spiel ein um Throne und Kronen mit einem, den nachfolgenden Generationen kritisch bewußten, frivolen Element. Das 18. Jahrhundert ist das Jahrhundert der großen Projektemacher — quer durch den ganzen Kontinent hindurch, völlig unbekümmert um die Wünsche der Bevölkerung, die zu artikulieren noch niemand in den Sinn kommt. Es ist das Jahrhundert auch eines Cagliostro und eines Casanova; es gab auch politische und militärische Casanovas mit auswechselbaren Loyalitäten.

II

Im einzelnen ergibt sich, wenn man geographisch differenzieren will, eine andersartige Betrachtungsweise. Zu Beginn des Jahrhunderts ertönt die doppelte Fanfare des Nordischen und Spanischen Erbfolgekrieges, die lange Jahre hindurch parallel nebeneinanderlaufen bei der angstvollen Erwartung der Zeitgenossen, daß sie ineinander fließen würden. Bekannt ist der Augenblick, als Karl XII. mit seinen Heeren durch Schlesien marschiert und sich hier in der Konfrontation mit der kaiserlich-österreichischen Macht die Möglichkeit eines Verschmelzens beider Bündniskonstruktionen, der des Westens und der des Ostens, zeigt. Dazu ist es nicht gekommen; das Blutvergießen läuft im Westen und im Osten getrennt weiter; im Westen wird der Frieden eher geschlossen (1714), im Osten erst 1721. Beide Kriege, der Nordische und der Spanische, sind Katalysatoren von gewaltigen Verschiebungen des gesamteuropäischen politischen Systems.

Zunächst ein Blick auf den Westen, anschließend auf Mitteleuropa und danach auf den Norden und Osten. Im Westen ist der Gegensatz Habsburg—Bourbon neu ausbalanciert. Während des Spanischen Erbfolgekrieges waren als sehr dezidierte Gegenspieler der bourbonischen Vorherrschaft in West- und Südeuropa die Seemächte in Erscheinung getreten: England und Holland. Der Weg Englands als maritimer Rivale Frankreichs war fixiert, um in den fünfziger Jahren zum Machtwechsel in Kanada zu führen — eine Rivalität, die bekanntlich in verdeckter oder auch offener Weise letzten Endes bis 1904 verfolgt werden kann. In Mitteleuropa zeigt sich, daß Österreich, die kaiserliche Macht, bei allem Engagement in den Niederlanden und in Italien wichtig wird vor allem als führende Kraft in den Türkenkriegen, wobei nach dem Kulminationspunkt des Türkenjahres von 1683 der Einsatz des Prinzen Eugen von Savoyen den Rückgang der türkischen Macht an der Donau und auf dem Balkan einleitet. Die berühmte Militärgrenze sichert das Gewonnene und leitet später zu weiteren Aktivitäten auf dem Balkan über. Als Gegenspieler im Deutschen Reich tritt Preußen betont in Erscheinung, seit 1701 Königreich. In den Schlesischen Kriegen tritt es neben die kaiserliche Macht, ohne zunächst die rangmäßige Priorität — trotz gewisser Ansätze bei Friedrich dem Großen — zu schmälern.

Von Preußen aus ergibt sich der Übergang zum Norden und Osten. In der zweiten Hälfte des 17. Jahrhunderts schon war neben Brandenburg-Preußen im deutschen Nordosten Schweden im europäischen Nordosten zur Großmacht geworden. Es trat nach langer Rivalität endgültig an die Stelle Dänemarks und wies sowohl Polen als auch Moskau in die Schranken. Das dominium maris baltici wird vollendet. Polen geht aus den Auseinandersetzungen schwer erschüttert und dezimiert hervor; Moskau wird von Schweden — schon 1617 — total von der Ostsee abgeschnitten. Hier bringt der Nordische Krieg zu Beginn des 18. Jahrhunderts die epochale Wende, personalisiert durch den Kampf Peters des Großen gegen Karl XII. und August den Starken. Es ist der Durchbruch Rußlands zur Ostsee und damit an die Stelle Schwedens als Großmacht des Nordens. Es ist bekannt, daß Rußland den Zeitgenossen weniger als osteuropäische Macht, denn als nordische erschien; Katharina II. wurde als Semiramis des Nordens gepriesen, zweifellos, weil man im europäischen Konzert Rußland den Platz Schwedens einnehmen sah. Erst im 19. Jahrhundert — die Teilungen Polens liegen dazwischen — wurde Rußland eindeutig als osteuropäisch empfunden. Sicherlich hat auch die Verlegung der Hauptstadt von Moskau nach Petersburg mit zu dem nordischen Image Rußlands beigetragen. Aber weit über diese machtpolitischen und territorialen Verschiebungen hinaus erhebt Peter der Große vollen Anspruch auf Beteiligung am europäischen Konzert. Das moskowitische Rußland erscheint als „Das veränderte Rußland", wie es die Schrift des hannöverschen Gesandten Weber apostrophierte, verändert als Russisches Kaiserreich. Peter der Große erteilte an seine Diplomaten die Weisung, eifrig darauf zu achten, daß nicht mehr von Moskowitern gesprochen werde, sondern von Russen, nicht mehr vom Großfürstentum Moskau, sondern vom Kaiserreich Rußland. Die Einschaltung in die europäische Staatenwelt erfolgt mit verschiedenen Mitteln: des militärischen Einsatzes in Osteuropa und Norddeutschland bis hinein nach Schleswig-Holstein in der letzten Phase des Nordischen Krieges, dazu durch Heiratsverbindungen, besonders mit norddeutschen Dynastien, bis in den Braunschweiger Raum. Heiratsverbindungen bedeuten politische Stützpunkte. Sie führen schließlich dazu, daß eine deutsche Dynastie, die von Holstein-Gottorp, die Inthronisierung auf dem Zarenthron erlebt, eine deutsche Dynastie, die sich so schnell in die neuen Pflichten und Aufgaben und in das neue Milieu einfügt, daß das törichte Gerede von einer deutschen Fremdherrschaft in Rußland leicht zu widerlegen ist.

Territorialpolitisch und machtpolitisch ist das allmähliche Verschwinden Polens als osteuropäischer Faktor von großer Bedeutung. Polen war ein gewichtiger Partner bei der Abwehr der Türken gewesen — im Jahre 1683 und schon davor —, Polen war nach der

Vereinigung mit dem Großfürstentum Litauen flächenmäßig zum größten Territorialstaat Europas geworden. Jetzt tritt das im Nordischen Krieg geschwächte Land, durch die Sächsische Dynastie auch sehr stark in mitteleuropäische Zusammenhänge hineingezogen, seine Rolle als osteuropäische Großmacht an Rußland ab und verschwindet am Ende des Jahrhunderts. Der Regenerationsversuch der polnischen Verfassung vom Mai 1791 kam zu spät.

Im Zusammenhang aller regionalen Aspekte zeigt sich, daß an die Stelle der Türkengefahr des 17. Jahrhunderts das sehr ambivalente Problem Rußland im Osten Europas in Erscheinung getreten war: als eine Potenz von machtpolitischer Dynamik, als „russische Gefahr“ empfunden, ein Schlagwort, das bereits im 16. Jahrhundert auftauchte, oft reale Bedrohung, oft nur Phantom einer Bedrohung mit entsprechender Psychose im Westen bedeutete. An sich war Rußland kein „alter Turca“, wie man im 16. Jahrhundert in Flugblättern formuliert hatte, sondern umgekehrt, im Hinblick auf die Türken, Bundesgenosse; eine christliche Macht, die ihre altertümliche Struktur der Westeuropas anzupassen sucht und sich ganz bewußt einem Europäisierungsprozeß unterwirft. Und das Ergebnis ist, daß nicht nur ein verändertes Rußland vor dem überraschten Zeitgenossen steht, sondern auch ein verändertes Europa, verändert durch den Eintritt des Petrinischen Reiches in die ältere Gemeinschaft des Abendlandes.

Die Eingliederung und gleichzeitige Konfrontation mit Europa wirft manche Probleme auf. Was bedeutete, was galt Europa Peter dem Großen? Nach ungedruckten Aufzeichnungen seines Kanzlers Ostermann habe er selbst gesagt: „Wir brauchen Europa für einige Jahrzehnte, dann müssen wir ihm den Rücken kehren“. Ein merkwürdiges Zitat, im Russkij Archiv 1874 veröffentlicht nach den Manuskripten Ostermanns. Einen authentischen Beweis, daß Peter dieses tatsächlich gesagt haben soll, gibt es nicht. Wenn Peter pragmatisch-utilitaristische Beweggründe keinesfalls abzusprechen sind, bleibt das Zitat trotzdem unglaubwürdig. Ihm stehen zumindest Peters Gespräche mit Leibniz, auf die noch zurückzukommen sein wird, gegenüber; sie verraten eine ganz andere Sicht. Ebenso wie der Ausspruch eines weiteren Mitarbeiters Peters des Großen, Kurakin, in kurzer Zeit würden die europäisierten Russen wieder Moskowiter sein, spiegelt das Ostermann-Zitat eine Art vorweggenommener Slawophilie und Europaverdrossenheit wider. Peter der Große verstand das Begriffspaar Rußland und Europa sicherlich nicht antagonistisch, nicht im Sinne der Parole von Moskau als dem Dritten Rom oder auch in der Begriffswelt der Slawophilen des 19. Jahrhunderts als ein Gegeneuropa gegen das Europa Karls des Großen, sondern als ein Teil eines Großeuropa, in das Rußland seinerseits ganz Nordasien bis zum Pazifik einzubringen in der Lage war.

Im übrigen wird man bei dem Phänomen der Europäisierung drei Beobachtungen nicht übersehen dürfen:

1. Es handelt sich im Grunde genommen, wenn der Terminus genau überprüft wird, um eine Re-Europäisierung auf den Grundlagen der russischen Frühgeschichte des 9. bis 12. Jahrhunderts, deren Verbundenheit mit dem Westen durch die Isolierung der Tatarenzeit und den kirchlichen Antagonismus verdeckt worden war. Hier liegt etwas völlig anderes vor, als bei dem Phänomen der Europäisierung Japans oder eines anderen außereuropäischen Staates.

2. Die Europäisierung setzte an sich längst vor den rigorosen Maßnahmen Peters des Großen ein, etwa um 1500, in Form eines Einsickerns westlicher Elemente, in einer Art Osmose durch das Medium Polens und der Ukraine. Es handelte sich um Einflüsse, die sowohl vom Balkan her und aus dem Donauraum als auch — vor allem — aus dem gesamten Westen ausgingen.

3. Die Europäisierung bedeutete keinesfalls eine Überfremdung genuiner, „arteigener" Grundlagen, sondern eine fruchtbare Stimulierung und Weiterentwicklung, vergleichbar etwa den Wirkungen der italienischen und französischen Renaissance in der deutschen Kulturgeschichte. Verhängnisvoll war, könnte man meinen, nicht, daß zu viel europäisiert wurde, sondern eher zu wenig, auf einer zu schmalen Basis, und daß manche europäische Kulturformen erst allzu spät in Rußland adaptiert wurden. Peter der Große konnte natürlich trotz seiner rigorosen und irgendwie atemlosen Maßnahmen doch wohl nur die Oberfläche erfassen, und auch die nicht einmal ganz. Mit Katharina II. drangen europäische Formen der Gesittung in etwas breitere Schichten, aber immer noch handelte es sich dabei bis ins 19. Jahrhundert hinein um eine sehr schmale Oberschicht. Erst die Entstehung der Intelligenzia erweiterte dann entscheidend die zur Aufnahme europäischer Einflüsse bereiten Schichten. Das Ergebnis war, schon im 18. Jahrhundert, ein Riß zwischen der europäisierten Bildungsschicht auf der einen und den Volksmassen auf der anderen Seite;

ein fataler Dualismus brach auf mit viel hochmütiger Nichtachtung von oben nach unten und viel angestautem Haß von unten nach oben, der nach revolutionärer Entladung drängte.

Es wäre reizvoll, den Vorgang der Europäisierung Rußlands mit ähnlichen Erscheinungen in Polen — auch innerhalb seines eigenen Westostgefälles — oder auch mit dem Donau- und Balkanraum zu vergleichen. Ich muß mir hier eine Beschränkung auferlegen, die von meinem Forschungsschwerpunkt aus Veranlassung gibt, stärker auf Rußland und den europäischen Nordosten Bezug zu nehmen. Daß Rußland fortan eine gewichtige Stimme im europäischen Konzert erheben konnte, zeigt sich konkret im Bereich der Staatengeschichte in der Möglichkeit, Rußland als Bundesgenossen heranzuziehen. Rußlands Weg nach Europa ist niemals allein auf die Expansionsdynamik des russischen Großmachtstrebens zurückzuführen. Es sind häufig Bündnispartner, die ihm den Weg ebnen und damit als Brücke fungieren: Preußen etwa, 1714 während des Nordischen Krieges, den Weg über Mecklenburg nach Holstein auch für russische Armeen freilegend (Stettin wird z. B. damals den Schweden von russischen Truppen entrissen); 1764 das Bündnis zwischen Peter III. und Friedrich dem Großen, das diesen aus der schwierigen Situation des letzten Kriegsjahres rettete — ein Vertrag, der nur partiell von Katharina II. übernommen wurde. Man denke auch an die Stellung Österreichs im Siebenjährigen Kriege, das daran interessiert war, die russische Großmacht stärker in Mitteleuropa engagiert zu wissen; an Preußen und England, die in den Befreiungskriegen Rußland im Bündnis gegen Napoleon auf ihrer Seite sehen wollten, wozu nach 1812 alle Voraussetzungen gegeben waren.

Auf diese Weise gelangten russische Truppen zu Beginn des 18. Jahrhunderts nach Norddeutschland; in der Mitte des Jahrhunderts, im Polnischen Erbfolgekrieg, eroberte Feldmarschall Münnich Danzig im Zuge der Rivalität zwischen einem russischen und einem französischen Kandidaten auf den polnischen Thron, und im Anschluß daran gelangten russische Truppen als Bundesgenossen Österreichs bis an den Rhein. Im Siebenjährigen Kriege rückten russische Truppen, wie bekannt, wenn auch nur für wenige Tage, in Berlin ein. Ende des Jahrhunderts operiert Feldmarschall Suvorov in Italien und in der Schweiz, und 1813, vor Leipzig und danach, werden russische Truppen, Kosaken, Linien- und Garderegimenter, in den meisten deutschen Städten als Befreier begrüßt. 1814 marschieren die Russen mit den Verbündeten gemeinsam in Paris ein.

Greifen wir aus diesem summarischen Überblick die deutsche Frage heraus, dann zeigt sich, daß der preußisch-österreichische Dualismus Rußland die Möglichkeit gibt, in die Rolle eines Schiedsrichters hineinzuwachsen. Schon 1745, in den Schlesischen Kriegen, hat Ludwig XV. als quasi Unbeteiligter die Zarin Elisabeth „la médiatrice d'Europe" genannt; Katharina II. tritt dann auch tatsächlich im Frieden von Teschen zwischen Preußen und Österreich (1778) als Vermittlerin auf. Es ist eine Rolle, die im 19. Jahrhundert im Vertrag von Olmütz (1850) erneut aufgegriffen wird. Aus dieser Mittlerstellung erwächst die Möglichkeit, entweder für Österreich oder für Preußen zu optieren und sein Gewicht in die Waagschale zu werfen.

Man kann Schwankungen in der russischen Politik dieses Jahrhunderts beobachten. Die Politik Peters des Großen kalkulierte beide deutschen Mächte in ihre Überlegungen ein. Angesichts der Verschärfung der Rivalität zwischen ihnen wird man in Petersburg unter Peters Nachfolgern pointierter pro-österreichisch, vor allem dank Ostermann, wenngleich am Petersburger Hof immer wieder auch propreußische Stimmen ertönen, wie etwa die von Münnich. Dazu tritt die Episode mit dem fanatischen Bewunderer Preußens, Peter III. Vor Ausbruch des Siebenjährigen Krieges — W. Mediger hat das sehr schön in seinem Buch herausgestellt — ist Bestužev derjenige, der an einer Einkreisung Preußens arbeitet. Während des Krieges zeigt sich, daß der Erfolg der russischen Waffen dazu benutzt werden soll, Ostpreußen, für längere Jahre besetzt, nicht Rußland einzuverleiben, sondern als Tauschobjekt Polen gegenüber zu benutzen, um aus polnischer Hand Kurland zu gewinnen. Das sind Dinge, die während des Krieges die damalige Diplomatie auch über den Kreis der Beteiligten hinaus sehr stark beschäftigt haben. Der eigentliche Gewinn des Siebenjährigen Krieges ist natürlich nicht hierin zu sehen; Ostpreußen wird wieder geräumt. Der Gewinn für Petersburg besteht darin, daß Polen reif wird für die Teilungen, und zwar im Sinne der Erweiterung des russischen Territoriums. Der Erfolg liegt im wachsenden Prestige der russischen Kaisermacht.

Aber die russische Westpolitik des 18. Jahrhunderts ist keineswegs bloß auf die Mitte bezogen. Neben der Stoßrichtung über Polen hinaus nach Deutschland gibt es eine nordwestliche und eine südwestliche Tangente. Sie werden beide durch Schlagworte bezeichnend signalisiert: das eine lautet „Nordisches System“ und das andere „Griechisches Projekt“.

Wenden wir uns zunächst dem Norden zu. Hier ist das im Nordischen Krieg besiegte und dezimierte Schweden Opfer eines wachsenden russischen Druckes; zeitweilig zeigt sich eine überraschende Ähnlichkeit mit der diplomatischen Methodik, die gegenüber Polen angewandt wurde. Man könnte sogar sagen, das Gespenst einer Aufteilung Schwedens wird zeitweise ebenfalls deutlich sichtbar, wie es in Polen Wirklichkeit geworden ist. Dieselben Methoden, das bedeutet: auch in Stockholm wirkt der russische Gesandte als „heimlicher König“ wie in Warschau; der russische Rubel rollte hier ebenso wie in Warschau; es werden Parteien gebildet, in Stockholm die Mützen und die Hüte, die einen prorussisch, die anderen profranzösisch. Das Ziel ist die noch weitere Zurückdrängung, vielleicht sogar Teilung; Dänemark bot sich hierbei als Teilungspartner an. Durch den Staatsstreich Gustavs III. wurde die schwedische Souveränität wiederhergestellt, zugleich der Spieß umgedreht in Gestalt eines Revanchekrieges in Finnland mit dem Versuch, dieses und vielleicht auch die baltischen Provinzen zurückzuerwerben. Wenn diese Absichten auch nicht Wirklichkeit wurden, so ist doch die schwedische Integrität durch die Politik Gustavs III. gerettet worden.

Am Rande — gleichsam in Klammern — seien noch einige Bemerkungen über die baltischen Provinzen eingefügt. Wir haben uns gewöhnt, den Übergang von der schwedischen zur russischen Herrschaft als ein fait accompli zu betrachten, das im Nordischen Kriege geschaffen wurde. Die Zeitgenossen des 18. Jahrhunderts haben die Lage von 1721 keineswegs als vollendete Tatsache angesehen. Es wimmelt in dieser Zeit von Projekten dynastischer Art, nicht nur auf Kurland bezogen, sondern auch auf Livland und Estland. Es sind sehr eigenartige Projekte, oft in Verbindung mit schwedischen Revanchegedanken, wie jener Plan des Grafen Johann Rantzau, der eine antirussische Koalition aus Dänemark und Schweden, Preußen und Frankreich bilden wollte, oder der von Johann Ernst Biron, dem allmächtigen Günstling und Regenten in Petersburg, auf den schon 1957 einmal hingewiesen wurde, von der Forschung kaum bemerkt. Die Erklärung seines Sturzes ist danach nicht nur in innerrussischen Vorgängen zu suchen, sondern darin, daß Biron offensichtlich mit seinem Projekt Hochverrat begangen hat, durch schwedische Hilfe in den Besitz eines gesamtbaltischen Staates zu gelangen, zu dem sein Herzogtum Kurland vergrößert werden sollte unter Hinzufügung der beiden anderen Provinzen, alles unter schwedischer Führung.

Bei allen diesen Projekten des 18. Jahrhunderts tritt, um darauf noch einmal hinzuweisen, das Frivol-Spielerische des 18. Jahrhunderts in Erscheinung, ein politisches Spiel im Geiste des Rokoko. Im Ergebnis bleiben die baltischen Provinzen russisch; 1812 ist das Jahr, in dem diese Tatsache Zeitgenossen und Nachwelt deutlich vor Augen geführt wird. Hierbei noch eins: die interessante Funktion Dänemarks, das als Wächter des Sundes und wegen seiner uralten Rivalität gegen Schweden sich an der Seite Rußlands einfindet. Das russische Großmachtstreben visierte schon sehr früh den Sund als wichtige Durchgangsstraße an, während der Blick gleichzeitig im Südosten auf die Dardanellen fiel. Der französische Historiker A. Thiers konnte in den 1850er Jahren in einem Atemzuge den Sund und die Dardanellen als zwei neuralgische Punkte einer „russischen Gefahr" herausstellen.

Soviel zum Nordosten. Zum Süden wäre zu sagen, daß das „griechische Projekt", wie die Forschungen von E. Hoesch nachgewiesen haben, wohl ein sehr fesselndes Gedankenspiel darstellte, ohne aber jemals wirklich konkrete Formen anzunehmen. Gewiß, Gedanken zu einem stärkeren Engagement in der Türkenfrage lagen vor: sie reichen von dem Plan eines dakischen Königreiches für Katharinas Günstling Potemkin — ein Vorgriff auf die spätere Verselbständigung Rumäniens, allerdings unter russischem Protektorat — bis zu der sehr intriganten russischen Diplomatie in Konstantinopel. Man hat z. B. auch die Namen von Katharinas Enkeln Alexander und Konstantin in Verbindung mit einer derartigen Blickrichtung auf die alte Kaiserstadt erklärt. Das griechische Projekt, konkret oder Fata Morgana, ist gescheitert an den Entfernungen, an den Nachschublinien: das zeigten alle Türkenkriege Rußlands im 17. und 18. Jahrhundert. Auch noch im 19. Jahrhundert wurden im Krimkrieg die Entfernungen der russischen Armee zum Verhängnis. Dazu zeigte sich, daß die Pforte fester war, als man gedacht hatte, und die Zusammenarbeit mit Wien auch nicht reibungslos verlief. Das Mißtrauen zwischen Wien und Petersburg wächst auch in der orientalischen Frage. Was bleibt im Ergebnis der Türkenkriege? Immerhin der volle Besitz der russischen Südküste und der Krim mit der Möglichkeit, hier durch neue Stadt- und Hafengründungen den Außenhandel zu erweitern.

Bei diesen dreigefächerten Ausdehnungstendenzen zeigt sich ein Gegenpol sehr deutlich: das ist Frankreich. Frankreich ist im 18. Jahrhundert Rußlands Gegenspieler, und man könnte beinahe sagen, daß das französische Interesse an der Erhaltung des Status quo in Schweden einschließlich Finnlands, in Polen und in der Türkei schon die Vorstellung des Cordon sanitaire des 20. Jahrhunderts vorwegnimmt. Frankreich ist es, das in Stockholm und in Warschau, später auch in Konstantinopel den russischen Bestrebungen in jeder Weise und am schärfsten entgegentritt. Schon im polnischen Erbfolgekrieg war ja ein französischer Gegenkandidat gegen den russischen, wenn auch vergeblich, angetreten. Und es ist interessant, daß im Siebenjährigen Krieg trotz der Bundesgenossenschaft zwischen Frankreich und Rußland, die im Grunde nur eine Episode blieb, der Leiter der französischen Politik, Choiseul, in einem intensiven Zusammenspiel mit dem Leiter der dänischen Politik, Graf Bernstorff, sich ausgesprochen gegen russische Ostpreußenpläne gewandt hat. Man hätte hier eine dauernde Festsetzung Petersburgs nicht gern gesehen.

Erst Ende des 18. Jahrhunderts übernimmt England diese Rolle des Gegenspielers des Russischen Reiches: das Gewicht Frankreichs trat zeitweise in den Hintergrund. England hat im letzten Jahrzehnt des 18. Jahrhunderts, vertreten durch Ministerpräsident Pitt, sehr bedeutsame Polenpläne gehegt, als zwischen der 1. und 2. Teilung erwogen wurde, den gesamten englischen Osthandel, der seit dem 16. Jahrhundert auf Rußland orientiert und für die englische Flotte sehr wichtig war, auf Polen umzuschalten: gewissermaßen ein Rettungsanker für das restliche Polen in Zusammenhang mit dem preußischen Hertzberg-Plan von 1790. Aber gerade dabei zeigte sich, wie ungeheuer geschickt die russische Diplomatie arbeitete. Es ist der damalige russische Botschafter in London, Semjon Voroncov, der Pitts Plan durch Mobilisierung der öffentlichen Meinung in England zu Fall bringt, was sogar den Sturz der Regierung nach sich zog (1791). Die englischen Wirtschaftskreise fürchteten, daß sie um ihren Gewinn im Rußlandhandel gebracht werden sollten. Sehr bald darauf gibt es eine weitere Konfrontation zwischen England und Rußland im Jahre 1801, als die englische Flotte unter Nelson bereits in die

Ostsee ausgelaufen war, weil Paul I. und Napoleon gemeinsam einen Indienfeldzug planten, völlig irreal, aber von Paul doch ernstgenommen. Hier ist der Einsatz Englands erfolgreich und radikal bis hinein in die Vorbereitungen der Palastverschwörung, deren Ergebnis der Sturz Pauls I. war. Es ist bekannt, welches spöttische Aperçu Talleyrand bei dieser Gelegenheit entschlüpfte: die russische Staatsform sei die Autokratie, gemildert durch Tyrannenmord.

Als Bundesgenosse Napoleons 1807 und dann als Siegermacht gegen Napoleon an der Seite der Verbündeten erringt Rußland die großen territorialen Erfolge, die ihm das 18. Jahrhundert noch vorenthalten hatte: Finnland, Bessarabien, Zentralpolen. Versuchen wir, diese Betrachtungslinien hier abzuschließen. Es sind wechselnde Machtpositionen der europäischen Kabinettspolitik des 18. Jahrhunderts, die Rußland zu seinen Erfolgen in dieser Epoche verholfen haben und zu einem enormen territorialen Gewinn. Wenn das Großfürstentum Moskau um 1500 2 Millionen qkm umfaßt hatte, so umfaßte es 1770 bereits 14,5 Millionen qkm, die dann bis 1900 bekanntlich auf 22,2 Millionen qkm steigen sollten. Noch einmal sei betont: Dieses russische Ausgreifen nach Westen — komplementär dazu ist die koloniale Ausbreitung nach Asien hinein — ist keineswegs Ausdruck eines spezifisch russischen Expansionstriebes; man könnte sagen, es ist „normale“ Großmachtdynamik. Sämtliche europäischen Großmächte sind damals an Großraumpolitik, an Abrundung oder Eroberungen interessiert — Frankreich, Preußen, Österreich, Schweden, England in Übersee (mit der Idee der Erhaltung des europäischen Gleichgewichts) — eine Großmachtdynamik, die im russischen Fall dank der Gunst des Raumes und der Dimensionen natürlich viel merklichere Ergebnisse zeitigt. Begünstigt werden diese geographischen Faktoren freilich durch eine außerordentlich geschickte Ausnutzung von diplomatischen Gelegenheiten; hierbei stehen auch viele Fachkräfte nichtrussischer Herkunft in der Diplomatie und in der Armee zur Verfügung.

III

Einige Worte über die wirtschaftliche Eingliederung Rußlands in die gesamteuropäische Wirtschaft dürfen nicht fehlen. Was im frühen Mittelalter süddeutsche Kaufleute, im Hochmittelalter die Hanse begründet hatte, lebte nach langer Stagnation in der Tatarenzeit um

1500 wieder auf. Neben Augsburger und Nürnberger Geschäftsleuten, die oft auch große politische Projektemacher waren, traten die Engländer im Weißen Meere auf den Plan, in scharfer Konkurrenz gegen schwedische und niederländische Kaufleute auf der Ostsee. Peter der Große ließ dann im 18. Jahrhundert die baltischen Ostseehäfen und das neugegründete Petersburg in dem nordosteuropäischen Handel aufblühen, und unter Katharina II. gewannen Odessa und andere Schwarzmeerhäfen eine korrespondierende Bedeutung, auch gerade für den russischen Getreideexport. Rußland entwickelte sich in zunehmendem Maße zu einem Rohstofflieferanten großen Stils, besonders für Holz sowie Holz- und Leinenprodukte für die naval stores, die für die englische Flotte so wichtig waren, Pelzwerk, schließlich auch Getreide.

Aber interessant und vielleicht weniger beachtet ist, daß das petrinische Zeitalter gleichzeitig den Beginn einer frühkapitalistischen Industrialisierung bedeutete, die später von seinen Nachfolgerinnen sträflich vernachlässigt worden ist, auch von Katharina II. Es ist das ein Phänomen, das immer noch, so meine ich, zu wenig im gesamteuropäischen Rahmen beachtet wird. Hierzu einige konkrete Zahlen. 1725 produziert Rußland z. B. schon mehr Roheisen als England. Im selben Jahr weist Rußland 233 Textilmanufakturen auf, einige mit bis zu 1500 Arbeitern pro Betrieb. Von den Arbeitsbedingungen und Arbeitsverhältnissen soll hier nicht die Rede sein; die Rigorosität von Peters Initiativen auch auf diesem Gebiet ist bekannt, es kam da auf ein Menschenleben oder mehr nicht an. Mitte des 18. Jahrhunderts ist Rußland zum größten Eisen- und Kupferproduzenten im Weltmaßstab geworden und damit eindeutig an die Stelle Schwedens getreten. Es produziert hier hauptsächlich für den eigenen Bedarf. Die englische Eisenproduktion, damit verglichen, erreicht dann erst wieder um 1800 den russischen Stand. Auch das gehört zur Charakteristik des russischen 18. Jahrhunderts.

Voraussetzung und Begleiterscheinung des wirtschaftlichen Wachstums war die innere Kolonisation. Der absolutistische Staat betrieb eine extensive und großzügige merkantilistische Populationspolitik; vor allem Österreich, Preußen, Rußland, auch Polen sind hier zu nennen. Bekannt ist, daß der mittlere Donauraum, durch den Frieden von Karlowitz 1699 freigekämpft, westdeutsche Siedler von der Mosel heranzieht, donauabwärts von Ulm ausgehend kommen neue bäuerliche Siedler nach Südungarn vor allem, das völlig entvölkert worden war, die Donauschwaben siedeln über die bisherige Militärgrenze hinaus auch in den jugoslawischen Raum, nach Slawonien. Das nur als Andeutung.

In Rußland sind die Maßnahmen Katharinas II. bekannt. Ihr Manifest von 1763 sichert eine Sonderstellung für ausländische Siedler: Religionsfreiheit, Befreiung vom Wehrdienst und zeitweilige Steuerfreiheit. Es sind schwäbische und pfälzische Siedler, die an die Wolga kommen, Saratov vor allem als Mittelpunkt, dann später auch nach Südrußland, und noch Anfang des 19. Jahrhunderts rollt die Welle weiter nach Bessarabien einerseits und in den Kaukasus andererseits. Aber neben diesem bäuerlichen Sektor ist vor allem die Anwerbung von Fachkräften auf dem Gebiet von Technik und Wirtschaft und in den akademischen Berufen zu nennen, um hier die Forschungen von E. Amburger zu berühren. Bis in die Spitzenpositionen von Verwaltung, Heer und Marine sieht man ausländische Kräfte, viele Deutsche, auch Franzosen, Engländer, Schotten, einige Italiener, Griechen etc. Unter Alexander I. zeigt sich dieses äußerst bunte Bild auch im Kreise der engeren und weiteren Mitarbeiter des Kaisers. Die berühmteste, um nicht zu sagen berüchtigtste Konzentration dieser ausländischen Position im russischen 18. Jahrhundert ist gleich in den dreißiger Jahren mit dem Dreigestirn Ostermann — Münnich — Biron erreicht, das wegen der Maßnahmen von Biron geradezu zum Prototyp einer Überfremdung wurde. Nicht alle Einwanderungsvorgänge gehen aber auf staatlichen Dirigismus zurück. Es gibt auch sehr viel spontane Initiative daneben, so z. B. die Auswanderungswelle in die baltischen Provinzen nach dem Nordischen Kriege, als Handwerker und Kaufleute aus dem norddeutschen Küstengebiet, Hofmeister, Geistliche, Ärzte und Künstler aus dem thüringisch-sächsischen Raum in die russischen Ostseeprovinzen gelangen; an die Forschungen von H. Pönicke sei hierbei erinnert.

IV

Auf diesem Hintergrund gesamteuropäischer und universaler Verflechtungen politischer, ökonomischer und populationistischer Art ist das Fließen der großen geistigen Strömungen zu sehen. Für die West-Ost-Bewegung ist vor allem das komplementäre Begriffspaar Aufklärung — Pietismus wichtig.

Aus chronologischen Gründen sei der Pietismus vorangestellt. Er wird hier begriffen als ein Phänomen der Frühaufklärung, nicht nur als eine religiös-konfessionelle Erscheinung, die sich als solche hauptsächlich auf den protestantischen Raum beschränkt, nicht nur als Antithese zur lutherischen Orthodoxie und damit gegen den Rationalismus, als verinnerlichte, individualistische, gefühlsbetonte Frömmigkeit, häufig in Frömmelei ausartend, sondern in all seiner Ambivalenz als ein Schrittmacher oder Begleiter der Aufklärung. Wichtig sind zwei Beobachtungen. Es zeigt sich, daß bei dieser Ausstrahlung des Pietismus nach Osteuropa ein sehr spezifischer, geradezu ungestümer Enthusiasmus vorliegt, der Begeisterung weckt für fremde Kulturen und Völker — mit einem erstaunlichen, universalen Weitblick und auch ausgesprochen missionarischen Impulsen, die weit über das Religiöse hinausweisen. Es ist die Polyphonie von Sprachen, Sitten und Lebensformen, die Pietisten, denen sich Osteuropa erschließt, fesselt und fasziniert. Daraus entspringen tiefgehende Impulse nicht nur für die wissenschaftlichen Erkenntnisse, sondern auch für das praktische Weltverständnis.

Gerade in diesen Zusammenhang muß auch Herder gestellt werden, der 1764—69 in Riga in die osteuropäische Welt eintauchte und dadurch nachhaltige Wirkungen auslöste. Hierbei wird die kulturell bedeutsame Brückenfunktion der geistigen und personellen Verbindungen von Königsberg über Kurland nach Livland, darüber hinaus auch nach Petersburg, sichtbar. Es wäre zu erinnern auch an viele andere Persönlichkeiten aus dem Kreise von A. H. Francke in Halle, die in den russischen Raum hineingeworfen wurden, wie vor allem Eduard Winter gezeigt hat.

Sehr deutlich zeigen sich die Ausstrahlungen des Pietismus in der Form der Mährischen Brüder oder Herrnhuter. Für Livland weise ich auf die Arbeiten O. A. Webermanns hin. Über den kirchlich-religiösen Bereich hinaus interessiert, daß aus dem Kreis der Herrnhuter ein Appell an die Brüderlichkeit ergeht, selbstverständlich christlich fundiert, aber doch auch mit weltlichen Wirkungen und auch weltlich gemeint. Ich möchte behaupten, daß mit dieser akzentuierten Betonung der Brüderlichkeit, einschließlich der Ansprache „Bruder" — ungeachtet sozialer und nationaler Schranken — eine Vorwegnahme zum mindesten einer der späteren Parolen der Französischen Revolution gesehen werden kann. Die Tätigkeit der Herrnhuter hat, besonders in den baltischen Provinzen, aber auch in anderen Ländern, angeregt durch persönliche Besuche des Grafen Zinzendorff, auch eine eminent soziale Bedeutung gehabt.

Aber nun zur Aufklärung, und hierauf liegt natürlich der Hauptnachdruck. An die Stelle alter Autoritäten treten neue, die Vernunft erscheint als lumen naturale. Die Wirkungen reichen von den frühen Bahnbrechern, von Descartes in Stockholm, von Leibniz' Rußlandinteresse bis in die Hochaufklärung hinein, mit Voltaire in Berlin, Diderot in Petersburg — bis zu den Wirkungen der Französischen Revolution. Hier läßt sich die ganze Vielschichtigkeit der Veränderungen auffächern:

1. Die Verwaltungspraxis in ihren rationalistischen, schematisierenden, zentralistischen, uniformierenden Zügen als ein Gegengewicht der Einheit gegenüber den Kräften der Vielfalt der Lebensformen. Sie wird besonders deutlich in der Form des Josephinismus im österreichischen Raum; vieles davon zeigt auch das Rußland Katharinas II.

2. Das Bildungsinteresse des aufgeklärten Absolutismus. Hingewiesen sei auf die verschiedenen pädagogischen Theorien und ihre Umsetzung in die Praxis, von Locke und Rousseau angeregt bis hin zu Basedow und Pestalozzi. Katharina II. hat gewisse Beziehungen zu den Basedowschen Schulversuchen in Anhalt-Dessau, dem dortigen „Philantropinum", aber auch zu österreichischen Initiativen. Daß diese Ansätze nachher so wenige Erfolge gehabt haben, liegt auf einem anderen Blatt. Auf der höchsten Ebene werden die Akademien der Wissenschaft, deren Kette vom Westen her jetzt auch in Osteuropa fortgesetzt wird, von normbildender Bedeutung: als Zentren der Organisation von Wissenschaft und Forschung, von Forschungsexpeditionen bis in die entferntesten Gebiete Asiens hinein. Auch auf diesem Felde war westlichen Gelehrten viel Anregung zu verdanken; Berufungen, wie die des Philosophen Chr. Wolff nach Petersburg oder der Gedanke, Lessing nach Moskau einzuladen, ließen sich allerdings nicht verwirklichen. Gewissermaßen als Antwort auf die Europäisierung Peters des Großen zeigte sich aber sehr bald, daß das russische Volk diese Herausforderung aufzugreifen bereit war: in der Gestalt Lomonosovs, des Fischersohnes vom Weißen Meer, der sich europäische Formen der Gesittung und Bildung aneignet und zu einem russischen Universalgenie heranwächst, dessen Ausstrahlung und Nachwirkung bis heute spürbar sind. Neben den Spitzenleistungen der

Wissenschaft und dem Schulwesen ist auch das weite Feld der Vulgäraufklärung nicht zu übersehen.

3. Der dritte Komplex ist das Gebiet der Agrarfragen. Die Deklaration der Menschenrechte und die Erkenntnisse des Wirtschaftsliberalismus führen schon zum Ende des 18. Jahrhunderts, von den sechziger Jahren an, zu einer erstaunlichen Selbstinitiative der Gutsbesitzer. Da wären Graf Rantzau in Holstein und Baron Schoultz-Ascheraden in Livland zu nennen; der aufgeklärte Absolutismus wird mit Reformplänen konfrontiert von seiten adliger oder auch bürgerlicher Ratgeber — man denke an Struensee in Dänemark. Die Initiativen werden aufgegriffen und häufig verwirklicht. Der Boden war vorbereitet worden durch die Schriften der Aufklärung. Die Aufklärungsschriften zur bäuerlichen Lage, oft aus geistlicher Feder, wie z. B. in den baltischen Provinzen von den Pastoren Jannau, Eisen und Petri, an ihrem Ende Garlieb Merkel, der mit seiner Streitschrift über „Die Letten am Ende des Philosophischen Zeitalters" die Position des Adels scharf bis zur Ungerechtigkeit kritisiert, haben den Anstoß gegeben zu der Bauernbefreiung, deren personale Begrenztheit erst später richtig sichtbar wird; die wirtschaftliche Befreiung erfolgte erst Jahrzehnte danach. Diese Dinge werden heute in West und Ost aus einer anderen Sicht gesehen: der ökonomische Faktor wird im Osten stärker betont, der idealistische, humanitäre weniger. Aber wo der Akzent auch liegen mag, so sollte das Interesse für diese Fragen — die Initiativen, die Reformpläne, die Durchführung — sowohl im Westen wie im Osten noch weiter vorangetrieben werden.

Eine regional begrenzte Landesgeschichte hat Einzelfragen gestellt und beantwortet; das Beispiel der baltischen Agrarfrage zeugt davon. Woran es dabei fehlt, ist eine übergreifende und vergleichende Zusammenstellung, die Wechselwirkungen und Einflüsse klärt. Gerade bei der Figur von Merkel wird deutlich — er hat zeitweise auch in Holstein gewirkt —, daß hier der ganze skandinavisch-norddeutsch-baltische Raum irgendwie zusammengehört. Es wäre reizvoll, wenn die gesamten Agrarbestrebungen dieses Raumes einmal komparatistisch und synoptisch untersucht und dargestellt würden.

Finnland, keineswegs die entlegene (bis 1809 noch schwedische) Provinz an der Peripherie Europas, darf hier nicht draußen bleiben. Eine politische und gesellschaftliche Bewußtwerdung wird hier, wie u. a. P. Renvall betont hat, noch vor dem Übergang zur russischen Herrschaft sichtbar. Zwei Beispiele genügen: Ein finnischer Landpfarrer (Chydenius) liefert 1765, also vor Adam Smith, eine geradezu klassische Darstellung des Wirtschaftsliberalismus. Oder: der Bürgermeister des kleinen Städtchens Lowisa (Keppler) tritt in einem Traktat über die menschliche Gleichheit noch vor 1789 für die Dienstleute ein, die Dienstleute jenseits des bürgerlichen und bäuerlichen Standes, womit nichts anderes als die Proletarier von damals gemeint sind. Im übrigen wird schon 1766 die Zensur abgeschafft und die Pressefreiheit erreicht.

In keinem anderen osteuropäischen Land sind in Verfassung, Bildung und Geisteswesen derart drastische Konfrontationen zwischen dem rational-pragmatischen Kalkül der Macht- und Kabinettspolitik der Großmächte und den neubelebenden Kräften der Aufklärung zu verspüren wie in Polen am Vorabend seines Unterganges. Die Dissertation von K. G. Hausmann hat sich besonders mit der polnischen Aufklärung in diesem Zeitraum beschäftigt. Die Mai-Verfassung von 1791 — zwischen der ersten und zweiten Teilung — läutet einen polnischen Frühling ein, der zu einer Regeneration der ganzen politischen und gesellschaftlichen Struktur hätte führen können. Die polnische Aufklärung steht zwischen dem Josephinismus auf der einen und Katharina II. und ihrem aufklärerischen Elan auf der anderen Seite. Dieser aufklärerische Elan der nordischen Semiramis ist allerdings zu diesem Zeitpunkt schon längst erlahmt, sofern ihm nicht von vornherein eine gewisse Zweideutigkeit eigen war, die ihrer Eitelkeit entsprang. In den neunziger Jahren wächst sich der Fall von Radiščev zu einem offensichtlichen Skandalon aus. Radiščev, der russische Aufklärer, war u. a. von Herder inspiriert; er stellt im Grunde genommen das markanteste Alibi dar für die Präsenz der Aufklärung in Rußland. Radiščev hatte in Leipzig studiert, war als Student Zeitgenosse von Goethe; Leipzig lockte damals die russischen Studenten an wie später Göttingen, Berlin oder Marburg. Gerade für diese geistesgeschichtlichen Zusammenhänge des deutschen und russischen Geisteslebens im 18. Jahrhundert ist in der DDR die Schule von Eduard Winter bahnbrechend geworden. Bei uns ist dieses Feld erst sehr sporadisch beackert worden. Während man sich in der DDR der Bedeutung der russischen Aufklärung bewußt ist, kann man bei uns — gerade bei neomarxistischen Wissenschaftlern — lesen: „An Rußland sind bedeutungsvolle geschichtliche Prozesse, welche die neuere westeuropäische Gesellschaft zutiefst geprägt haben, fast gänzlich vorbeigegangen. Hierzu gehört die umfassende Bewegung der Aufklärung, das Heraufkommen des politischen und ökonomischen Liberalismus..." So Werner Hofmann in seiner Schrift „Stalinismus und Antikommunismus", bei Suhrkamp 1967. Bei Ernst Bloch klingt ähnliches an, z. B. in seiner berühmten Rede zum 150. Geburtstag von Karl Marx. In dieser Bagatellisierung europäischer Elemente der russischen historischen Erfahrung taucht ein sehr alter topos westlicher Rußland-Vorstellungen auf, dem es übrigens auch an eigenen russischen Entsprechungen nicht fehlt. Es sei bloß auf Čaadaev hingewiesen, auf die immer wieder aufkommende Klage über die Rückständigkeit Rußlands bis hinauf zu dem herausfordernden Trotz von Alexander Blocks Skythengedicht von 1918. Zum Klischee erstarrt, ist diese Vorstellung zur Quelle vieler Mißverständnisse geworden, die immer wieder leider auch politische Relevanz erhalten haben.

V

Zum Schluß nur noch ein Scheinwerferstrahl auf den Ausgangspunkt. Für den Sprung ins 18. Jahrhundert ist die kulturoptimistische Sicht von Leibniz richtungweisend, vor allem für die Erwartungen, die an Rußland und die West-Ost-Beziehungen geknüpft werden.

In Leibniz' Denkschrift an Peter den Großen vom Jahre 1708 spricht er nicht mehr von der Notwendigkeit für Rußland, „das Barbarische" abzustreifen. Er begrüßt Peters Plan, den er bewunderungswürdig und hochherzig nennt, sein Reich zu zivilisieren, das bisher „eine tabula rasa" gewesen sei; mit einem Schlage würde damit ein großer Teil der Erdkugel auf eine höhere Entwicklungsstufe gehoben werden, Europa könnte über Rußland als Brücke mit China verbunden werden usw. Und dann kommen die Begegnungen mit Peter zustande: 1711 in Torgau, 1712 in Karlsbad, 1713 in Wolfenbüttel, 1716 in Bad Pyrmont. Eine Flut von erstaunlichen Projekten zu Einzelfragen ergießt sich bis in die Kanzleien Peters, von Kanalbauten und Siedlungsplänen an, der Entwicklung der wirtschaftlichen Kräfte, der Erforschung der Geographie, der Ethnographie, der Sprachen bis zur Entwicklung des Schulwesens und dem großen Projekt der Gründung einer Akademie der Wissenschaften, und noch weiter — bis zu dem phantastischen Plan einer Wiedervereinigung der christlichen Konfessionen und der Einberufung eines Weltkonzils — Peter gleichsam in der Rolle eines zweiten Konstantin! Alles im Zeichen einer harmonia mundi: das Licht, das jetzt im Osten aufgehe, werde nach Europa zurückstrahlen.

Es ist das Bewegende, daß bei diesen zwei Zeitgenossen Initiative und Empfängnisbereitschaft adäquat sind — eine Sternstunde geradezu der West-Ost-Beziehungen in der gesamteuropäischen Geschichte. Niemals ist Peter der Große auf die Anregungen Leibniz' so deutlich eingegangen wie in der berühmten Stapellaufrede im Jahre 1714. Leibniz hatte 1712 an Peter geschrieben: „Es scheint, es sei die Schikkung Gottes, daß die Wissenschaft den Kreis der Erde umwandern und nunmehr auch zu Skythien kommen solle" (Skythien ist keinesfalls abwertend für Rußland gesetzt), „und daß Eure Majestät diesfalls zum Werkzeug ersehen, da Sie auf der einen Seite aus Europa, auf der anderen aus China das Beste zu nehmen und, was beide getan, durch gute Anstalt verbessern können. Denn weil in Dero Reich großenteils alles, die Studien betreffend, neu und gleichsam in weiß Papier, so können unzählig viele Fehler vermieden werden, die in Europa allmählich und unbemerkt eingerissen ... Ich werde es mir für die größte Ehre, Verdienst und Vergnügung schätzen, Ew. Majestät in einem so löblichen und gottgefälligen Werke dienen zu können, denn ich bin nicht von denen, die auf ihr Vaterland allein erpicht sein, sondern ich gehe auf den Nutzen des ganzen menschlichen Geschlechts ..., und es ist mir lieber, bei den Russen viel Gutes auszurichten, als bei den Teutschen oder anderen Europäern wenig."

Und nun die Gegenstimme Peters in der Stapellaufrede in Riga 1714. Wörtlich sagt Peter hier (nach dem Bericht des hannöverschen Residenten Weber, wenn er richtig zitiert): „Die Geschichtsschreiber halten Griechenland für den alten Sitz der Wissenschaften. Von dort wanderten sie nach Italien und breiteten sich über alle Länder Europas aus. Ich vergleiche die Reise der Wissenschaften dem Umlauf des Geblüts in dem menschlichen Körper, und ahnet mir, daß dieselben dermaleinst ihren Wohnplatz in England, Frankreich und Deutschland verlassen, sich einige Jahrhunderte bei uns aufhalten und hernächst nach ihrer wahren Heimat in Griechenland wiederkehren werden."

Der Slavophile Ivan Kireevskij hat sich sehr intensiv mit dieser Rede beschäftigt. An ihr ist vieles merkwürdig. Da ist die Vorstellung, die auch bei Leibniz vertreten ist und möglicherweise von ihm übernommen wurde, von der Wanderung der Wissenschaften, die Migrationstheorie, wobei Elemente der altgriechischen Philosophie, das Problem der Katakyklosis, sich mit alttestamentarischen Vorstellungen von den Weltreichen begegnen. Der Schwerpunkt wird sukzessive von dem einen Kulturkreis zum anderen verlagert. Bei Peter tritt allerdings über Leibniz hinaus auch eine Anregung aus dem naturwissenschaftlichen Bereich hinzu, aus seinen anatomischen Studien, die er in Holland aufgegriffen hatte: die noch gar nicht alte Lehre vom Blutkreislauf — ein problematischer Einbruch organisch-biologischer Faktoren in geschichtsphilosophische Vorstellungen. Nicht alles beruht auf Leibniz; möglicherweise spielen auch durch die griechische Patristik vermittelte und in der russischen kirchlichen Tradition erhaltene altgriechische Vorstellungen eine Rolle. Vielleicht würde sich daraus das seltsame Motiv der „Wiederkehr" nach Griechenland erklären. Eigentümlich bleibt die Vorstellung, daß bei dieser Wanderung die Wissenschaften die einen Länder „verlassen", in denen sie sich nur temporär aufgehalten haben, um in andere zu gelangen. Warum, könnte man fragen, nicht eine ständige räumliche Erweiterung des kulturellen Wirkungsbereichs?

Damit sind die Quellen eines Wechselgesprächs über Rußland und Europa fixiert, eines Gesprächs, das weiterläuft und von Leibniz zu Herder führt. Herder ließ mit dem Auftreten der „germanischen Barbarenvölker" eine zweite universale Entwicklung nach dem Untergang der Antike anlaufen, die mit dem Zeitalter der Aufklärung ein Ende nahm, um einer dritten Platz zu machen, in der Rußland in dasselbe Verhältnis zum Abendland treten würde wie die Germanen zur Antike. Für Herder war es wichtig, daß gerade zum Zeitpunkt des Eintritts Rußlands ins europäische Staatensystem sich ein modernes Geschichtsbewußtsein zu entwickeln begann.

Der Dialog mündet in die leidenschaftlichen Erörterungen des 19. Jahrhunderts ein, wo das Problem der „großen Parallele" Westlern und Slavophilen, später im Westen auch einem Nietzsche („Wo sind die Barbaren des 20. Jahrhunderts?") oder Spengler zu schaffen macht. Die Thematik wird zu einem großen Leitmotiv in der Bewußtmachung westöstlicher Wechselwirkungen. Die Schwelle, an der wir heute stehen, wo neben die atlantische und eurasische Welt eine dritte, geschichtslose oder mit längst verschütteten geschichtlichen Überlieferungen, zu treten beginnt, macht es verständlich, wenn unser Interesse für Probleme westöstlicher Beziehungen im 18. Jahrhundert geschärft ist wie nie zuvor.

GESTALTWANDEL UND TRÄGERSCHICHTEN DER AUFKLÄRUNG IN OST- UND SÜDOSTEUROPA

Von Emanuel Turczynski

I

Die rationalistische Bewegung der Aufklärung erfaßte den Donauraum, Ostmittel- und Osteuropa nicht nur weitaus früher als Rußland und den inneren Balkan, sondern auch in jeweils anderer Gestalt, so daß die Geschichte dieses Großraumes im ausgehenden 18. und beginnenden 19. Jahrhundert für die historische Komparatistik zu einer überaus komplizierten aber reizvollen Aufgabe wurde. Starke Siedlungsverzahnungen und sozio-kulturelle Überschichtungen, wie sie von der Herrschaft des Osmanischen Reiches und den Staatenbildungen Osteuropas begünstigt wurden, und die Entstehung eines sehr unregelmäßig geknüpften Netzes von Produktions- und Handelsniederlassungen westlicher und östlicher Zuwanderer hatten im 18. Jahrhundert jene soziale und ethnisch-konfessionelle Mannigfaltigkeit geschaffen, die für die Rezeption von Aufklärung und Josephinismus günstige Voraussetzungen bot. Es wäre aber eine nur schwer zu motivierende Vereinfachung, wollte man die gesellschaftlichen Grundlagen dieser Ideenverbreitung und -veränderung nur unter dem Aspekt ökonomischer Triebkräfte sehen, weil Handwerker, Kaufleute und vor allem die Bauern an der Zeitenwende von Feudalismus und Kapitalismus oft in scharfem Gegensatz zur herrschenden Großagrarierschicht standen und in weiten Teilen Südosteuropas sich der nahezu traditionelle Gegensatz von Stadt und Land immer mehr verschärfte. Man wird daher die Frage nach der Trägerschicht für diese gesamteuropäische Geistes- und Freiheitsbewegung ebenso stellen müssen wie jene nach dem Gestaltwandel der spontan rezipierten Ideen in den einzelnen Landschaften.

Daß bei der sehr erheblichen Phasenverschiebung eine synchronistische Darstellung nur in sehr begrenztem Umfang möglich ist, weiß man spätestens seit den meisterhaften Darstellungen von Paul Hazard[1] und Fritz Valjavec[2]. Paul Hazard hat die große Epochenbewegung trotz ihrer geringen räumlichen Ausdehnung nicht in dem gleichen Maße synchronistisch erfassen können wie Valjavec, der sich trotz hoher Darstellungsgabe und unbestrittener Kompetenz für Ost- und Südosteuropa mit knapperen Umrissen begnügte. Wie schwierig eine solche vergleichende Untersuchung ist, hat dann auch Eduard Winter, wohl einer der besten Kenner der Gesamtproblematik des ostmitteleuropäischen und osteuropäischen Raumes, erfahren. Im Vorwort zu seinem Werk über die Frühaufklärung (1966) stellt er fest, daß Südosteuropa wegen der vielhundertjährigen Türkenherrschaft „eine besondere, von Mittel- und Osteuropa verschiedene Entwicklung genommen hat", so daß die Behandlung Südosteuropas „einer eigenen Darstellung überlassen bleiben" muß. Diese Schwierigkeiten einer vergleichenden Untersuchung konnten auch die neuen wirtschafts- und sozialwissenschaftlichen Aspekte nicht beseitigen, die in den letzten beiden Jahrzehnten die Vorherrschaft der Kulturwissenschaften zurückgedrängt haben; denn neben den Besonderheiten der ethnisch-konfessionellen und der sozio-kulturellen Struktur sind es auch methodische Probleme, die eine Einbeziehung des kleingekammerten Raumes Südosteuropas in die Gesamtbetrachtung — und erst recht den Vergleich mit Osteuropa, also mit Rußland, Polen und dem Baltikum — erschweren.

Es hieße den Rahmen dieses Beitrages sprengen, wollte man den verschiedenen Auffassungen über die Methodologie nachgehen und sie einander gegenüberstellen, denn der Aufklärungsbegriff ist nicht nur im Bereich der Ideologie, wo er sehr häufig gebraucht wird, umstritten, sondern der Aufklärung wird gelegentlich auch der „Rang einer historischen Geschichtsepoche" abgesprochen[3], während andere Gelehrte ihr den Charakter einer „epochalen Gesamtbewegung" bescheinigen[4].

Im ausgehenden 18. Jahrhundert hatte die Ausbreitung dieser Geistesbewegung jedenfalls zu einer Vertiefung der west-östlichen Kulturbeziehungen geführt und die gemeinsamen Probleme im Bildungswesen und im technisch-wirtschaftlichen Bereich weitaus stärker betont als trennende Unterschiede zwischen den damals noch im Werden begriffenen politischen Nationen. Diese Anpassungs- und Rezeptionsvorgänge haben sich aber im Habsburger Reich, in Polen, Rußland und in den europäischen Provinzen des Osmanischen Reiches in einem sehr langen Zeitraum abgespielt, der sich nahezu über zweieinhalb Jahrhunderte erstreckte und mit der Frühaufklärung seit der Mitte des 17. Jahrhunderts einsetzte, also zu einer Zeit, in der die neuen mathematisch-naturwissenschaftlichen Erkenntnisse auf dem Seeweg von den Generalstaaten, von England und Frankreich nach dem Norden Rußlands, sowie vor allem über die dalmatinischen und griechischen Häfen und Handelsniederlassungen, namentlich über Konstantinopel, in das Landesinnere vorzudringen begannen. Jansenismus und Reformkatholizismus bereiteten insbesondere im lombardischen, toskanischen und venezianischen Raum den Boden für die Entwicklung des Josephinismus, der seit der zweiten Hälfte des 18. Jahrhunderts den Donau- und später auch den Balkanraum tiefgehend beeinflussen sollte.

Schon bei der Betrachtung dieser frühen Ausstrahlungserscheinungen fällt auf, daß der österreichische Adel für die Verbreitung jansenistischer Erbauungsliteratur sehr empfänglich war[5] und daß österreichische Beamte bereits im ersten Viertel des 18. Jahrhunderts für umfangreiche Reformen eintraten, die von der Neuordnung der Staatsverwaltung und der Einführung einer Einkommensteuer bis zur Forderung nach religiöser Toleranz und der Befreiung der Bauern von der Leibeigenschaft reichten[6]. Nicht minder kräftig waren die Impulse des Klerus bei Kroaten, Magyaren und bei der höheren serbischen Geistlichkeit, die damals auch im Namen der rumänisch-orthodoxen Bevölkerung Siebenbürgens und des Banats die Forderung nach eigenen Schulen und Druckereien erhob. Als dann seit der Mitte des 18. Jahrhunderts das Ringen um die Gewinnung der griechisch-orthodoxen Bevölkerung des Habsburger Reiches für die Union mit Rom auf subtilere Methoden überging, traten die Befürworter dieser Unifikationspolitik ebenfalls für die Schaffung von primären und sekundären Bildungseinrichtungen der griechisch-katholischen Rumänen Siebenbürgens ein[7].

Durch diese vor allem im religionssoziologischen Bereich entstandene Bildungsbereitschaft war für den Ausbau des Volksschulwesens, wie ihn der Wiener Abt Ignaz Felbiger (1724—1788) in die Wege leitete, jene positive Atmosphäre geschaffen, die eine schnelle Verbreitung der Grundschulen in Österreich begünstigte. Bedenkt man, daß in Rußland, den Donaufürstentümern, Bulgarien und Griechenland die schulischen Voraussetzungen für den kulturellen Aufstieg einer breiten genuinen Bildungsschicht erst im Laufe des 19. Jahrhunderts geschaffen wurden, dann wird begreiflich, warum hier Dauer, Umfang und Stoßrichtung der Aufklärung von jenen in West- und Mitteleuropa stark abwichen. Dabei hatte zunächst die gemäßigte wolffianisch-jansenistische Aufklärung eine weite Verbreitung in ganz Ost- und Südosteuropa gefunden, wobei vor allem die Lehrbücher des Popularphilosophen Christian Friedrich Baumeister (1709—1785) über Logik und Metaphysik in St. Petersburg, Moskau, Kiew, Lemberg, Jassy, Klausenburg, Debrezin, den Klöstern der Fruška Gora in Syrmien und in den griechischen Schulen sehr populär waren, so daß man mit Recht Wolff und Baumeister als Lehrmeister der Völker Ost- und Südosteuropas bezeichnen konnte. Diese zwischen 1760 und 1800 erfolgte Rezeption darf nicht darüber hinwegtäuschen, daß Dauer und Umfang insgesamt sehr ungleich waren und die Übersetzung eines philosophischen Lehrbuchs noch nichts über seine Wirkungen aussagt.

II

Die Dauer dieser allmählichen Durchdringung Ost- und Südosteuropas mit der Aufklärungsrationalität und erst recht ihre Übernahme und Umgestaltung zu lebendigen Formkräften der eigenen Nation erstreckt sich bis weit in die zweite Hälfte des 19. Jahrhunderts. Es mag dahingestellt bleiben, ob man den Beginn der Frühaufklärung schon mit Theophilos Korydaleus († 1645) ansetzen soll[8], wichtiger erscheint zunächst die Frage nach dem Beginn der Hauptperiode, der „Hochaufklärung", und den von diesem Zeitabschnitt ausgehenden politischen Wirkungen, die das gesamte 19. Jahrhundert ganz maßgeblich geprägt haben, mindestens aber bis zu den sechziger Jahren, in denen der österreichisch-ungarische und der ungarisch-kroatische Ausgleich von 1867/68 einen ebenso deutlichen Einschnitt bilden wie die Errichtung der noch fehlenden National-Universitäten, Akademien und ihrer Vorläufer bei Bulgaren und Rutheno-Ukrainern im Donau-Karpatenraum zwischen Agram (Zagreb), Bukarest, Jassy, Czernowitz, Lemberg. Die Gestaltungskräfte der Aufklärungsrationalität im kulturell-wissenschaftlichen Bereich haben sich im Karpaten- und Donauraum schon deshalb anders entwickelt als bei den großen Kulturnationen mit einer ausgebildeten Literatursprache, weil bei Griechen, Serben, Rumänen, Ungarn, Kroaten, Ruthenen, Ukrainern[9] und erst recht bei Bulgaren und Albanern die sprachlich-begrifflichen Voraussetzungen für die Rezeption philosophischer Ideen fehlten. Die griechisch-phanariotischen Überlagerungsvorgänge wirkten im Donauraum ähnlich hemmend auf die Entfaltung der Volks- und Sakralsprachen zu literaturfähigen Hochsprachen, wie dies die österreichisch-deutsche Sprachvorherrschaft in Böhmen-Mähren, der Slowakei, noch stärker sogar in Kroatien und Ungarn, die polnische und russische bei Ruthenen, Ukrainern, Weißruthenen und Litauern und schließlich die baltisch-deutsche bei Esten und Letten tat.

Diese überwiegend ostmittel- bzw. osteuropäische Gemeinsamkeit, die insbesondere die städtische Struktur betraf, hatte in den Generalstaaten ihr Pendant, und bei allen diesen Räumen und Kulturmittelpunkten fällt auf, daß sie eine doppelte Funktion ausübten: einerseits standen sie in Verbindung zu den Außenhandelszentren und Manufakturneugründungen, andererseits zu den Grundschichten der bodenständigen Bevölkerung. Die Folge war eine tiefere Verwurzelung und schnellere Entfaltung der Aufklärungsbewegung in jenen Landschaften, in denen auf engem Raum mehrere Sprach- und Glaubensgemeinschaften zusammenlebten, wie z. B. in den griechisch-mazedo-wlachischen (aromunischen) und serbisch-mazedo-slawischen (bulgarischen) Handelsniederlassungen, die sich seit dem 17. Jahrhundert als breiter Außenhandelsgürtel um den osmanisch beherrschten Balkanraum gelagert hatten. Das gleiche gilt schließlich in verstärktem Maße für die meist protestantischen Städterschichten sowie die Handels- und Industriekolonisten in Polen und Rußland, wie überhaupt in Osteuropa die Aufklärung zunächst in den protestantischen Kreisen frühe Geltung fand, ehe sie in die katholischen und später in die griechisch- bzw. russisch-orthodoxen Siedlungsräume vordringen konnte.

Die Strahlungsfunktion dieser Niederlassungen in Polen und Rußland war beachtlich. Außer in Moskau, wo es seit dem beginnenden 17. Jahrhundert neben den lutherischen und evangelisch-reformierten Diaspora-Gemeinden auch kleinere Ausländergruppen von Katholiken gab, bestanden solche Niederlassungen vor allem in Cholmogory, Wologda und Jaroslawl, und damit am Handels- und Verkehrsweg vom Weißmeerhafen Archangelsk nach Moskau, ferner in Tula, wo wallonische, schwedische und deutsche Schmiedemeister ein großes Eisenhüttenwerk errichtet hatten. Aber Protestanten und Katholiken waren trotz der ihnen vom Hof entgegengebrachten Sympathien während des 17. Jahrhunderts in Rußland nur begrenzt geduldet, ähnlich wie die ersten griechisch-aromunischen und serbischen Niederlassungen im Habsburger Reich vor dem Türkenkrieg von 1683 bis 1699.

Einen gewissen Vorsprung gegenüber der westeuropäischen Entwicklung erlangten die Vielvölkerstaaten Ost- und Südosteuropas aber dennoch durch den Ausbau einer im Militär- und Wirtschaftsrationalismus verankerten Toleranzpraxis, wie sie sich in Rußland und Österreich in der Ansiedlung von Reformierten aus Frankreich und von orthodoxen Serben, Bulgaren und Albanern aus dem Osmanischen Reich in den Jahren 1689 bis 1691 manifestierte. Erst nach der Aufhebung des Edikts von Nantes (1685), als rd. 50 000 Hugenotten-Familien Frankreich verlassen mußten und die norddeutschen Fürstentümer nicht in der Lage waren, diesen Flüchtlingsstrom allein aufzunehmen, erließen die russischen Zaren 1689 eine Aufforderung in französischer und deutscher Sprache an diese verfolgte Glaubensgemeinschaft, durch die sie unter Zusicherung voller Religionsfreiheit zur Einwanderung nach Rußland eingeladen wurden[10]. Dieses Jahrzehnt zwischen 1689 und dem Friedensschluß von Karlowitz 1699, der den ersten großen Türkenkrieg beendete, ist zugleich auch für den Donauraum in Hinsicht auf die Entwicklung der Toleranzpraktik auf einzelnen Sektoren und für einzelne Regionen von Bedeutung. In den Jahren 1690/91 wurden rd. 35 000 Familien, überwiegend orthodoxe Serben, unter Führung des serbischen Patriarchen von Peć, Arsenije III. Crnojević, zur Einwanderung auf österreichisch-ungarisches Territorium eingeladen. Der politische Grund für diese großangelegte Wanderbewegung war die vorausgegangene Erhebung der Balkanchristen gegen die osmanische Staatsgewalt, die von Wien energisch betrieben worden war und bei Serben, Bulgaren und Albanern verfrühte Befreiungshoffnungen erweckt hatte.

Ähnlich wie in Rußland, wo der wirtschaftspolitische Rationalismus zu Toleranzmaßnahmen im Zeitalter der beginnenden Frühaufklärung führte, gewährte auch Wien der beachtlichen serbischen Streitmacht weitgehende Freiheiten vor allem für ihren Glauben, für die freie Wahl ihres kirchlichen Oberhauptes und für die kirchliche Selbstverwaltung[11]. Diese Auflockerung der ethnisch-konfessionell bis dahin relativ geschlossenen Räume steht sozial- und kulturgeographisch am Anfang des Aufklärungszeitalters in Ost- und Südosteuropa, und das nicht nur, weil sich in diesen beiden Jahrzehnten des ausgehenden

17. Jahrhunderts Ost- und Südosteuropa den abendländischen Kulturformen weiter öffneten als in der Zeit vorher, sondern weil an die Stelle des monokonfessionellen Staates Zwischenstufen zum interkonfessionellen paritätischen Staat des 19. Jahrhunderts traten.

Der westeuropäische Rationalismus faßte dann, von Frankreich ausgehend, schon in der Zeit Kaiser Josephs I. in Österreich Fuß[12], etwa gleichzeitig also mit den Reformmaßnahmen Peters des Großen, der in einem Toleranz-Ukas von 1702 verfügt hatte, „daß ein jeder Christ auf seine eigene Verantwortung sich die Sorge seiner Seligkeit" angelegen lassen sein solle[13]. Bereits in dieser frühen Phase der Entwicklung wirtschaftlich- bzw. sozio-kultureller Voraussetzungen für die Rezeption der Aufklärung in Rußland, die ihren Höhepunkt erst erreichen sollte, als ein dichtes Netz von Manufaktur- und Fabrikbetrieben der städtischen Gesellschaft neben dem Handel und dem Beamtendienst einen neuen Aufstiegsweg geebnet hatte, begann eine Lockerung des „russisch-orthodoxen Absolutismus", wie ihn die Moskauer Patriarchen installiert hatten. Diese Bezeichnung bedarf aber der Erklärung. Das zweckrationale Toleranzedikt erstreckte sich ja keineswegs auf die griechisch-orthodoxe Bevölkerung des Zarenreiches und schon gar nicht auf die Raskolniki. Was aber wohl von noch größerer Bedeutung für interkonfessionelle Beziehungen bis zum Erlaß des Oktober-Manifestes von 1905 und für das Verhältnis zu Aufklärung und Liberalismus innerhalb der Geistlichkeit Rußlands war, ist der geringe Anteil, den sie am geistigen Geschehen in Europa nahm. Peter der Große hatte sich aus der Ukraine stammende Geistliche für sein Wirken geholt, das als „Petrinische Aufklärung" in die Geistesgeschichte eingegangen ist und auf die griechisch-orthodoxen Serben und Rumänen nicht ohne Einfluß blieb. Ob er eine Staatskirche schaffen wollte, ist ja bekanntlich umstritten und in diesem Zusammenhang auch nicht entscheidend. Wichtiger scheint die Tatsache zu sein, daß sich das Reformwerk Peters des Großen die Gegnerschaft der russischen Geistlichkeit zuzog, weil sowohl Prokopović als auch Javorskij gewisse — übrigens umstrittene und ihnen selbst vielleicht auch nicht in vollem Umfang bewußte — Sympathien für den Protestantismus hatten und weil sie aus der Ukraine stammten, die sich unter dem mächtigen Kultureinfluß Polens mindestens in der Oberschicht der Großgrundbesitzer und der reicheren Stadtbewohner stärker okzidentalisiert hatte. Diesen Widerstand gegen anderskonfessionelle Gruppen oder Einzelpersonen möchte ich als „russisch-orthodoxen Absolutismus“ bezeichnen.

Der Absolutismus des Patriarchen, der neben der unumschränkten Herrschermacht des Zaren zeitweilig eine noch stärkere Position besaß, weil er mit irdischen und transzendentalen Strafen die Kirchenzucht überwachen konnte, verschwand durch die petrinischen Reformen. Die Kirche mußte sich von nun an — wenn auch widerstrebend — der Staatsnotwendigkeit fügen, daß Glaubensfremde in Rußland Religionsfreiheit besaßen. Doch hat sich die russisch-orthodoxe Kirche mit dieser verordneten Toleranz im Gegensatz zur protestantischen und zur römisch-katholischen Kirche im Habsburger Reich, die von den geistigen Strömungen ihrer Zeit viel stärker beeinflußt wurden, nicht abgefunden. Vor allem in Wien war die Aufklärung allmählich den Erfordernissen der jungen Großmacht angepaßt worden, wobei ein nach der Begriffsbestimmung von Valjavec weitgehender Konsens „zwischen den Anschauungen der vorausgehenden Zeit auf politischem und kirchlich-kulturellem Gebiet auf der einen und zwischen dem Geist der Aufklärung, den Tendenzen der Säkularisierung und Laisierung auf der anderen Seite“ [14] erzielt wurde.

Faßt man die beinahe zwei Jahrhunderte auseinanderliegenden Jahre 1689 und 1868 als äußere Markierungen auf, ergibt sich die Frage nach der Periodisierung der dazwischen liegenden Zeit, vor allem nach der Abgrenzung von Frühaufklärung und Hochaufklärung, also jener Phase, in der die Ideen der neuen philosophischen Weltanschauung eine Trägerschicht in den Kreisen der Lehrer und Theologen als den Hauptrepräsentanten der dünnen Bildungsschicht gefunden hatten. Hier zeigt sich deutlich, wie schwierig eine solche Periodisierung ist, wenn sie für einen so weiten und vielfältig gegliederten Raum gelten soll.

Da es im kulturellen Bereich keine starren Grenzlinien zwischen den Völkern gibt, erfolgte die Rezeption aufklärerischer Tendenzen bei Kroaten, Slowenen, Serben, Ungarn, Tschechen und Polen seit der Mitte des 18. Jahrhunderts in Anlehnung an die Geistesströmungen Westeuropas. Es ist daher verständlich, daß im nördlichen, sogenannten Zivilkroatien [15] die Ideen der Aufklärung früher Eingang fanden als in den von Serben [16] besiedelten Gebieten zwischen Drau und Save, daß Pavao Ritter Vitezović (1652—1713) und Andrija Kačić Miošić (1704—1760) früher als Jovan Rajić (1726—1801) die sprachlich-ethnische Einheit der Südslawen betonten und für bessere Bildungsvoraussetzungen im weitesten Sinne des Wortes eintraten.

Mit Matija Antun Reljković (1732—1798) und Zaharija Orfelin (1726—1785) beginnt das Ringen der Serben um den Gebrauch der Volkssprache in der Literatur heftiger zu werden. Das Erscheinen der ersten serbischen Zeitschrift in Venedig (1768), die dazu beitragen sollte, den kulturellen Abstand zu überwinden, der die griechisch-orthodoxen Griechen, Serben, Rumänen und Bulgaren von jenen Völkern trennte, die nicht von der Türkenherrschaft betroffen worden waren, fällt nicht zufällig mit dem Erscheinen einer Übersetzung von Voltaires „Dissidenten in Polen" ins Griechische zusammen[17]. Man merkt hier deutlich, daß die geistigen Ausstrahlungen des Barockzeitalters in den Grenzgebieten zwischen Katholiken, Unierten (d. h. griechisch-katholischen Gläubigen) und Orthodoxen an Wirksamkeit zu verlieren beginnen, während seine architektonisch-künstlerische Gestaltungsform noch lange nachwirkt. Weitaus wichtiger aber als die zeitliche Koinzidenz eines kulturellen Aufbruchs, der durch die Niederschrift der „Istorija Slavenobolgarskaja" des Paisij Chilendarski (1762) bei den Bulgaren, durch die Begründung des neueren magyarischen Schrifttums durch György von Bessenyei (1747—1811) und die des neueren rumänischen Schrifttums im Geiste der dakoromanischen Nationalidee durch die Vertreter der Siebenbürgischen Schule[18] in der gleichen Periode gekennzeichnet ist, waren die politischen Auswirkungen, die sich in der Zeit zwischen 1768 und 1790/91 innerhalb dieser Völker bemerkbar machen. Man kann übrigens auch für Polen die Existenz dieser Zäsuren zwischen dem oktroyierten „Toleranztraktat" vom 24. 2. 1768 und der Mai-Verfassung von 1791 feststellen, wobei sich dort entsprechend der retardierten Aufklärungsrezeption erst jetzt neue Leitbilder für eine auch außerhalb der Kirche denkbare Bildungsplanung entfalten konnten.

Anders wiederum waren die Verhältnisse in Rußland, wo sich Katharina II. als Repräsentantin des aufgeklärten Absolutismus nur für die Optik des Auslandes und der Opposition als reform- und aufklärungsfreundlich zeigte und 1766 ihrem „Nakaz"[19] eine inhaltliche Ambivalenz und politische Doppelfunktion gab. Dieser Ansatz und Vorwand zur Neukodifizierung des russischen Rechts unter Mitwirkung von Vertretern des Adels, der Stadtbewohner, der Geistlichkeit und der freien Bauern wurde im „Nakaz", einer umfangreichen

Instruktion der Kaiserin, im Geist Montesquieus und Beccarias so formuliert, daß die dort wiedergegebenen Ideen bei den Optimisten Hoffnungen auf eine weitgehende Adaption an die Aufklärung erwecken mußten. So sollte durch Gesetze, vor denen alle Bürger gleichgestellt werden sollten, nur untersagt werden, was dem Einzelnen oder der gesamten Gesellschaft schädlich sei, und jede Vorkehrung getroffen werden, Verbrechen zu verhindern, da dies besser sei, als sie zu bestrafen.

Der zweite Teil des „Nakaz“ ist weniger vom Geist moderner Fortschrittlichkeit getragen und enthält bekanntlich eine ausführliche Motivation der absolutistischen Selbstherrschaft, wie sie Katharina II. während ihrer Regierungszeit so meisterhaft auszuüben verstand. Die Überbewertung des Adels muß ebenso wie der ganze „Nakaz“ primär als Mittel zur Festigung ihrer Herrschaft gewertet werden. Eine wichtige Sekundärfunktion war die Auslösung von Kritik an der Handhabung aufklärerischen Gedankenguts durch Katharina. Damit eng verbunden war die Erkenntnis, daß die kulturellen Voraussetzungen für die Rezeption der Aufklärung, vor allem für die Umgestaltung der Rechts- und Sozialverhältnisse, weitgehend fehlten.

Was die Dauer und Art dieser Rezeptionsperiode betrifft, überrascht auch hier die weitgehende Übereinstimmung mit dem Karpaten- und Donauraum, wo sich innerhalb der drei Jahrzehnte zwischen 1760 und 1790 der Umschlag von der kulturellen zur politischen Zielsetzung vorbereitete. Wie der kroatische Grenzoffizier Reljković mit seinem „Satir ili divji čovik“, zu dem ihn die Lektüre von Moscherosch angeregt hatte, die Mißstände seiner zurückgebliebenen Landsleute in Slawonien in seinen dem Volke verständlichen Zehnsilbern geißelte, paßte in Polen der aus Galizien stammende Graf Ignacy Krasicki (1735—1801) als Fürstbischof von Ermland in seinen „Myszeidos pieśnie“ (1775) nicht nur die polnische Literatur wieder dem europäischen Niveau an, sondern machte auch den Weg für jene umfassenden Schulreformen frei, die Polen für die folgenden Jahrzehnte gegenüber den östlichen und südlichen Nachbarn auszeichneten. In Rußland waren es Denis Ivanovič Fonvizin (1754—1792) mit dem 1782 uraufgeführten „Nedorosl’“ (Der Landjunker) und der Ukrainer Vasilij Vasil’evič Kapnist (1758—1823) mit der satirischen Komödie „Jabeda“ (1798) und mit der Ode auf die Knechtschaft, die eine Änderung der Verhältnisse anzubahnen versuchten.

Das Bewußtsein, daß Bildung und Wissen einen Machtfaktor und noch mehr ein Mittel zur Verbesserung der wirtschaftlichen Lage darstellten, war in dieser Zeit das Kennzeichen der dünnen, aber wirkungsvollen geistigen Führungsschicht im ganzen europäischen Kulturraum. Man denke nur an die Bedeutung von Eberhard Freiherr von Rochow (1734—1805), der in Nordosteuropa eine ähnliche Bedeutung erlangte wie Ignaz Felbiger oder auch Heinrich Pestalozzi, der durch die Vermittlung von Stephan Ludwig Roth (1796—1849) schon früh in Siebenbürgen fruchtbar wurde. Unter diesem Aspekt langsamer Wirkungen kann das sich verspätet entwickelnde nationalsprachliche Bildungswesen in Ostmittel- und Südosteuropa gesehen werden, das bei den griechisch-katholischen Rumänen Siebenbürgens und bei den Ruthenen Galiziens schon im ausgehenden 18. Jahrhundert beginnt, um von jenem der griechisch-orthodoxen Serben und Rumänen, Griechen und Bulgaren erst im Laufe des 19. Jahrhunderts eingeholt zu werden.

Diese Phasenverschiebung gegenüber West- und Mitteleuropa, aber auch gegenüber Polen, das nach der Teilungsperiode und den Aufstandsbewegungen einen Teil seiner nationalsprachlichen Bildungseinrichtungen verlor, ist auch eine Phasenverschiebung im Bereich der Aufklärungsbewegung und deren Verwirklichung, wie sich an der Gründungsgeschichte nationaler Kultureinrichtungen in den Hauptstädten der Länder Österreich-Ungarns ablesen läßt. Erst diese Entwicklung, die in Wien mit der Gründung der „Deutschen Gesellschaft" 1761 begann, sich bei den Magyaren, Rumänen, Serben, Kroaten und Ukrainern fortsetzte, hat das ostmittel- und südosteuropäische „Weltbürgertum der verspäteten Aufklärung", wie man die polyglotte Städterschicht im trapezförmigen Raum zwischen Agram, Bukarest, Lemberg und Prag nennen könnte, innerhalb von zwei Generationen in die nationalen Strömungen integriert, wobei die sprachliche Assimilation noch viel langsamer vor sich ging. Man bedenke, wie lange die um 1770 entstandene „Königliche böhmische Gesellschaft der Wissenschaften", deren Gründungsjahr noch umstritten[20], deren Bedeutung für die kulturelle Entwicklung Böhmens und Mährens aber hinlänglich bekannt ist, sich überwiegend der deutschen Sprache bediente. Noch 1866 galt sie Deutschen und Tschechen als wissenschaftliche Sammelstätte, und erst 1890 kam es zu jener Trennung, die zur Gründung der „Gesellschaft für Förderung deutscher

Wissenschaft, Kunst und Literatur" auf der einen und der „Česka Akademie" auf der anderen Seite führte.

Die Aufklärungsbewegung hatte beide Formen des Zusammenlebens im multi-nationalen Staat erleichtert, die vom Philantropismus getragene kosmopolitische, die auch die Freimaurer praktizierten, und die national-kulturelle, die von West- und Mitteleuropa aus ihren Siegeszug ins Zeitalter des Nationalismus unternahm. Den Anfang hatten die Magyaren, zuerst unter György von Bessenyei und dann unter Széchenyis Führung (1825) gemacht[21]. Ihnen folgten die Serben, deren „Matica serbska" — jetzt „Matica srpska" — 1826 in Pest, dem damaligen Hauptort des serbischen Kulturlebens gegründet wurde. Erst in den vierziger Jahren folgten ähnliche Gründungen der Siebenbürger Sachsen[22] in Hermannstadt (1841), der Kroaten in Agram (1842), und zwei Jahrzehnte später auch in Zadar (1862), nahezu gleichzeitig mit den Gründungen der Rumänen Siebenbürgens, des Banats und der Bukowina. Diese Beispiele, die noch durch jene für Slowaken und Ruthenen, sowie für die kleinen Völker am Baltischen Meer erweitert werden können, lassen deutlich werden, daß die nationale Vergemeinschaftung die Hebung der Volksbildung durch die Reform des Erziehungswesens anstrebte, wobei eine zweckrationale Verbindung zwischen der Entstehung und Verbreitung neuer nationaler Geschichtsbilder und dem Aufstiegswunsch der eigenen Intellektuellenschicht bestand[23]. So gesehen, bildeten die im gleichen Zeitraum erfolgten Akademie- und Universitätsgründungen in Jassy (1860), Bukarest (1864), Agram (1867 bzw. 1874), Klausenburg (1872) und Czernowitz (1875) einen krönenden Abschluß der Nachwirkungen des philosophischen Jahrhunderts, das in Südost- und Osteuropa erst spät eines der Hauptziele verwirklichen konnte: breite Volksschichten mit den Erkenntnissen der Aufklärung in ihrer Muttersprache bekanntzumachen.

III

Die politischen Wirkungen der Aufklärung, die unter dem Begriff des „nationalen Erwachens in Ostmitteleuropa und Südosteuropa" zusammengefaßt wurden[24], gehören zu einem bisher nur wenig erforschten Kapitel, das ich als „Frühgeschichte der Nationsbildung" bezeichne. Trotz einer reichen Fachliteratur und Nationalismus-Forschung gibt es noch keinen Versuch einer vergleichenden Darstellung der Nationalbewegungen vor 1790, die von einer sozial- und geistesgeschichtlichen Fragestellung ausgeht. Dies hängt vor allem damit zusammen, daß mit wenigen Ausnahmen[25] noch immer ein sehr erheblicher Teil des empirischen Materials fehlt, welches auch für die zurückgesetzten Sprach- und Glaubensgemeinschaften — ich denke hier vor allem an Serben, Rumänen und Ruthenen der Habsburger Monarchie sowie an Griechen, Aromunen und Bulgaren — die Begründung einer Typologie mit neuen Kategorien erlauben würde[26].

Ehe wir uns aber diesem Problemkreis zuwenden können, muß die Frage nach den gesellschaftlichen Grundlagen, also den Trägerschichten innerhalb der oft recht komplizierten Sozialstruktur Ost- und Südosteuropas an der Wende vom 18. zum 19. Jahrhundert aufgeworfen werden. Die Rolle des Bürgertums als Trägerschicht der neuen, fast ganz Europa durchpulsenden Aufklärungsbewegung darf man nicht überschätzen, denn die gesellschaftlich führende Adelsschicht und die Geistlichkeit waren im Donauraum sowohl im reformfreudigen Lager der Josephiner wie in jenem der radikaleren Jakobiner der Zahl nach beachtlich vertreten.

Die sozialen Voraussetzungen für eine differenzierte Rezeption der Aufklärung waren zwar auch in Rußland und Polen gegeben, doch fehlte in Rußland, wie ursprünglich in allen griechisch-orthodoxen Glaubensbereichen, eine nennenswerte Verbreitung der christlichen Rechtslehre, wie auch seit dem Bilderstreit keine weltanschaulichen Auseinandersetzungen mehr stattgefunden hatten. Mit Ausnahme der Kiewer Theologischen Akademie gab es keine geistliche Bildungsstätte von Rang, so daß die russische Geistlichkeit von vornherein intellektuellen Ideenströmungen gegenüber wenig empfänglich war. In Polen, wo es starke Ansätze der Frühaufklärung auch in der breiten Bürgerschicht aller Konfessionsgruppen gegeben hatte, war es seit dem „Thorner Blutgericht" von 1724 und der Verschärfung der konfessionellen Gegensätze zu einer ausgesprochen aufklärungsfeindlichen Haltung besonders gegen die protestantischen Exponenten dieser Anschauung gekommen, so daß erst kurz vor der ersten Teilung Polens mit der Auflösung des Jesuitenordens der Weg für das Vordringen der Aufklärungsideen freigegeben wurde.

Da man eine vergleichende Darstellung der Trägerschichten weder über einen zu weiten und noch dazu heterogenen Raum, wie das Ost- und Südosteuropa sind, ausdehnen kann, noch über einen zu großen

Zeitraum, möchte ich mich auf die Betrachtung der beiden letzten Jahrzehnte des Jahrhunderts beschränken. Dabei stellen wir zunächst fest, wie schnell sich das Verhältnis zur Aufklärung nach der Französischen Revolution grundlegend wandelte, zuerst in Rußland, dann auch im Habsburger Reich. Hatten bis 1789 der absolute Staat und die gekrönten Häupter die Aufklärung gefördert, zeigte sich nach 1790 ein deutlicher Umschwung, der es sogar den vom Staat weniger abhängigen Trägerschichten erschwerte, für die Verwirklichung der politischen Ziele der Aufklärungsideen einzutreten.

Das letzte Jahrzehnt des 18. Jahrhunderts wurde aber gerade wegen dieses Umschwungs von der Begeisterung für die Ideale der Freiheit und des Lichts zu der ernüchternden Erkenntnis der politischen Auswirkungen für die Herrschenden und ihren Stand eine Periode, in der sich eine, wenn auch kleine Schicht von Anhängern der menschlichen Freiheit von sozialer oder von ethnisch-kultureller Bedrückung weiterhin für ihre Überzeugung einsetzte. Entsprechend den politischen Spannungsfeldern, die z. B. in Rußland überwiegend sozialer und staatsrechtlicher Natur, im ostmittel- und südosteuropäischen Raum infolge ethnisch-kultureller Überlagerungen und konfessioneller Unterschiede aber vielschichtiger waren, lassen sich auch innerhalb dieses Jahrzehnts zwei Haupttypen voneinander unterscheiden: Die Vertreter einer gemäßigten Verwaltungs- und Sozialreform und die radikalen Anhänger einer sozialrevolutionären Richtung. Den Verwaltungs- und Sozialreformern ging es in erster Linie um die Abschaffung jener Mißstände, die schon Joseph II. bekämpft hatte, als er in Fortführung der Reformbestrebungen Maria Theresias den Bildungsstand der Gesamtheit der Untertanen zu heben und die Rechtspflege zu humanisieren suchte. Gegen diese Maßnahmen hatten sich weite Schichten des breitgestreuten ungarischen Feudaladels gestellt, weil der Unterhalt von Schulmeistern und die Abschaffung von Willkürmaßnahmen bei der Behandlung der Leibeigenen kostspieliger erschienen als das Beharren auf den Feudalrechten.

Zu den Widersachern dieser konservativen Feudalschicht, die durchaus kein einheitliches Bild bot und dem Josephinismus bis zur Zeit zwischen 1784 und 1788 weit aufgeschlossener gegenübergestanden hatte als in den letzten Regierungsjahren des Kaisers, gehörte eine ansehnliche Gruppe der höheren Geistlichkeit als Befürworter einer friedlichen Reform. Bei allen Konfessionen des Stephansreiches und ebenso im Osmanischen Reich begegnet uns eine dünne Schicht gebildeter Kleriker, die einer gemäßigten Aufklärung den Weg ebnet. Dabei fehlt es nicht an Übergangsformen zwischen barock-katholischer Gläubigkeit und josephinischen Anschauungen, da der Grad der Beeinflussung durch die Aufklärungsideen in manchen Orden seit der Mitte des 18. Jahrhunderts besonders stark war. Diese enge Verbindung von Geistlichkeit und Aufklärung war natürlich nicht auf das Magyarentum beschränkt und schon gar nicht auf eine der Konfessionen, wie wir aus der Geschichte der Aufklärung und Nationalbewegung der Finnen, Esten und Letten wissen, auf die ich hier nicht näher eingehen möchte. Auch der slowakische Komplex dürfte bekannt sein[27].

Der römisch-katholische Bischof von Agram (Zagreb), Maksimilijan Vrhovac (1752—1827), der unter die bekannten Geistesgrößen dieser Periode zu rechnen ist, gehörte viele Jahre hindurch zum Kreis der Josephiner, und hatte vielleicht sogar Kontakte zu den Jakobinern[28]. Nicht nur bei der höheren Weltgeistlichkeit, auch in den Orden der Piaristen und Franziskaner gab es zahlreiche Anhänger einer längst fällig gewordenen Reform. Diese Parteinahme für die umfassenden Maßnahmen unter Maria Theresia und Joseph II. wird besonders deutlich, wenn man die Einstellung des griechisch-katholischen Klerus der Rumänen Siebenbürgens und der Ruthenen Nordost-Ungarns und Galiziens berücksichtigt. Die enge Bindung zwischen kultischer und sozialer Gemeinschaft oder gar ihre Identität hatte bei den zurückgesetzten Gruppen, die weder eine eigene Kirchenhierarchie noch eine nennenswerte Adelsschicht besaßen, dazu geführt, daß die in Wien, Lemberg oder sogar in Rom geschulte höhere Geistlichkeit eine Doppelfunktion im kirchlichen und im politischen Bereich hatte, die ihr oft auch die Sorge für die Schaffung von Bildungsanstalten übertrug. Anders als in Frankreich, wo sich das Bürgertum zum „Dritten Stand“ und zur Nation erklärte, fehlte bei Rumänen und Ruthenen die tragende Bürgerschicht fast gänzlich. Die Serben der Habsburger Monarchie besaßen zwar eine weitaus ausgeglichenere Sozialstruktur, da in den zahlreichen Flüchtlingsströmen neben der führenden Geistlichkeit auch Handwerker, Händler und Reste der noch bestehenden Adelsschicht eingewandert waren und ihre Zünfte (esnafi) den sozialen Aufstieg erleichterten, doch galt beim Wiener Hof in erster Linie ihre höhere Geistlichkeit als anerkannte Repräsentanz der griechisch-orthodoxen Glaubensgemeinschaft, während sich in den Städten und Komitaten auch die serbische Bürgerschicht ein Mitspracherecht zu erkämpfen suchte. Schließlich gehören zu diesem Kreis der griechisch-orthodoxen Balkanchristen auch Griechen und Aromunen, die als Händler, Handwerker und Kaufleute ihren Wirtschaftsrationalismus mit den neuen medizinischen, mathematisch-physikalischen und geographischen Kenntnissen zu bereichern bemüht waren, so daß auch sie an der Volksaufklärung mitwirkten, indem sie die Errichtung von Konfessions-Gemeindeschulen unterstützten und überdies eine rege Übersetzungstätigkeit entfalteten. Auch wenn man diesen Schulen im Rahmen der Aufklärungsbewegung keine zu große Bedeutung zumessen wird, so kann man ihren Initiatoren und Trägern, vor allem den Lehrern, diese Rolle nicht absprechen. Von den Theologen der griechisch-katholischen Rumänen Siebenbürgens, der Ruthenen Galiziens und der Griechen und Aromunen der Habsburger Monarchie — später übrigens auch von jenen in den Handelsniederlassungen in Rußland — gingen entscheidende Impulse für den Kampf um die soziale und nationale Emanzipation ihrer Glaubensgemeinschaften aus. Wenn hier daher mit Bedacht der Begriff der Konfessions-Nationalität zur Charakterisierung der primär von der Geistlichkeit geführten und durch die Glaubenskohäsion zusammengehaltenen Nationalitäten auf dem Weg zur politischen Nation gebraucht wird, dann vor allem mit der Begründung, daß weder eine eigene Literatursprache vorhanden war, die eine andere kulturelle Grundlage für die Willensbildung geboten hätte, noch eine hierarchisch gegliederte Organisations- oder Verwaltungseinrichtung außer derjenigen der Kirche bestand.

Die Wurzeln dieser Entwicklung lagen in der geschichtlichen Situation der Balkanchristen seit dem Vordringen der Osmanen. Die Kirche der Griechen war eben keine Weltkirche, die die Interessen mehrerer Staatsvölker zugleich zu vertreten hatte, sondern eine nationale Volkskirche, die mit ihren liturgischen und theologischen Werken und ihrem griechischen Ritus der alten Sprache das Leben rettete. Neben der seelsorgerischen Tätigkeit übte die Kirche auch eine weltliche Macht aus, die die Kohäsion des Griechentums ganz entscheidend beeinflußte. Bedenkt man, daß der höhere Klerus als Berater des Volkes namentlich bei Rechtsgeschäften mitwirkte und der Geistlichkeit die schiedsrichterliche Gewalt in weiten Bereichen des Privatrechts, vor allem im Erbschafts- und Eherecht zustand, dann wird uns verständlich, warum der Patriarch und die Synode die höchste Gerichtsbarkeit der christlichen Rayah bildeten und zugleich die höchste Vertretung des „Rum Milleti" — also der griechischen Glaubensgemeinschaft — gegenüber der Pforte darstellten. Die Kirche erhielt auf diese Weise eine Machtfülle, die sie nur noch im Byzantinischen Reich besessen hatte, was für die Nationsbildung der anderen Völker Südosteuropas, soweit sie dem griechischen Glauben angehörten, bedeutsam wurde.

Die serbisch-orthodoxe Kirche, die bis 1766 in Ipek-Peć ein eigenes Patriarchat besaß, paßte sich dieser Entwicklung weitgehend an und bemühte sich, das Milleti-System auf die Karlowitzer Metropolie zu übertragen, die mit der Flucht des Patriarchen Arsenije III. Crnojević von Peć auf österreichisches Territorium im ausgehenden 17. Jahrhundert entstanden war und zunächst zur Konstituierung einer polyethnischen Glaubensgemeinschaft führte, die sich dann in der zweiten Hälfte des 18. Jahrhunderts unter den vielfältigen Einflüssen von west-östlichen Beziehungen und namentlich dem des Frühjosephinismus in monoethnische Glaubensgemeinschaften auflöste.

Daß es sich hierbei nur um eine Zwischenstufe der Organisationsform handelt, wird besonders deutlich, wenn wir bei den konfessionell gespaltenen Rumänen und Slowaken die unter dem Einfluß des Josephinismus erfolgte Koordination der politischen Willensäußerungen betrachten, die seit 1790 stärker sichtbar werden[29]. Wieder anders lagen die Verhältnisse bei Griechen und Aromunen. Die Griechen besaßen in ihren Diaspora-Gemeinden in Ägypten, Frankreich, England, Rußland und im deutschsprachigen Raum neben der Geistlichkeit auch zahlreiche Ärzte, Schriftsteller und Lehrer, desgleichen die Aromunen. Ich bin diesem Tatbestand in der 1959 erschienenen Darstellung der deutsch-griechischen Kulturbeziehungen und in einer kleinen Studie über die Bedeutung der Mazedo-Wlachen für die Verbreitung der Aufklärung nachgegangen und habe dabei feststellen können, daß diese Berufs- und Standesgruppen seit der Mitte des 18. Jahrhunderts bis in die Zeit des beginnenden griechischen Freiheitskampfes die Wegbereiter der politischen Wiedergeburt der griechischen Nation waren, mit der sie in enger Kulturgemeinschaft lebten. Durch den Studienaufenthalt an den deutschsprachigen Universitäten Mitteleuropas oder an den italienischen und französischen Hochschulen wurden sie zu Mittlern zwischen ihrem Herkunfts-, Ausbildungs- und Wirkungsort, so daß sie zu den wenigen genuinen Trägerschichten in Ost- und Südosteuropa zählten, die sich nicht nur rezeptiv den neuen Ideen gegenüber verhielten.

Der Ausbildung nach standen ihnen am nächsten die Absolventen der 1764 in Schemnitz eingerichteten Hochschule für das Berg- und Hüttenwesen, die bereits 1770 zur Akademie erhoben wurde und Generationen von Bergbauingenieuren aus allen Ländern der Donaumonarchie, später auch aus den rumänischen Fürstentümern und Serbien schulte. Die soziale Schichtung ihrer Absolventen war ebenso vielfältig wie deren ethnische Abstammung, wobei der mittlere und niedere Adel auffallend stark vertreten waren, ebenso das im Aufstieg begriffene magyarische, slowakische und ruthenische Bürgertum.

Die weitere Entwicklung der Aufklärungsbewegung im Bereich der Ostkirche Rußlands und Südosteuropas ist zusammenfassend bereits dargestellt worden[30], so daß hier nur einige Sonderformen genannt seien, die auch in Ungarn und Österreich Parallelen haben. Ich denke zunächst an die radikal-sozialen Aufklärungsformen, die in Rußland und Ungarn, am Rande auch in Siebenbürgen und Kroatien, eine kleine, aber zuweilen sehr aktive Anhängerschaft fanden, welche nicht primär aus den Reihen der Geistlichen, sondern aus dem Adelsstand kam. Diese radikalen Tendenzen sind mit der Umgestaltung der russischen Kirche zur Staatskirche durch Katharina II. und mit der eingangs geschilderten inhaltlichen Ambivalenz und politischen Doppelfunktion des „Nakaz“ nicht allein zu erklären, denn neben der Enttäuschung über Katharinas Innenpolitik spielten auch die wirtschaftlichen Verhältnisse, vor allem die permanente Finanznot des Staates, eine sehr erhebliche Rolle. Dabei hatte sich zunächst eine euphorische Stimmung entwickelt, da die Kaiserin sich als „Vollenderin des Reformwerks Peters des Großen“ zu geben verstand und 1773 durch die Verordnung zur Errichtung eigener Druckereien in jedem der Gouvernements und 1783 zur Schaffung von Schulen nicht nur den äußerlichen Eindruck erweckte, daß Rußland neben dem wirtschaftlichen nun auch den wissenschaftlichen Anschluß an Europa finden würde. So war die Zahl der in den letzten Jahrzehnten des 18. Jahrhunderts in Kiew, Moskau, St. Petersburg, Riga, Reval und Oberpahlen bei Dorpat gedruckten Bücher steil angestiegen[31], die Zahl der Buchhandlungen in Petersburg und Moskau hatte sich sprunghaft vermehrt und eine für russische Verhältnisse nicht unbedeutende Intelligenzschicht war aktiviert worden[32]. Da aber nicht gleichzeitig mit dieser primär vom Adel und der dünnen Bürgerschicht getragenen Entwicklung die Freiheitssphäre der Gesamtbevölkerung oder wenigstens der Stadtbewohner erweitert, sondern nur einseitig die Privilegien des konservativen Feudaladels durch die Gesetzgebung der Kaiserin (1775 und 1785) gefestigt wurden, vertiefte sich neben der sozialen Kluft auch jene zwischen den Forderungen nach Freiheit und dem Beharren auf den überlieferten Formen.

Es sind vor allem zwei Vertreter der radikalen Richtung, Alexander Nikolaevič Radiščev (1749—1802) und Nikolaj Ivanovič Novikov (1744—1818), die als Exponenten jener Richtung gelten, welche eine atmosphärische Stimmungsveränderung von weitreichender Ausstrahlung einleitete. Diese Wandlung kann zwar hinsichtlich der Intensität und des Umfangs nicht mit jener verglichen werden, die im Stephansreich den antijosephinischen Tendenzumschwung der ungarischen Adelsnation seit 1788 brachte, besaß aber den gleichen geistesgeschichtlichen Wurzelgrund. Eine wachsende Zahl von Adeligen hatte sich für die Ideen von Helvetius[33], Diderot, Voltaire, Montesquieu und Marmontel begeistert, wobei vor allem die Zarin selbst der französischen Kultur zur Vorherrschaft in Petersburg und Moskau verholfen hatte. Der am Zarenhof herrschende antikirchliche Affekt sowie der seit der Zeit Peters des Großen innerhalb des Klerus verfestigte Widerstand gegen die Aufklärung trugen nicht unmaßgeblich zum Entstehen jener politischen Opposition bei, die in ihrem Wirken so zwiespältig erscheint, weil zwischen den propagierten großen theoretisch-revolutionären Veränderungen und den angestrebten praktischen Reformen eine weite, nahezu unüberbrückbare Kluft bestand. So hatte Alexander Nikolaevič Radiščev seine berühmtgewordene Kritik an den sozialen Verhältnissen Rußlands „Putešestvie iz Peterburga v Moskvu“, die 1790 erschien, weitgehend aus der französischen „Histoire philosophique et politique des établissements et du commerce des Européens dans les deux Indes“ (1771) des Abbé Guilleaume-Thomas Raynal (1711—1796) übernommen und das russische Geschichtsbild jener Epoche so divergierend beeinflußt[34]; während nämlich Raynal den Versuch unternommen hatte, den europäischen Kolonialismus in seinem universalgeschichtlichen Zusammenhang darzustellen und die negativen Züge der europäischen Ausbreitung zu geißeln, gelang es Radiščev nicht, die Umwelt, in der er lebte, glaubhaft zu schildern.

Wie im übrigen Europa waren es auch hier die Freimaurerlogen, die schon sehr früh den äußeren Rahmen für eine Kontaktvertiefung unter den aufgeklärten Geistern abgaben und den Philanthropismus förderten, so daß, anders als im Donauraum bei Serben, Rumänen, Griechen und Bulgaren, in Rußland ein antikirchlicher Zug nicht selten war[35].

Noch stärker als die Unterschiede fallen die Ähnlichkeiten auf, wie die praktisch-pädagogischen Interessen, die bei Novikov von der Herausgabe der ersten russischen Kinderzeitschrift „Detskoe čtenie dlja serdca i razuma" (1785—1789) bis zur Förderung von Schulanstalten und zur Gründung einer „Gelehrten Gesellschaft von Freunden" (Družeskoe učenoe obščestvo) reichten, die sich bereits 1782 der unentgeltlichen Schulbuchverteilung widmete[36].

Diese erste Begeisterung für die Errichtung der so dringend notwendigen Bildungsanstalten spürt man sehr deutlich noch ein halbes Jahrhundert später in dem umfassenden Reformwerk des russischen Militärgouverneurs in den rumänischen Fürstentümern, des Generals Graf Paul Kisseljow, über das er in Bukarest 1832 berichtete, „insbesondere der Allgemeinunterricht hat Fortschritte gemacht, die eine fruchtbare Zukunft ankündigen, reich an allen Gaben, welche die nutzbringenden Wissenschaften der Gesellschaft versprechen, so daß man schon jetzt ersehen kann, welch hohen Nutzen das Land von dieser Jugend haben wird, die von überall her zu den errichteten Schulen strömt"[37]. Auch in Bulgarien hat der russische Kultureinfluß der Aufklärung dem nationalen Bildungswesen und der Verfassung zu einem verspäteten Triumph verholfen, der sich erst nach der Gründung des Nationalstaates voll auswirken konnte. Wie Graf Paul Kisseljow, der als Verfasser eines Projektes zur Aufhebung der Leibeigenschaft und nach seiner Abberufung aus den Donaufürstentümern durch seine Tätigkeit als Minister bekannt wurde, hat Fürst Vladimir Čerkaskij — er gehörte zur Gruppe der Reformanhänger um Zar Alexander II., die für eine sozial wirksamere Form der Aufhebung der Leibeigenschaft eintraten — die Verankerung freiheitlicher Grundsätze in der überaus langlebigen Verfassung von Tirnovo erwirkt[38]. Die Reihe der Adligen und Halbadligen (A. J. Herzen), die sich bei der Verbreitung der Aufklärung in Rußland und im russischen Einflußgebiet hervortaten, könnte noch erweitert werden, wenn die Geschichte der rumänischen Freimaurerei in der Moldau schon geschrieben worden wäre, doch dürfte sich auch dann wohl nur wenig am Bild ändern, das wir vom Wandel dieser Weltanschauung haben[39].

Weitaus nachhaltiger als in Rußland war die Aufklärungsbewegung in Polen und Ungarn, da dort sowohl eine breitere Trägerschicht des Adels als auch der „bürgerlichen Gesellschaft" (societas civilis) bestand, und schon seit der Mitte des 18. Jahrhunderts namentlich in Polen Verbesserungen im Bildungswesen und in der Staatsverwaltung angeregt und auch z. T. durchgeführt worden waren[40]. Nach der ersten Teilung Polens wurden tiefgreifende Reformen eingeleitet und die Ideen Voltaires und Montesquieus schneller verbreitet als in anderen Räumen Osteuropas. Aber auch in Ungarn fand die Aufklärungsphilosophie mit ihrer Lehre vom Gesellschaftsvertrag, fanden die Freimaurerlogen und seit Beginn des Türkenkrieges von 1788 auch die Äußerungen der Tagespolitik eine breitere Grundlage als in Rußland oder den Donaufürstentümern. Und obwohl es durch den Toleranzerlaß von 1781 und andere Reformmaßnahmen in weiten Teilen des Stephansreiches zu einer von der Intelligenz und der zahlenmäßig noch unbedeutenden Bürgerschicht getragenen Parteinahme für den Josephinismus gekommen war, gewann seit 1788 die von der Aufklärung ausgelöste Sprachbewegung, die zunehmend national-magyarisch und antijosephinisch wurde, schnell die Oberhand[41]. Die Aufklärungsterminologie wurde nun für die Motivation einer umfassenden Magyarisierung der Nichtmagyaren des Stephansreiches verwendet, und zwar sogar von ehemaligen Josephinern[42].

Diese Ansätze einer national-radikalen Strömung im Rahmen der Opposition in Ungarn, die nur im Zusammenhang mit der Bauernerhebung in Siebenbürgen (1784), den militärisch-politischen Fehlschlägen Josephs II. und mit dem Scheitern seiner Reformpolitik zu verstehen sind, wurden seit dem Regierungsantritt und erst recht seit dem Tod Kaiser Leopolds II. in verschiedene Kanäle abgeleitet[43]. Am bekanntesten sind die überwiegend aus Adligen und deren Anhang gebildeten Jakobinervereinigungen, die für die nationale Unabhängigkeit eintraten, durch die Entdeckung ihrer Verschwörung aber zu einem Abrücken von sozialreformerischen Plänen in der Öffentlichkeit führten. Die Jakobinerverhaftungen des Sommers 1794 und die Hinrichtungen im nächsten Jahr sind das sichtbare Ende dieser radikalen Bewegung, die sich unter dem Einfluß von Aufklärung,

Verfassungsreform und Französischer Revolution in zahlreichen Geheimgesellschaften oder Konventikeln nach Art der Freimaurerlogen zusammengeschlossen hatte.

Zu diesem Kreis gehörten auch die „Kleinrussische Gesellschaft" (Malorossijskoe Obščestvo) sowie die mit ihr in Verbindung stehende „Gesellschaft der vereinten Slaven", die angeblich eine großangelegte Befreiung aller slawischen Völker von der monarchisch-absolutistischen Staatsform und ihren Zusammenschluß in einer „Slavenrepublik" geplant haben sollen[44]. Der hierfür verantwortlich gemachte Novikov-Kreis wurde daraufhin noch im Frühjahr 1792 unterdrückt. Gleichzeitig kam die gegen Polen gerichtete Konföderation von Targowica zustande, die der „französischen Pest" — wie Katharina II. die polnische Mai-Verfassung nannte — den Nährboden entziehen sollte.

Der Unterdrückung der freiheitlichen demokratischen Regungen folgte aber nicht zwangsläufig eine Unterdrückung der gemäßigten Aufklärungsbewegung der kleineren Völker; denn die zwischen 1790 und 1792 nicht ohne Zutun des Kaisers offen erhobenen Forderungen der Serben und Rumänen des Habsburger Reiches während und nach dem Nationalkongreß in Temesvar blieben als kulturpolitisches Programm für zwei Generationen bindend. Das gleiche gilt für die in den zahlreichen Denkschriften der Rumänen Siebenbürgens und der Ruthenen Galiziens vorgetragenen Wünsche und Beschwerden; und es ist kein Zufall, daß der erste Verfassungsentwurf eines griechischen Vielvölkerstaates nach dem Vorbild der französischen Verfassung zwischen 1793 und 1797 entstand. Die Träume von der Errichtung der Universitäten und Akademien für Siebenbürger Sachsen, Kroaten, Serben, Rumänen und Ruthenen sind damals zum erstenmal niedergeschrieben worden.

Die politische Wirksamkeit hatte also nicht aufgehört, sie hatte sich nur verzögert und in andere Bereiche verlagert. Und weil damals noch kein „tieferes Verhältnis zu den geistigen Problemen der abendländischen Welt"[45] bestehen konnte, erfuhr sie eine andere Ausformung. Zahlreiche Fäden führen zum Frühliberalismus insbesondere im Donauraum, wo sich der Josephinismus trotz restaurativer Maßnahmen selbst in der Form des Vulgär-Josephinismus über die Zeit des Vormärz und dann in radikaleren Formen sogar bis nach 1867 manifestieren konnte[46].

Universeller ist das Fortwirken der Aufklärung in der Ausformung der neuen Geschichtsbilder durch die Historikergeneration dieser Periode. Ihr Anteil an der Belebung des Bildungsstrebens und des Wissenschaftsbetriebes kann hier nur durch einige Namen angedeutet werden, die auch für die Wissenschaft, namentlich für die Historiographie überregionale Bedeutung erlangt haben. Vor allem August Ludwig Schlözer (1735—1809), der am Anfang der historischen Ost- und Südosteuropaforschung steht und daher auch oft als Vater der russischen Geschichtsschreibung bezeichnet wird, nimmt einen besonderen Rang ein, weil er in einer für damalige Verhältnisse methodisch-technisch einmaligen Leistung Volksgeschichte schrieb. Aber auch der Zipser Sachse Johann Christian von Engel (1770—1814), ein Schüler Schlözers und wohl einer der begabtesten Polyglotten, erstreckte sein Forschungsgebiet von der Ukraine über die rumänischen Donaufürstentümer, Bulgarien, Serbien, Bosnien bis nach Ragusa (Dubrovnik) und beschäftigte sich als einziger deutscher Geschichtsschreiber der Aufklärungzeit auch mit osmanischer Geschichte und Quellenkunde.

Der Fortschrittsgedanke, der zum Lebensgefühl des Aufklärungszeitalters im Sinne seiner gesamten zeitlichen Ausdehnung gehörte, hat dann über die Historiker, die sich mit Ost- und Südosteuropa befaßten, und vor allem durch das von ihnen geformte Geschichtsbild den Weg zu umfassenden Wechselbeziehungen und damit Veränderungen in kultureller, politischer und schließlich auch sozialer Hinsicht freigelegt, wobei die Übernahme praktischer und somit didaktisch-pädagogisch oder gar unmittelbar wirtschaftlich nutzbarer Neuerungen auch weiterhin den Vorrang vor den theoretisch-abstrakten Ideenströmungen behielt. Die abendländische Aufklärungsbewegung wurde eben von den lebendigen Formkräften der Volkskulturen Ost- und Südosteuropas von allem Anfang an schöpferisch und nicht mechanisch adaptiert und fand daher auf breiter Grundlage jene Rezeption, die auch heute das größte gemeinsame Raster der europäischen Kultur bildet.

Anmerkungen

1 Paul Hazard: Die Herrschaft der Vernunft. Das europäische Denken im 18. Jahrhundert. Hamburg 1949; ders.: Die Krise des europäischen Geistes. Hamburg 1939.

2 Fritz Valjavec: Geschichte der abendländischen Aufklärung. Wien/München 1961.

3 Erich Donnert: Zur Methodologie der Aufklärung. In: Ost und West in der Geschichte des Denkens. Festschrift für Eduard Winter. Berlin 1966, S. 242.

4 Werner Kraus: Rezension des Buches von Fritz Valjavec, Geschichte der abendländischen Aufklärung. In: Deutsche Literaturzeitung 83 (1962), S. 521—524.

5 Heinrich Benedikt: Der Josephinismus vor Joseph II. In: Österreich und Europa. Festgabe für Hugo Hantsch zum 70. Geburtstag. Graz / Wien / Köln 1965, S. 183—201, hier S. 186.

6 Erich Zöllner: Bemerkungen zum Problem der Beziehungen zwischen Aufklärung und Josephinismus. In: Österreich und Europa (siehe Anm. 5), S. 203—219, hier S. 209.

7 Johann Christoph von Bartenstein hat diesen Weg bereits in den fünfziger Jahren des 18. Jahrhunderts empfohlen. Leider fehlt noch eine umfassende Biographie dieses Staatsmannes; vgl. Josef Hrazky: Johann Christoph von Bartenstein, der Staatsmann und Erzieher. In: Mitteilungen des Österreichischen Staatsarchivs 11 (1958), S. 221—251, hier S. 249.

8 Cléobule Tsourkas: Théophile Corydalée. Les débuts de la philosophie et de l'enseignement libre dans les Balkans. Bukarest 1948 (= Institut d'Etudes et de Recherches Balkaniques, Série Historique 9); vgl. auch Emanuel Turczynski: Die deutsch-griechischen Kulturbeziehungen. München 1959, S. 87, 116, 179 f.

9 Eine Unterteilung dieses Volkes im 18. und beginnenden 19. Jahrhundert ist infolge der konfessionellen, sozialen und kulturgeographischen Gegebenheiten erforderlich, da die zu Polen und später zu Österreich gehörenden Ruthenen überwiegend griechisch-katholischen, die bei Rußland verbliebenen aber überwiegend griechisch-orthodoxen Glaubens waren. In Österreich-Ungarn nannte man sie bis ins ausgehende 19. Jahrhundert Ruthenen. Die Bezeichnung Ukrainer setzte sich erst später durch.

10 Hermann Dalton: Urkundenbuch der reformierten Kirche. Gotha 1889, S. 15 (= Beiträge zur Geschichte der evangelischen Kirche in Rußland, Bd. 2). Im Zusammenhang mit der Frühaufklärung behandelt diesen Zeitabschnitt auch Eduard Winter: Frühaufklärung. Der Kampf gegen den Konfessionalismus in Mittel- und Osteuropa und die deutsch-slawische Begegnung. Zum 250. Todestag von G. W. Leibniz im November 1966. Berlin 1966, S. 280 (= Beiträge zur Geschichte des religiösen und wissenschaftlichen Denkens 6).

11 Vgl. hierzu vom jugoslawischen Standpunkt: Historija naroda Jugoslavije, Bd. 2, Zagreb 1959, S. 817—825, S. 1118—1125; und Nikola Radojčić: Justiniana Prima und Graf Georg Branković. In: Südostforschungen 22 (1963), S. 312—325. Über die Rechtsstellung des Patriarchen vgl. Viktor Pospichil: Der Patriarch in der serbisch-orthodoxen Kirche. Wien 1966, S. 40—44.

12 Heinrich Benedikt: Der Josephinismus vor Joseph II. In: Österreich und Europa (siehe Anm. 5). Wien 1965, S. 183—201.

13 Abgedruckt in: Polnoe sobranie zakonov Bd. 4. Nr. 1910, Art. 2; vgl. hierzu E. Winter: Frühaufklärung, S. 280.

14 Fritz Valjavec: Der Josephinismus. München/Wien [2]1945, S. 8.

15 Vgl. Krešimir Georgijević: Hrvatsko književnost od XVI do XVIII stoljeća u sjevernoj Hrvatskoj i Bosni. Zagreb 1969. Hier findet man eine umfassende Darstellung dieser Entwicklung.

16 Vgl. Georgije Mihailović: Srpska bibliografija XVIII veka. Belgrad 1964. Das Werk erfaßt die gesamte serbische Literatur des 18. Jahrhunderts.

17 Der Titel der 1768 in Leipzig erschienenen Schrift lautet „Dokimion historikon kai kritikon peri ton dichonoion ton en tais ekklesiais tes Polonias" und ist eine Übersetzung der Schrift Voltaires „Essai historique sur les dissensions des églises de Pologne", die unter dem Pseudonym Bourdillon erschienen war. Im Anhang hat Evgenjos Wulgaris einen Essai zum Problem der konfessionellen Toleranz veröffentlicht, der von Voltaires „Traité sur la tolérance" (1763) beeinflußt ist und den Begriff für Glaubenstoleranz (anexithreskeias) in die griechische Sprache einführt. Vgl. C. Th. Dimaras: La fortune de Voltaire en Grèce. Athen 1951. In: Mélanges Merlier, Bd. I, 1956 erneut abgedruckt. Über die Ausstrahlungen Voltaires in Griechenland, ders.: Notes sur la présence de Voltaire en Grèce. In: Studies on Voltaire, Bd. LV, Genf 1967, Nr. VI und VII. Für das Gesamtproblem der Aufklärungsrezeption bei den Griechen vgl. C. Th. Dimaras: La Grèce au temps des Lumières. Genf 1969, und einen Teilabschnitt dieses Buches, der unter folgendem Titel erschien: L'apport de L'Aufklärung au développement de la conscience néo-hellénique. In: Les lumières et la formation de la conscience nationale chez les peuples du Sud-Est Européen. Actes du Colloque international organisé par la Commission de l'AIESEE pour l'histoire des idées sous les auspices et avec le concours financier de l'UNESCO — Paris 11—12 avril 1968. Bukarest 1970, S. 53—72.

18 Keith Hitchins: The Roumanian National Movement in Transylvania 1780—1849. Cambridge/Mass., Harvard Univ.Press, 1969. Hier wurde dieser Wendepunkt in der rumänischen Geschichte zuletzt dargestellt. Vgl. auch Werner Bahner: Das Sprach- und Geschichtsbewußtsein in der rumänischen Literatur von 1780—1880. Berlin 1967. Für die Verbreitung der Aufklärungsideen in den Donaufürstentümern vgl. bes. unter den Arbeiten von Alexander Duţu: Coordonate ale culturii româneşti în secolul XVIII. Bukarest 1968, und: Les Lumières en Moldavie et le contexte Sud-Est-Européen. In: Revue Roumain d'Histoire VI (1967) 2, S. 275—287.

19 Georg Sacke: Die Gesetzgebende Kommission Katharinas II. Ein Beitrag zur Geschichte des Absolutismus in Rußland. (= Jahrbücher für Geschichte Osteuropas, Beiheft 2) Breslau 1940.

20 Einen zusammenfassenden Überblick des Werdeganges und des Forschungsstandes einschließlich einer Literaturübersicht gibt Joseph F. Zacek: The Virtuosi of Bohemia: The Royal Bohemian Society of Sciences. In: East European Quarterly II (1968), S. 147—159.

21 Vgl. George Barany: Stephen Széchenyi and the Awakening of Hungarian Nationalism 1791—1841. Princeton / N. J. 1968, S. 167—173.

22 Für die vorangegangene Aufklärungsperiode gibt eine zusammenfassende Übersicht der Aufsatz von Carl Göllner: Der Einfluß der Göttinger Universität auf die Aufklärungsphilosophie in Rumänien. In: Revue des Etudes Sud-Est-Européennes VII (1969), S. 599—611.

23 Auf die komplexe Problematik der Nationalitätenkämpfe soll hier nicht eingegangen werden, da zuvor eine neue Sicht der Strukturveränderungen der städtischen Gesellschaft in den Räumen ethnisch-sozialer Überschichtungen notwendig erscheint. Einen ersten Versuch stellt dar: E. Turczynski: Die städtische

Gesellschaft in den Staaten des Donauraumes. In: Südosteuropa-Jahrbuch 9 (1969), S. 59—107.

24 Fritz Valjavec: Geschichte der deutschen Kulturbeziehungen zu Südosteuropa. Bd. 3, Aufklärung und Absolutismus. München 1958, S. 43.

25 Vgl. Miroslav Hroch: Die Vorkämpfer der nationalen Bewegung bei den kleinen Völkern Europas. Prag 1968. In diesem Buch wird für Esten, Litauer und Slowaken reiches empirisches Material vorgelegt.

26 Eine knappe Literatur- und Problemübersicht gibt zu dieser Frage Mathias Bernath: Das mazedonische Problem in der Sicht der komparativen Nationalismusforschung. In: Südostforschungen 29 (1970), S. 237—248.

27 Ludwig von Gogolak: Die politische Führung bei den Slowaken. In: Bohemia-Jahrbuch 2 (1961), S. 250—281, hier S. 271.

28 V. Deželić hat 1904 eine Reihe von Zeitungsaufsätzen über Vrhovac veröffentlicht, die trotz ihrer ehrlichen Begeisterung für den Vorläufer des Illyrismus seine Leistung nur unvollständig erfassen. Ausführlicher ist der Aufsatz von Viktor Novak: Maksimilijan Vrhovac. In: Bratstvo XXII, Belgrad 1928, S. 200—224.

29 Eingehend behandelt diesen Komplex für die Rumänen Siebenbürgens David Prodan: Supplex Libellus Vallachorum. Bukarest 1967, und für die Slowaken Ludwig v. Gogolak: Beiträge zur Geschichte des slowakischen Volkes. 2 Bde., München 1963, 1969, hier bes. Bd. 2, S. 12 f., 23, 43 f.; sowie die bereits zitierte Arbeit von Miroslav Hroch, S. 112—116.

30 Fritz Valjavec: Geschichte der abendländischen Aufklärung, S. 193—197.

31 Svodnyj katalog russkoj knigi graždanskoj pečati XVIII veka (1725—1800). Bd. 1—4, Moskau 1963—66; und V. V. Sipovskij: Iz istorii russkoj literatury XVIII veka. Opyt statističeskich nabljudenij. St. Petersburg 1901, S. 44—46; ferner G. P. Makogonenko: Nikolaj Novikov i ruskoe prosveščenie. Moskau/Leningrad 1951.

32 M. M. Štrange: Demokratičeskaja intelligencija Rossii v XVIII veke. Moskau 1965, S. 47, 60; und Anneliese Lauch: Wissenschaft und kulturelle Beziehungen in der russischen Aufklärung. Zum Wirken H. L. Ch. Bacmeisters. Berlin 1969, S. 16 f.

33 „De l'Esprit", 1758 erschienen, war bereits 1760 ins Deutsche übersetzt worden. Alexander Nikolaevič Radiščev, der 1765 zusammen mit elf anderen jungen Adligen von der Kaiserin Katharina II. zum Studium nach Leipzig geschickt worden war, lernte dort von einem russischen Würdenträger, der sich auf der Durchreise befand, die Ideen des Helvetius kennen. Vgl. Aleksandr Nikolaevič Radiščev: Polnoe sobranie sočinenij. Moskva 1952, S. 17.

34 Igor von Glasenapp: Staat, Gesellschaft und Opposition in Rußland im Zeitalter Katharinas der Großen. Diss. phil. München 1964, S. 20 ff.; und P. Miljukov: Očerki po istorii russkoj kul'tury. Paris 1930, Bd. III, S. 476—500.

35 Erwähnt seien hier nur Dimitriev-Mamonov (1728—1790) und der bereits genannte Novikov.

36 A. Lauch: Wissenschaft und kulturelle Beziehungen, S. 128.

37 Analele parlamentare ale României. I—XVI, Bukarest 1893—1900, hier Bd. 3, S. 86 ff.; vgl. auch Ioan C. Filitti: Principatele Române de la 1828 la 1834. Ocupatia rusească şi Regulamentul organic. Bukarest o. J. (1934), S. 242 f., 350—363.

38 Eine deutschsprachige Darstellung der schon stark unter dem Einfluß des Liberalismus stehenden Verfassungsentwicklung enthält der teilweise längst überholte

Aufsatz von Ljubomir Wladikim: Die liberale Demokratie in Bulgarien. Ihr Werden und ihre Krisen. In: Bulgaria-Jahrbuch 1940/41, Leipzig 1941, S. 199—230.

39 Die Einbeziehung der rumänischen Fürstentümer in die moderne Weltwirtschaft während der russischen Besatzungsperiode von 1828—34, die umfassende gesamteuropäische Kulturverflechtungen zur Folge hatte, behandelt u. a. der vielbeachtete Aufsatz von Wolfgang Zorn: Umrisse der frühen Industrialisierung Südosteuropas im 19. Jahrhundert. In: Vierteljahresschrift für Sozial- und Wirtschaftsgeschichte 57 (1970), S. 500—533.

40 Hier ist vor allem an den Piaristen Stanisław Konarski (1700—1773) gedacht, der als „polnischer Gottsched" in die Geistesgeschichte Osteuropas einging. Aus dem von ihm gegründeten Collegium Nobilium in Warschau gingen u. a. auch Kościuszko und Niemczewicz hervor.

41 Eine sehr ausgewogene Charakterisierung dieser Strömungen gibt Georg Barany: Hoping against Hope: The Enlightened Age in Hungary. In: The American Historical Review 76 (1971), S. 319—357; hier bes. 323 ff.; vgl. auch G. Barany: Stephen Széchenyi and the Awakening of Hungarian Nationalism 1791—1841. Princeton/New Jersey 1968, wo der Verf. die Ausstrahlungen des Josephinismus auf Ungarn im Zusammenhang mit Ferenc Széchenyi, dem Vater des o. g., behandelt.

42 Hier ist vor allem Joseph Hajnóczy, ein profilierter Rechtshistoriker, der fünf Jahre hindurch Vizegespan des Komitats Syrmien war, zu nennen. Er ist seit 1790 als Jakobiner und vor allem durch seine Vorschläge zur Abschaffung des Grundbesitz-Privilegs hervorgetreten. Eine Gesamtdarstellung gibt György Bónis: Hajnóczy József. Budapest 1954. Vgl. auch Denis Silagi: Jakobiner in der Habsburger Monarchie. Wien/München 1962, S. 61, 156, 161.

43 Einen agrargeschichtlich-kulturgeographischen Überblick der Bauernunruhen, die mit dem Thronwechsel in Wien, den Unruhen in Galizien, dem österreichisch-russischen Krieg und dem Druck Preußens auf Wien in Zusammenhang stehen, gibt Béla K. Király: Peasant Movements in Hungary in 1790. In: Südost-Forschungen, Bd. 26 (1967), S. 140—156. Vgl. Király: Hungary in the Late Eighteenth Century. The Decline of Enlightened Despotism. Columbia Univ. Press. New York/London 1969.

44 I. v. Glasenapp: Staat, Gesellschaft, S. 52.

45 Fritz Valjavec: Der Josephinismus als politische und weltanschauliche Strömung. In: Fritz Valjavec: Ausgewählte Aufsätze. München 1963, S. 307—322, hier S. 314.

46 F. Valjavec: Der Josephinismus, S. 135 ff.

RUSSLAND IM URTEIL DES AUFKLÄRERS CHRISTOPH SCHMIDT GENANNT PHISELDEK

Von Günther Wiegand

I

In der Geschichte der deutsch-russischen kulturellen Beziehungen spielt das 18. Jahrhundert eine besonders wichtige Rolle. Es ist das Jahrhundert zwischen Peter dem Großen und den Kriegen gegen Napoleon. Am Anfang dieser Zeit steht der endgültige Eintritt Rußlands in die europäische Staatenwelt, an ihrem Ende der erste große Zusammenstoß Rußlands mit der Vormacht West- und Mitteleuropas. Auf kulturellem Gebiet ist das 18. Jahrhundert das Zeitalter der Aufklärung, die ihre Höhepunkte zwar in Frankreich und England erlebte, aber auch in Deutschland zur vorherrschenden Geistesrichtung wurde und, nicht zuletzt durch deutsche Vermittlung, auch in Rußland tief Wurzel faßte. Die europäische Aufklärung zeigte von jeher ein lebhaftes Interesse an dem aufsteigenden Riesenreich im Osten, das entweder als jungfräulicher Boden für die europäische Kultur gesehen wurde oder als Vermittler zwischen Asien (China) und Europa Aufmerksamkeit erregte. Der Name Leibniz sei hier genannt.[1]

Während des ganzen Jahrhunderts haben hervorragende Geister Europas sich entweder literarisch mit dem Thema Rußland auseinandergesetzt wie Voltaire in seiner „Histoire de l'Empire de Russie sous Pierre le Grand" und Schlözer in seinen Arbeiten zur russischen Geschichte und zum russischen Staatsrecht, oder sie machten sogar engere Bekanntschaft mit Rußland wie Schlözer in seiner Petersburger Zeit oder wie Leonhard Euler, der jahrelang in Petersburg an der Akademie der Wissenschaften tätig war. Die Namen Leibniz, Schlözer und Euler werden hier nur als Beispiele genannt. In Deutschland zeigte sich aber nicht nur bei den Rationalisten Interesse an Rußland, sondern fast noch stärker und jedenfalls schon sehr früh bei deren Gegenspielern, den pietistisch gestimmten Kreisen, die schon früh in Halle einen Stützpunkt gefunden hatten.

Die Forschung hat diesem Fragenkreis in den letzten Jahrzehnten starke Beachtung geschenkt, wobei besonders Eduard Winter und seine Schüler sich große Verdienste erwarben. Winter selbst veröffentlichte neben zahlreichen Einzeluntersuchungen grundlegende Studien, so 1953 ein Buch über den Halleschen Pietismus (A. H. Francke) und seine Beziehungen zu Rußland in der petrinischen und ersten nachpetrinischen Zeit, und eine Arbeit über die Frühaufklärung in Mittel- und Osteuropa[2]. Alle seine Aufsätze können hier nicht aufgeführt werden[3]. Von Conrad Grau liegt eine Untersuchung über die Wirkung der petrinischen kulturpolitischen Bestrebungen auf die deutsch-russischen Wissenschaftsbeziehungen vor[4]. P. N. Berkov versucht, das Gesamtthema der deutsch-russischen kulturellen Beziehungen im 18. Jahrhundert thesenartig zu skizzieren[5]. Die Rolle, die der Gottschedkreis für die deutsch-russischen Beziehungen spielte, wird durch die Briefsammlung deutlich, die Ulf Lehmann besorgt hat[6]. Auch über A. L. Schlözer liegen mehrere Veröffentlichungen vor[7]. Hoffmann schildert in seiner Dissertation die Tätigkeit Gerhard Friedrich Müllers in Rußland, speziell unter geographischem Gesichtswinkel, aber mit einer ausführlichen Biographie Müllers[8]. Über F. A. Büsching haben Mühlpfordt und Hoffmann geschrieben[9]. Gmelins Wirksamkeit als Erforscher Sibiriens wurde schon vor Jahrzehnten wenigstens knapp gewürdigt[10], während über Messerschmidt wiederum eine Arbeit von Winter vorliegt[11]. Peter Simon Pallas wurde schon erwähnt[12], ebenso Leonhard Euler[13]. Weitere Arbeiten liegen vor über Hartwig Ludwig Christian Bacmeister[14], Johann Gottlieb Willamov[15], Johann Leonhard Frisch[16] und Johann Anton Güldenstädt[17]. Nicht vergessen werden darf in diesem Zusammenhang das ausgezeichnete Buch Karl Stählins über Jacob von Stählin[18]. Die Zahl der hier genannten Studien kann man leicht vermehren[19].

Es zeigt sich, daß die Verbindung zwischen Deutschland und Rußland im 18. Jahrhundert sehr intensiv war. Dabei ist noch zu bedenken, daß die Reisen und Aufenthalte von Russen in Deutschland oder Westeuropa, die in ihrer Wirkung schwerlich überschätzt werden können, bei der obigen Übersicht nicht berücksichtigt worden sind. Berkovs schon genannter Aufsatz[20] weist auf diesen Punkt besonders hin.

II

In dieser Untersuchung soll der Blick auf das Rußlandbild eines deutschen Aufklärers gerichtet werden, der zwar nicht die hervorragende Bedeutung von Schlözer, Pallas, Müller oder Euler besaß, aber dennoch verdient, der Vergessenheit entrissen zu werden. Christoph Schmidt genannt Phiseldek[21] gehörte in seiner Zeit zu den wenigen qualifizierten Rußlandkennern. Er hat nicht nur einige Jahre in Rußland gelebt, sondern sich dort auch die Kenntnis der russischen Sprache angeeignet, was damals bei den Ausländern, wie die Klagen Schlözers erkennen lassen, durchaus nicht selbstverständlich war[22]. Nach seiner Rückkehr nach Deutschland widmete er sich wissenschaftlich den Problemen der russischen Geschichte und Gegenwart.

Ehe damit begonnen werden kann, die in seinen Werken enthaltenen Vorstellungen über Rußland herauszuarbeiten, soll ein kurzer Lebensabriß gegeben werden, wobei das besondere Interesse den Fragen gilt, die mit dem Aufenthalt Schmidt-Phiseldeks in Rußland zusammenhängen. Eine kurze von ihm selbst verfaßte lateinische Vita bis 1764 befindet sich in seiner Dissertation[23]. Die folgenden Angaben sind größtenteils nach diesem Lebenslauf zusammengestellt[24].

Christoph Schmidt genannt Phiseldek[25] wurde 1740 in Northeim als Sohn des dortigen Stadtkämmerers geboren. Mit 14 Jahren kam er auf die öffentliche Schule seiner Heimatstadt. 1757 bezog er die Universität Göttingen, um Jura zu studieren. Seine Lehrer waren unter anderem Gustav Bernhard Becmann (Professor der Philosophie und der Rechte), Otto David Heinrich Becmann (Professor der Philosophie), Georg Ludwig Böhmer (Professor der Rechte), Johann Stephan Pütter (Professor für Staatsrecht), Gottfried Achenwall (Professor der Philosophie), Eberhard Habernikkel (Dr. jur.), Christian Wilhelm Franz Walch (Professor der Theologie und Philosophie), Georg Heinrich Ayrer (Professor der Rechte) und Andreas Weber (Professor der Philosophie). Schmidt-Phiseldek trieb neben juristischen noch historische, philologische und philosophische Studien.

Über das in diesem Zusammenhang wichtigste Ereignis schreibt er in seinem Lebenslauf: „Anno 1759. commendatione Viri Summe Venerabilis optimeque de me meriti D. Büsching delatum mihi munus suscepi, mores Comitum a Münnich, qui Wologdae in exsilio degebant, regendi; et mense Augusto iter in Russiam sum ingressus. Duo per annos et aliquot menses Wologdae commoratus cum Comite a Münnich, quem una cum Patre Illustrissimo, Summo Exercituum Russicorum Praefecto, Petrus tertius Imperator exsilio viginti annos in Sibiria perpesso liberabat, anno 1762. Petropolin reversus sum. Ibi semestre fere adhuc peregi, posteaque patriam repetii, aegre, ut vere gloriari possum, dimissus a Comitibus de Münnich, et patre et filio, quorum ille, heros tam in bello, quam pace, illustris, pristinam dignitatem consequutus summam in Exercitu Russorum imperii iam tenet, hic vero Imperatrici Russicae a Consiliis sanctioribus est, Dominis, qui semper gratiosissimos in me sese praestiterunt, et quorum Illustrissimorum Nominum semper vivam obedientissimus devotissimusque cultor.“ [26]

In diesem Zitat ist der wichtige biographische Abschnitt des Aufenthalts in Rußland nur ganz kurz angedeutet. Es lassen sich aber noch einige weitergehende Tatsachen feststellen. Die Reise Schmidt-Phiseldeks nach Rußland hat folgenden Hintergrund: Die Thronerhebung der Kaiserin Elisabeth führte 1741 zur Verurteilung und Verbannung des ehemaligen russischen Generalfeldmarschalls und zeitweilig (nach Birons Sturz) tatsächlichen Inhabers der Macht Graf Burchard Christoph von Münnich. Während der frühere Premierminister nach Pelym in Sibirien an den Ort verbannt wurde, den er selbst noch kurz zuvor Biron als Verbannungsaufenthalt zugedacht hatte[27], mußte sein Sohn Ernst, Oberhofmarschall der Regentin Anna Leopoldovna[28], seinen Aufenthalt künftig in Wologda (östlich von St. Petersburg im damaligen Gouvernement Archangelsk) nehmen[29], wohin er am 24. Juni 1743 aufbrach[30]. Seit dem 22. Juli 1743 lebte Ernst von Münnich mit seiner Familie in Wologda[31].

Ein besonderes Problem für den Verbannten war die Erziehung seiner Kinder. Der älteste Sohn Johann Gottlieb (1740—1813) wurde seit 1754 unter Aufsicht seines Erziehers Runze in Livland unterrichtet[32]. Für die jüngeren Kinder[33] wurde ebenfalls 1754 ein Preuße namens Karius (oder Carius) für drei Jahre als Lehrer gewonnen. Karius war zugleich Hauspastor bei Münnich[34]. Hinsichtlich des ältesten Sohnes war das Hauptproblem, eine Genehmigung zur Ausreise aus Rußland zu erhalten, damit er in Deutschland studieren könnte. Münnich hat dieses Ziel auf verschiedenen Wegen angestrebt. Namentlich wandte er sich an seinen Onkel, Baron Christian Wilhelm von Münnich (1686—1768), einen jüngeren Bruder des Generalfeldmarschalls, der dessen Sturz unbeschadet überstanden hatte. Wir besitzen vier Briefe Ernst von Münnichs an Christian Wilhelm von Münnich aus den Jahren 1756 bis 1758, in denen sich der Verbannte wegen seines ältesten Sohnes hilfesuchend an den Onkel wendet[35]. Auch von Eingaben an die Regierung (Fürst Trubeckoj, Graf P. I. Šuvalov und Graf Voroncov) wissen wir, ebenso von der Einschaltung der Schwiegermutter, Baronin von Mengden, die am Petersburger

Hofe lebte[36]. Trotz der Kriegsereignisse (Siebenjähriger Krieg), welche die Durchreise durch das feindliche Preußen gefährlich machten, gelang es Münnich schließlich, seinen Sohn auf die Reise nach Göttingen zu schicken[37], wo sich im Hause Büschings die Begegnung ereignete, die zum Anlaß für den Aufenthalt Schmidt-Phiseldeks als Erzieher der jüngeren Söhne Ernst von Münnichs in Wologda wurde[38].

Anton Friedrich Büsching schreibt in seiner „Eigenen Lebensgeschichte": „Das Mittagessen genossen wir zu Northeim bey der verständigen, artigen und dienstfertigen Kämmerern Schmidt ..., deren Sohn, den berühmt gewordenen Schmidt, genannt Phiseldeck, ich nach Wologda in Rußland zu dem Grafen von Münnich, Sohn des Generalfeldmarschalls, als Hofmeister der Kinder desselben, geschickt hatte, nemlich der jüngeren, denn der älteste Sohn und desselben Hofmeister Runze waren unsre Tischgenossen zu Göttingen gewesen."[39] Weiter unten schreibt dann Büsching über Ernst von Münnich: „Als er während der Verbannung seines Vaters sich zu Wologda aufhalten mußte, correspondirte er mit mir nach Göttingen wegen seines ältesten Sohns, Grafen Johann Gottlieb, der mit seinem Hofmeister Runze bey mir speisete, und wegen eines Hauslehrers und Hofmeisters für seine jüngeren Kinder."[40] Die beiden Zitate machen den Zusammenhang völlig klar: Münnich benutzte den Aufenthalt seines Sohnes in Göttingen, um über Büsching einen Hauslehrer für seine jüngeren Söhne zu beschaffen. Dieser Hauslehrer war Schmidt-Phiseldek.

Schmidt-Phiseldek schlug also die „Hofmeisterlaufbahn" ein, „die ‚Referendarjahre' des ärmeren bürgerlichen Gelehrten" im 18. Jahrhundert, wie Mühlpfordt sie nennt[41]. Wenn nun auch Hofmeister und Hauslehrer im 18. Jahrhundert, so bemerkt Jürgensohn[42], „sehr bescheidene Ansprüche machten, so wird sich doch auch in jenen Tagen nicht leicht jemand gefunden haben, der nur um seiner Zöglinge schöner Augen willen eine weite Reise nach Rußland antreten mochte, in ein kleines ödes Nest mitten in der Wildnis und gar noch zu einem Verbannten, der doch immerhin mit dem Makel eines ‚politischen Verbrechers' behaftet erschien und anderen zu weiterem Fortkommen schwerlich nutzen, viel eher aber schaden konnte. Da mußte gewiß der an und für sich wenig verlockende Dienst erst durch eine sehr anständige Honorierung begehrenswert gemacht werden."

Hier lag für Graf Ernst von Münnich eine weitere Schwierigkeit bei der Erziehung seiner Kinder. Die russische Regierung hatte für ihn 1000 Rubel jährlich als Gehalt festgesetzt[43]. Im Mai 1756 reichte er ein Bittgesuch an die Kaiserin ein, diesen Betrag, der, solange die Kinder klein waren, ausgereicht habe, zu erhöhen, weil die Ausgaben sowohl für den Lebensunterhalt als vor allem auch für die Erziehung der heranwachsenden Kinder von Jahr zu Jahr stiegen[44]. Zwei Jahre später, am 26. März 1758, wurde diese Bitte gewährt. Münnich erhielt jetzt „na soderžanie i obučenie detej ego" 400 Rubel im Jahr mehr, also zusammen 1400 Rubel[45]. Nunmehr mochten die finanziellen Voraussetzungen für die Anwerbung eines Hauslehrers in Deutschland geschaffen sein.

Einzelheiten des fast dreijährigen Aufenthalts von Schmidt-Phiseldek in Rußland, wovon mehr als zwei Jahre auf die Zeit in Wologda entfallen, kennen wir nicht[46]. Wir wissen lediglich, daß er in Wologda das Geheimnis der Juchtenfabrikation erlernte, das er später in Deutschland zu verwerten gedachte, freilich ohne Erfolg[47]. Nach dem Tode der Kaiserin Elisabeth begnadigte Peter III. unter anderen auch die beiden Grafen Münnich. Die Nachricht von der Erlösung aus der Verbannung kam im Januar 1762 in Wologda an. Die Familie Ernst von Münnichs traf im Frühjahr 1762 wieder in St. Petersburg ein[48], wo der Hauslehrer noch ein halbes Jahr lang bis zu seinem Abschied aus den Diensten Münnichs blieb. Die Gründe dieses Abschieds lassen sich nicht erkennen. Sicher ist nur, daß Schmidt-Phiseldek in Freundschaft von der Familie Münnich schied[49].

Nach Göttingen zurückgekehrt, beendete er 1764 seine Studien mit einer Promotion zum Doktor der Rechte. Vom Herbst des gleichen Jahres an hielt er juristische und statistische Vorlesungen an der Universität Helmstedt, wo er aber nur bis zum Frühjahr 1765 blieb, weil er die ordentliche Professur für Staatsrecht und für Geschichte am Collegium Carolinum in Braunschweig erhielt. Zeitweise unterrichtete er auch den jungen Herzog Leopold. 1779 wurde er am Landeshauptarchiv in Wolfenbüttel zweiter Archivar, 1796 erster Archivar. Bei der Neuordnung des Archivs erwarb er sich bleibende Verdienste. Vorübergehend (nach Lessings Tod und während des Aufenthalts von dessen Nachfolger Langer in Lausanne) leitete er auch die Herzogliche Bibliothek. 1789 wurde er auf seinen Antrag, den er im Interesse seines im russischen Militärdienst stehenden Sohnes Ferdinand stellte, von Kaiser Joseph II. in den erblichen Adelsstand erhoben. Er starb am 9. September 1801[50].

III

Der Inhalt von Schmidt-Phiseldeks Schriften, so bemerkt zutreffend der Nekrolog der „Allgemeinen Literatur-Zeitung“ [51], „bezeichnet gewissermaßen die verschiedenen Hauptabschnitte seines Lebens. In Rußland hatte er einen Theil seiner Jünglingsjahre, die frohesten seines Lebens, wie er oft noch in späterer Zeit sie nannte, zugebracht; daher eine bis an sein Ende nicht aufgegebene Vorliebe für dieses Land, dessen Sprache er noch immer gern und häufig las; daher auch der Entschluß, seine frühern gelehrten Arbeiten ganz der Geschichte dieses Reiches zu widmen. Vertraut mit der Sprache des Landes, dort selbst bekannt geworden mit den in Deutschland so seltenen russischen Nationalschriftstellern, und durch persönlichen Umgang mit vielen der Großen des Reichs, besser belehrt über manches, als es andern möglich war, war er im Stande, etwas zu liefern, das die Schriften derer hinter sich lassen konnte, die vor ihm dies Feld bearbeiteten.“

Das Werturteil, das in diesen Sätzen ausgedrückt ist, mag zunächst auf sich beruhen [52]. Auf jeden Fall setzte sich Schmidt-Phiseldek in seiner Braunschweiger Zeit mehrfach ausführlich mit russischen Problemen literarisch auseinander. Vor allem ist hier das für unsere Themenstellung aufschlußreichste Werk zu nennen, die 1770 in zwei Teilen anonym erschienenen „Briefe über Rußland“ [53].

Das nächste größere Werk mit einem russischen Thema war die Sammlung „Beyträge zur Kentniß der Staatsverfassung von Rußland“ [54]. Zweck dieser Quellenpublikation ist laut Vorbericht die „Bekanntmachung der gegenwärtigen Nachrichten und Verordnungen ... Die in dieser Sammlung enthaltenen Stücke sind zuverlässig, und finden sich, einen kleinen Artickel ... ausgenommen, weder im Büschingischen Magazin, noch im Neuveränderten Rußlande.“ [55] Der Informant Schmidt-Phiseldeks befand sich in Rußland [56]. Es ist nicht erforderlich, die einzelnen hier gedruckten Stücke aufzuzählen. Sie betrafen die Agrarwirtschaft, das Gesundheitswesen (die berühmte Pockenimpfung) [57], das Bergwesen, das Münzwesen usw. Die Sammlung läßt erkennen, wie sehr es Schmidt-Phiseldek an der Verbreitung fundierter Nachrichten über Rußland lag. Er zog hier am gleichen Strang wie Schlözer, Büsching und Müller.

Im folgenden Jahr (1773) erschien der erste Teil von Schmidt-Phiseldeks erster Darstellung der russischen Geschichte, deren zweiter Teil dann 1774 herauskam [58]. Der „Versuch einer neuen Einleitung in die Russische Geschichte" war ein problematisches Unternehmen, das einer Rechtfertigung bedurfte. „‚Ein System der Russischen Geschichte wird niemand, ohne ungerecht zu seyn, vor dem Ausgange dieses Jahrhunderts verlangen können', sagt Schlözer, dieser große Kenner der Geschichte, und sagt es mit gutem Grunde. Aber Alles das, was man bis jetzt von der Russischen Geschichte mit Zuverläßigkeit oder Wahrscheinlichkeit sagen kann, im Zusammenhange lesen, und in einem mäßigen Bande übersehen wollen, ist eine gerechte Foderung [sic!]. Gleichwohl fehlet es an einem solchen Buche."[59] Schlözer hatte begonnen, diese Lücke zu füllen, aber das Werk[60] war nicht weit gediehen; auch schreibt er zu gedrängt und setzt zu viele Kenntnisse voraus. Die Werke von Treuer[61] und La Combe[62] befriedigten Schmidt-Phiseldek nicht. Lomonosovs „Alte Russische Geschichte"[63] umfaßte einen zu geringen Zeitraum[64]. „Dieß wird hinreichend seyn", so fährt Schmidt-Phiseldek im Vorbericht fort, „das Unternehmen der gegenwärtigen Arbeit zu rechtfertigen. Dem eigentlichen Geschichtskundigen ... wird sie entbehrlich. Sie ist mehr für solche bestimmt, die entweder nicht Zeit oder Lust oder Gelegenheit haben, alle, oder auch nur die wichtigern Schriftsteller, in welchen die Russische Geschichte enthalten ist, zu lesen, sie mit einander zu vergleichen, das Wahre von dem Falschen abzusondern, und sich durch diesen mühsamen Weg selbst einen hinlänglichen Begriff der Russischen Geschichte ... zu machen. Daß es aber jetzo, da Rußland eine so große Figur macht, sehr viele solcher Leute giebt, die gern die merkwürdigsten Veränderungen, welche dieses Reich erlitten hat ... wissen wollten, und doch jene Arbeit nicht unternehmen können, darf wohl nicht bewiesen werden. Zum Besten solcher Leser habe ich hauptsächlich gearbeitet, und hienach muß man mich beurtheilen."[65]

Büsching verfaßte eine Rezension des „Versuchs"[66], die hier erwähnt werden soll, weil sie der Anlaß einer heftigen Kontroverse zwischen ihm und Schlözer wurde. Zunächst bestreitet auch Büsching, daß die Zeit für ein Unternehmen wie das von Schmidt-Phiseldek reif sei. Es wäre zweckmäßiger gewesen, so meint er, noch 10 Jahre zu warten, bis verschiedene jetzt zum Druck vorbereitete Quellen erschienen wären[67]. Dann kritisiert Büsching mit Recht, daß Schmidt-Phiseldek die Fußnoten in seinem „Versuch" entgegen dem deklarierten Zweck der Darstellung mit umständlichen gelehrten Erörterungen vollgestopft hat[68]. Vor allem erregt aber Büschings Ärger, daß Schmidt-

Phiseldek nicht nur einige allgemeine Verbeugungen vor Schlözer macht[69], sondern in einem konkreten Fall mit Schlözer gegen Müller annimmt, daß Askold und Dir nicht eine einzige, sondern zwei verschiedene Personen waren[70]. Schlözer polemisiert daraufhin äußerst heftig gegen Büsching in der Schrift „Oskold und Dir“, während er Schmidt-Phiseldek lobt[71]. Ergänzt sei noch, daß Schmidt-Phiseldek im Anhang zum ersten Teil des „Versuchs“ den Rußlandbericht von Hans Geörg Peyerle erstmalig drucken ließ[72].

Unvollendet geblieben sind die anonym erschienenen „Materialien zu der Russischen Geschichte“[73], die als nächstes größeres Werk hier zu nennen sind. Es erschienen drei Teile, vom dritten Teil aber nur die „erste Abtheilung“, so daß das Gesamtwerk von 1725 bis 1755 reicht. Ursprünglich plante Schmidt-Phiseldek vier Bände, die bis zur Gegenwart (1776) führen sollten[74]. In der Vorrede zum dritten Teil (1. Abteilung) hat der Autor diesen Plan schon aufgegeben. Es sei fraglich, so heißt es hier, ob die zweite Abteilung (die Regierungszeit Elisabeths I. abschließend) überhaupt noch erscheinen werde. Von dem ursprünglich beabsichtigten vierten Teil ist keine Rede mehr.[75]

Die Anonymität des Verfassers ist im ersten Teil ganz konsequent gewahrt. Der Autor bezieht sich mit keinem Wort auf seinen „Versuch“, den die Materialien doch eigentlich fortsetzen; ja, er beginnt sogar noch einmal mit einer ausführlichen „Einleitung oder Übersicht der russischen Geschichte bis auf das Jahr Christi 1725“[76], um sich nicht auf sein früheres Werk beziehen zu müssen. In dieser Einleitung läßt er sich niemals dazu verführen, sein früheres Werk auch nur in unverfänglicher Form zu erwähnen. In den beiden folgenden Bänden ist die Anonymität dagegen im Grunde aufgegeben. Zwar enthalten die Titelblätter nicht den Namen des Autors, dieser aber unterzeichnet die Vorreden und zitiert auch seinen „Versuch“.

Der erste Teil enthält außer der erwähnten Einleitung eine Darstellung der Regierung Katharinas I. und Peters II., ein Literaturverzeichnis und als Anhang ein „Merkwürdiges Schreiben des Tsaren Iwan' Wasiljewitsch [Ivan IV.] an Kaiser Carl den fünften“[77]. Der zweite Teil führt die Regierungszeit Anna Ivanovnas und Ivans VI. vor, enthält „Beylagen oder Beweis- und Erläuterungsschriften“[78] und bringt im Anhang beigedruckt mit Sondertitel das „Journal der Ao. 1736 aus Orenburg zu dem Abul Geier Chan der Kirgis-Caysack Tartarischen Horda aus freyem Willen und blos zu dem Beßten des russischen Reichs unternommenen höchst nöthigen und zwar gefährlichen doch glücklich vollbrachten Reise, dargestellt durch John Castle einem Engländer ... bei der Orenburgschen Expedition."[79]

Auch in den „Materialien" legt Schmidt-Phiseldek die Intention seiner Veröffentlichung dar: „Meine Absicht bey gegenwärtiger Arbeit ist, dem künftigen Geschichtschreiber die seinige zu erleichtern, und dem bloßen Leser der Geschichte einen so viel mir möglich war unterhaltenden Zeitvertreib zu verschaffen. Wissentlich und mit Vorsatz hab' ich keine Zeile, kein Beywort niedergeschrieben, die ich nicht beweisen könnte, die, meiner jetzigen Überzeugung und Einsicht nach, eine Unwahrheit enthielte."[80] Der Autor läßt aber auch die Schwierigkeiten erkennen, unter denen er zu arbeiten hatte: „Verschiedene mir bekannte zu meinem Zwecke dienliche Werke hätt' ich gern noch gebraucht. Aber ein Privatmann muß reich seyn, oder an einem Orte wie Göttingen leben, wenn er alle in die russische Geschichte einschlagenden Bücher und Schriften nützen will."[81]

Die wichtigste, in den „Materialien" laufend zitierte Quelle ist Christoph Hermann von Mansteins „Beytrag zur Geschichte Rußlandes vom Jahr 1727. bis 1744."[82] Manstein berichtet über russische Hofaffären sowie über die Kriege gegen Türken und Polen. Diese Schwerpunktbildung wirkt bei Schmidt-Phiseldek deutlich nach. Er kann aber auch die „Memoiren" Ernst von Münnichs[83], die eine Gegendarstellung gegen Manstein sind, in Wologda im Hause Münnichs kennengelernt haben. Wie der erste (russische) Druck der Memoiren angibt, sind sie auf Wologda 1758 datiert[84]. Sie lagen also zur Zeit der Anwesenheit Schmidt-Phiseldeks schon vor. Die „Materialien" sind chronikartig angelegt. Die Ereignisse eines Kalenderjahres werden, nach Sachgebieten geordnet, chronologisch vorgetragen; jedenfalls überwiegt diese Anordnung weitaus.

Das sind die wichtigsten Veröffentlichungen Schmidt-Phiseldeks über Rußland; einige kleinere Publikationen seien hier nur kurz erwähnt. Zeitlich zuerst nach den „Briefen über Rußland" erschien 1771 ein kleiner Aufsatz über den St. Georgs-Orden[85]. In der Lemgoer „Auserlesenen Bibliothek" publizierte Schmidt-Phiseldek 1774 und 1776 einige Rezensionen von Büchern mit russischen Themen[86]. 1775 verfaßte er einen Aufsatz über die Wologdaer Juchtenfabrikation, und im nächsten Jahr schrieb er über Wologdaer Talglichter[87]. In den Jahren 1776—1778 veröffentlichte er handschriftliches Material zur russischen Geschichte in Meusels „Geschichtsforscher“[88]. Ebenfalls Quellen zur russischen Geschichte und Gegenwart brachte er in seinen „Historischen Miscellaneen“ von 1783/84[89] und in dem Werk „Hermäa“ von 1786[90]. Diese keineswegs vollständige Aufzählung minder wichtiger Veröffentlichungen möge genügen.

IV

Schmidt-Phiseldeks Vorstellungen vom gegenwärtigen Zustand Rußlands sind hauptsächlich den „Briefen über Rußland“ zu entnehmen. Der Autor versucht, einen Überblick über alle Bereiche des Lebens in Rußland zu geben. Er hebt Vorzüge und Schwächen der von ihm beschriebenen Institutionen und Gepflogenheiten hervor und äußert sich darüber, welche Maßnahmen zum Besten des Landes nach seiner Meinung ergriffen werden müßten. Große Teile des Gesamtwerkes von Schmidt-Phiseldek über Rußland, aber auch der „Briefe über Rußland“, sind Beschreibungen von Sachverhalten[91], die hier nicht interessieren, weil sich des Autors Sehweise in ihnen nicht zeigt.

In den „Briefen über Rußland“ sind namentlich folgende Themenkreise von Belang: Der Charakter der russischen Staatsgewalt (Frage der tatsächlichen und der wünschenswerten Regierungsform), das Problem der Bevölkerung des Landes, die Wirtschaft, das Justizwesen, Religion und Kirche sowie das Wissenschaftsleben. Diese Themenkreise sind natürlich untereinander vielfach verbunden, so daß in dieser Untersuchung bestehende Zusammenhänge zerrissen werden müssen, um andere deutlich zu machen.

Am interessantesten und relativ am leichtesten von anderen Gesichtspunkten zu isolieren sind Schmidt-Phiseldeks Vorstellungen über den Charakter der staatlichen Gewalt in Rußland. Hier wird besonders deutlich, wie sehr Schmidt-Phiseldek dem Gedankengut der Aufklärung verpflichtet ist. Das wird schon an seiner Definition des Staatszweckes sichtbar: „Da der Innbegrif [sic!] derjenigen Regeln, nach welchen verfahren werden muß, wenn der Zweck des Staats, das ist: die höchste mögliche Glückseligkeit seiner Einwohner, erreicht werden soll, das wahre Interesse eines Staats ausmacht: so sollte, dem ersten Anschein nach, jeder Regierung, jedem Monarchen nichts leichter seyn, als, dem Interesse des Staats gemäß zu handeln. Und gleichwohl lehret Geschichte und Erfahrung das Gegentheil.“[92] Das Motiv des Strebens nach „Glück“ ist für die Aufklärung besonders kennzeichnend[93], aber Schmidt-Phiseldek bestimmt den Zweck des Staates noch auf eine besondere Weise, was später dargelegt werden wird.

Schmidt-Phiseldek untersucht das Wesen des russischen Staates genauer: „In Ansehung seiner Regierungsform ist Rußland ein monarchischer und beynahe noch ganz despotischer Staat.“ Der russische Kaiser herrsche „völlig unumschränkt“. Entgegen der Auffassung Webers[94] hält Schmidt-Phiseldek an dieser Ansicht auch für die nachpetrinische Zeit fest[95]. Der Vorwurf, den er hier erhebt, wird durch seine, allerdings recht unklare, Abgrenzung des Despotismus von der absoluten Monarchie verdeutlicht. „Unter einem Despoten gedenke ich mir einen Monarchen, der von seinem Volke das Recht erhalten hat, schlechterdings nach seinem Willkühr und Eigensinn zu verfahren, und unter einer despotischen Regierung also eine solche, vermöge welcher ein Einziger so herrscht, oder zu herrschen befugt ist, wie es ihm einfällt ... Man verbindet mit diesen Worten [Despot und despotische Regierung] immer verhaßte und unangenehme Begriffe. Ein Monarch also, der zwar durch keine Pacta conventa, durch keine Capitulationen, durch keine Reichsfundamentalgesetze, in der Ausübung der obersten Gewalt eingeschränkt, gleichwol aber schuldig ist, das natürliche Gesetz zu beobachten, seine Unterthanen als Menschen zu behandeln, der ohne ihre Einwilligung wohl allerley Veränderungen im Staate machen, nicht aber, nach Gutdünken, die ganze Grundverfassung des Staats umwerfen, ohne förmlichen Proceß, blos aus unmenschlichem Vergnügen, hinrichten lassen kan, u. s. w. einen solchen Monarchen wird man zwar Souverain, unumschränkt, nennen; er ist aber, eigentlich gesprochen, kein Despot.“[96]

In dieser Abgrenzung des Despotismus von der absoluten Monarchie ist Rousseaus Unterscheidung zwischen Despotismus und Tyrannei[97] nicht berücksichtigt. In einem anderen Punkt aber konnte wohl niemand, der nach 1762 über Staatsformen ernsthaft nachdachte, an Rousseau vorbei: in der Frage nach der Legitimation einer Herrschaftsform durch den Gesellschaftsvertrag. Um Schmidt-Phiseldek zu verstehen, muß man Rousseau hier voraussetzen. Der „Gesellschaftsvertrag“ enthält die Feststellung, daß es mit der Natur des Menschen unvereinbar sei, auf die Freiheit ohne Gegenleistung zu verzichten: „Enfin c'est une convention vaine et contradictoire de stipuler d'une part une autorité absolue et de l'autre une obéissance sans bornes.“[98] An einer anderen Stelle heißt es: „Ces mots esclavage, et, droit sont contradictoires; ils s'excluent mutuellement. Soit d'un homme à un homme, soit d'un homme à un peuple, ce discours sera toujours également insensé. Je fais avec toi une convention toute à ta charge et toute à mon profit, que j'observerai tant qu'il me plaira, et que tu observeras tant qu'il me plaira."[99] Es steht nicht in der Macht irgendeines Willens, „de consentir à rien de contraire au bien de l'être qui veut. Si donc le peuple promet simplement d'obéir, il se dissout par cet acte, il perd sa qualité de peuple."[100] Diese Vorstellungen Rousseaus liegen den Ausführungen Schmidt-Phiseldeks über das Verhältnis von Despotismus und Gesellschaftsvertrag zugrunde. Wenn der Despotismus als besondere „Gattung von Regierungsformen" betrachtet werden soll, setzt er die Einwilligung der Untertanen voraus. Sie kann aber nicht in einem „Originalvertrage" gesucht werden, weil kein vernünftiges Wesen je einen Pakt, der es völlig einem anderen ausliefert, freiwillig schlösse. Der Konsens der Untertanen liegt vielmehr in der faktischen Tolerierung des Despotismus. „Daraus, daß sie sich haben despotisiren lassen, Jahrhunderte hindurch geduldig despotisiren lassen, schliesset man, daß der Despotismus ihnen gefalle. ... Hierauf also gründet sich das Recht des Despoten."[101] Damit geht Schmidt-Phiseldek über Rousseau hinaus. Die Feststellung dagegen, daß eine von einem Despoten beherrschte Nation „eigentlich keinen Staat ausmache"[102], führt aber wieder zu Rousseau zurück. Den Untertanen eines Despoten fehlt die persönliche Sicherheit, die Freiheit und die Sicherheit des Eigentums, „Dinge, deren Erhaltung und Sicherung als der vornehmste Zweck bey Errichtung aller Staaten angesehen werden muß"[103].

Mit diesen Argumenten beantwortet Schmidt-Phiseldek die Frage, „‚ob die Rußische Regierungsform gut, ob sie dem wahren Wohl der Bürger gemäß, sey?' Aufrichtig geredet, nein! meiner Überzeugung nach, nicht. Ich glaube, daß überhaupt der Despotismus nie einem Staate zuträglich seyn könne."[104] Das Interesse des Volkes erfordere die Vertilgung selbst der Spuren des Despotismus[105]. Montesquieu war der Ansicht, die russische Regierung, auf der das System des Despotismus noch mehr laste als auf dem Volk, sei mit Eifer bemüht, den Despotismus zu überwinden[106]. Schmidt-Phiseldek erwartet das von Katharina II. Die Zarin, so habe es den Anschein, strebe danach, ihre zahlreichen Verdienste um Rußland dadurch zu vermehren, daß sie „das gewisseste Kennzeichen einer noch nicht verschwundenen Bar-

barey, den Despotismus", beseitigt. Katharina werde nicht warten, bis die Nation das aus eigenem Antrieb tue, was bei fortschreitender Aufklärung unvermeidlich sei. „Catharina ... komt gewissermassen den Wünschen der Enkel ihrer jetzigen Unterthanen zuvor."[107] Schmidt-Phiseldek geht als Aufklärer bei dieser Erwartung von den Hoffnungen auf die Philosophie aus. „Einer Monarchin, wie Catharina, die so sehr Philosoph ist, muß nichts unerträglicher seyn, als, über Maschinen herrschen, das heißt, despotisiren sollen."[108]

Welche Regierungsform hielt Schmidt-Phiseldek für geeignet? Bei der Erörterung so einer Frage pflegte man sich im 18. Jahrhundert vor allem an Montesquieu[109] und an der englischen Verfassung zu orientieren. Schmidt-Phiseldek möchte letztere auch Rußland empfehlen, „wenn Eine Verfassung allen Staaten angemessen seyn könte". Die englische Verfassung sei zwar auch nicht fehlerfrei, weil eine fehlerfreie Verfassung nur als theoretische Konstruktion möglich sei, aber sie „scheinet würklich die wenigsten Unvollkommenheiten zu haben". „Allein Rußland ist nicht Großbritannien, und die Russen denken nicht, wie Engländer." Wesentlich ist vor allem, daß das russische Reich ein Vielvölkerstaat ist. In einem solchen Staat sei es sehr schwierig, ein Regierungssystem einzurichten, das allen Nationen des Reiches gleichermaßen entspricht[110]. „Man wird daher am sichersten gehen, wenn man dasjenige vestsetzt, welches unstreitig den meisten gefällt, und die älteste Regierungsart unter allen ist, ich meyne die monarchische. Diese beyzubehalten scheinet um so nöthiger zu seyn, da Rußland so groß und weitläuftig ist. Und eben die Grösse des Reichs scheinet es zu erfordern, daß der Monarch unumschränkt sey."[111]

Die absolutistische Monarchie also, die er — wie oben gezeigt — vom Despotismus abzugrenzen versucht, hält Schmidt-Phiseldek für die passende Regierungsform Rußlands, die aber in der Zukunft erst noch zu verwirklichen ist. Die Vorliebe für die monarchische Staatsform ist dem 18. Jahrhundert ganz geläufig[112]. Ob aber die absolute Monarchie für einen Staat von der Größe Rußlands die geeignetste Staatsform darstelle oder ob nicht vielmehr gerade die Größe des Landes ein despotisches Regiment unvermeidlich machen werde, darüber gingen die Meinungen auseinander[113].

Wie läßt sich nun verhindern, daß die absolute Monarchie zur Willkürherrschaft entartet? Wesentlich ist eine richtige Erziehung des Thronfolgers, die in ihm die Überzeugung weckt, daß er bei einem

Mißbrauch seiner Macht „in der grössesten Gefahr steht, unglücklich zu werden, weil bey seinen Unterthanen alsdenn die Verbindlichkeit aufhöret, Unterthanen von ihm zu seyn“[114].

Die Rücksichtnahme auf den einer absoluten Monarchie zugrunde liegenden Gesellschaftsvertrag hindert also den absoluten Monarchen an einer Entartung zum Tyrannen. Der Despot dagegen, dessen usurpierte Herrschaft auf keinem Gesellschaftsvertrag beruht, „ist fast eo ipso Tyrann“. Für ihn gibt es nur die einzige Möglichkeit, sich für seine Person der Willkürherrschaft zu enthalten, so daß er persönlich aufhört, ein Despot zu sein[115]. Im Normalfall geht der Despot ähnlich wie seine Untertanen von der Ansicht aus, daß es ihm freistehe, diese „Unterthanen maschinenmäßig zu tractiren“. Das Volk eines despotisch regierten Landes wird sich erst nach den größten Leiden davon überzeugen, „daß ein Beherrscher, wie der seinige, allezeit Usurpateur sey“[116].

Die absolute Monarchie, die Schmidt-Phiseldek für Rußland als beste Regierungsform empfiehlt, kann entweder Wahlmonarchie oder Erbmonarchie sein. Schmidt-Phiseldek gibt der Erbmonarchie den Vorzug, und zwar aus folgenden Gründen: „Der Wahlmonarch kan sich nur als einen Verweser des Reichs betrachten, und lässet daher leicht ... das Land Schaden leiden, wenn hiedurch das Glück seiner Familie befördert werden kan. Der Erbmonarch hingegen sieht das Land als sein Eigenthum an, und ist schon mehr durch sein eignes Interesse — der kräftigste Beweggrund bey Menschen, zumal bey Königen — gezwungen, sich zu bemühen, daß er gut regiere. Macht er das Land unglücklich, so macht er seine Familie mit unglücklich.“[117] Außerdem erfolgt der Thronwechsel im Gegensatz zur Wahlmonarchie bei der Erbmonarchie normalerweise ohne Komplikationen[118]. Wahlreiche haben zwar theoretisch den Vorteil, stets von einem besonders fähigen Herrscher regiert werden zu können, aber in der Wirklichkeit tritt dieser Fall nur selten ein, weil über den Ausgang einer Wahl gewöhnlich weniger die Eignung der Kandidaten als vielmehr die Macht ihrer Anhängerschaft entscheidet. Eine wirklich freie Wahl ist „in unsern Zeiten eine Chimäre ..., von der Papstwahl an, bis zur Wahl des geringsten Stadtpfarrers“[119]. Der Zustand Polens sei ein anschauliches Beispiel für die Nachteile der Wahlmonarchie[120].

Von diesem Standpunkt aus kritisiert Schmidt-Phiseldek die Thronfolgeordnung Peters des Großen. Peter habe zwar die besten Absichten verfolgt, die nachteiligen Konsequenzen seiner Regelung, die sich seither in Rußland auch schon mehrfach ergeben haben[121], aber übersehen. Von Katharina II. erwartet Schmidt-Phiseldek die Beseitigung dieser Thronfolgeordnung zugunsten einer Primogenitur, wobei die Frauen nicht übergangen werden dürfen. Die Geschichte, auch die russische, kenne verschiedene vorzügliche Frauenregime[122].

Aus diesen Erörterungen leitet Schmidt-Phiseldek folgendes Bild von der künftigen Verfassung Rußlands ab: „Rußland würde ... ein völlig monarchischer Staat seyn, der aber von dem despotischen unendlich verschieden wäre; ein Staat, wo der durch keine Grundgesetze und Capitulationen gebundene Monarch schuldig wäre, das natürliche Gesetz und alle Pflichten, welche strenge Tugend fodert, zu beobachten; schuldig wäre der Vater seines Volks zu seyn, wenn er nicht seinen Thron selbst untergraben wollte. Man würde mit einem Worte eine Art von patriarchalischer Regierung in Rußland haben, und diese bleibt immer der menschlichen Natur sehr angemessen. Jeder Unterthan, auch der geringste, müste es wagen dürfen, gegründete Klagen vor den Thron des Monarchen zu bringen, und diesem würde es eine unverletzliche Pflicht seyn, sie nicht unbeantwortet zu lassen. Die vornehmsten Repräsentanten des Volks, der Senat, müsten patriotisch und frey genug seyn, um mit gehöriger Ehrerbietigkeit bisweilen Vorstellungen thun und Ratschläge ertheilen zu können."[123]

Wenn auch in diesen Sätzen viel Kritik an den tatsächlichen Verhältnissen in Rußland liegt, so laufen die Änderungsvorschläge in Wahrheit doch mehr auf einen bescheidenen moralischen Appell als auf die Forderung institutioneller Neuordnungen hinaus. Die in der Vorstellungswelt der Zeit begründete Theorie von der Abhängigkeit der Verfassung des Staates von seiner Größe veranlaßt Schmidt-Phiseldek, für die absolute Monarchie als beste Staatsform für Rußland zu plädieren. Der Versuch, von dieser Regierungsform die Despotie oder Tyrannis abzugrenzen, führte zu verschwommenen und im Moralischen verhaftet bleibenden Definitionen. Es ist evident, daß angesichts dessen Vorschläge zu einer grundsätzlichen Veränderung des russischen Regierungssystems in der Praxis ausblieben.

Die Vorstellungen Schmidt-Phiseldeks über den russischen Volkscharakter sollen hier nur kurz gestreift werden. Er sei bestimmt „von einer ganz wunderlichen Mischung" aus Stolz, Untertänigkeit, Leichtsinn, Vorsicht und Argwohn, Rachsucht, Treue und „einen gewissen

Hang zum Aberglauben und Wuchern". Natürlich werden „Spielsucht" und „Trinksucht" nicht vergessen. Allerdings schränkt er ein, daß diese Charakterisierung nur für den „größeren Haufen" gilt, so daß „viel Ausnahmen Statt finden können"[124].

Peter der Große habe, so meint Schmidt-Phiseldek, die russischen Volkssitten wenigstens an den Hauptorten des Landes mit viel Erfolg bekämpft[125]. An dieser Stelle fehlt ein altes Motiv westeuropäischer Rußlandberichte nicht: „Aber die Mode, die Frau oft zu schlagen, hat sich bey dem gemeinen Manne noch vollkommen erhalten. Es ist keine Fabel, wenn man behauptet, die Russinnen, freylich nur vom geringsten Stande, sähen es ganz gern, wenn sie von ihren Männern bisweilen geschlagen würden. Sie glauben in der That, daß die Männer aufgehöret haben, sie zu lieben, wenn sie von ihnen gar keine Schläge mehr bekommen."[126]

Auf die soziale Gliederung des russischen Volkes geht Schmidt-Phiseldek näher ein. Seine kurzen und unbedeutenden Bemerkungen über den Adel und das Bürgertum werden hier übergangen. Außerordentlich aufschlußreich ist dagegen der Zusammenhang, in dem er die Leibeigenschaft erwähnt. An diesem Beispiel wird der Blickwinkel, unter dem er das Land betrachtet, deutlich. Er geht nämlich von den Folgen aus, welche die Leibeigenschaft für die Bevölkerungsdichte eines Landes hat, wobei er die zeittypische Theorie von der „Peuplierung" — man denke etwa an die Bestrebungen Friedrichs II. von Preußen — auf Rußland anwendet.

Die deutsche Kameralwissenschaft des 18. Jahrhunderts vertrat nachdrücklich die Forderung, daß ein Herrscher sich mit Energie für die Vermehrung der Bevölkerung seines Landes einsetzen müsse. Deutlich ausgeprägt ist diese Ansicht z. B. bei Johann Heinrich Gottlob von Justi, dem Systematiker dieser deutschen Sonderform des Merkantilismus. Ausgangspunkt der Theorie ist die Überzeugung von der Notwendigkeit des inneren Landesausbaus zum Nutzen der Wirtschaftskraft eines Staates. „Aller äusserliche Anbau eines Landes", so beginnt Justi seine Darlegungen, „würde wenig helfen, wenn dasselbe nicht genugsam bewohnet und bevölkert wäre. Diese Bevölkerung ist die innerliche Cultivirung, welche der äusserlichen die Seele und das Leben geben muß."[127] Ein wichtiger Grundsatz ist, „daß ein Land nie zu viel Einwohner haben kann, welcher Grundsatz wider alle Einwürfe leicht zu retten ist"[128]. Justi zählt die Maßnahmen auf, die dem Zweck, die Zahl der Bewohner eines Landes zu vergrößern, dienlich sein können. Er empfiehlt die Ansiedlung von Ausländern, daneben aber die Vermehrung der Zahl der „Eingebohrnen des Landes“ [129]. Es sollen hier nicht alle Einzelheiten aufgezählt werden, obwohl sie bei Schmidt-Phiseldek zum Teil wiederzufinden sind. Wichtig ist hier die Bemerkung Justis, daß eine „gütige und gelinde Regierung, unter welcher die Unterthanen von Gewaltthätigkeiten und Bedrückungen befreyet sind“, nicht nur „die Fremden in das Land zu ziehen anreizet“, sondern „auch gar viel zur Vermehrung der Eingebohrnen des Landes“ beitrage. „Wenn die Unterthanen unter dem Joche der Dienstbarkeit und Tyranney seufzen, und in der äussersten Dürftigkeit und Elende leben; so leidet auch die Fortpflanzung des menschlichen Geschlechts dabey.“ [130]

Für Schmidt-Phiseldek ist die Untersuchung der Frage, ob der Staat „gehörig bevölkert“ ist, „das grösseste und wichtigste Object einer jeden um das Interesse des Staats aufrichtig bekümmerten Regierung“. Für Rußland fällt die Antwort negativ aus. Achtzehn Millionen Einwohner sind ein Zwölftel dessen, was das Riesenreich „ganz bequem fassen könte“. Rußland habe in diesem Punkt sein Interesse bisher schlecht wahrgenommen [131]. Darin Abhilfe zu schaffen, ist für das Land entscheidend wichtig. Schmidt-Phiseldek hebt zwei Momente hervor, die bei der unumgänglichen Anstrengung, die Bevölkerungsdichte zu steigern, unbedingt beachtet werden müssen: ein sozialpolitisches und ein außenpolitisches Moment.

Die Leibeigenschaft bezeichnet Schmidt-Phiseldek im Sinne der zitierten Ansichten Justis als „die wichtigste Hinderniß ..., welche der Bevölkerung Rußlandes im Wege steht“. „Die Aufhebung derselben kan also als das kräftigste Mittel, dem Staate mehr Einwohner zu verschaffen, betrachtet werden.“ [132] Diese Behauptung versucht er durch eine Schilderung der Lage, in der sich die leibeigenen Bauern befinden, zu untermauern. „Wie traurig ist die Aussicht eines Rußischen Bauers, wenn er sich verheyrathet! Er, alles, was er besitzt, seine ganze Familie, hängt lediglich von dem Eigensinne seines Herrn ab. Fällt es diesem ein, ihm Alles zu nehmen: so hat er kein Mittel, sich zu retten ... wenn er gleich eine Zeitlang einen Herrn hat, der Mitleiden kennt, ... so ist dieser Zustand oft nur ein angenehmer Traum. Der gute Edelmann stirbt; sein Sohn, ein galanter Sergeant von der Garde, verkauft die Kinder des alten Bauers zu Rekruten, legt ihm selbst unerschwingliche Abgaben auf, und lässet ihn halb todt prügeln, wenn er sie nicht entrichten kan ... Wahrlich, hätte ein Rußischer Bauer Grundsätze: so müste man ihm einen heroischen Muth ... zuschreiben, wenn er ... es wagt, ein Weib zu nehmen und Kinder zu zeugen. Allein auch in Ansehung des Heyrathens muß mancher Bauer empfinden, daß er ... das bedauernswürdigste Geschöpf, ein Sclav eines nicht selten hirnlosen Edelmanns ist."[133]

Die Abschaffung dieser entehrenden Leibeigenschaft würde nicht nur ein Hindernis für die Vermehrung der Bevölkerung beseitigen, sondern direkt einen Aufschwung von Ackerbau, Manufakturwesen und Handel bewirken[134]. Bisher habe noch kein Land die Abschaffung der Leibeigenschaft zu bereuen gehabt, und das werde gewiß auch für Rußland zutreffen. Als ersten konkreten Schritt schlägt Schmidt-Phiseldek der Kaiserin vor, sie möge durch Befreiung der Kronbauern beispielgebend vorangehen[135]. Daß die Hoffnung auf die aufgeklärte Gesinnung Katharinas trog und ihre Regierungszeit eine Verschärfung statt einer Aufhebung der Leibeigenschaft brachte, bleibe hier nicht unerwähnt. Der Gesichtspunkt, von dem aus Schmidt-Phiseldek die Frage der Leibeigenschaft sieht, ist für seine Betrachtungsweise symptomatisch. Das Hauptargument gegen die Leibeigenschaft ist das Staatsinteresse, das in der Vermehrung der Bevölkerung besteht. Daneben ist die menschliche Anteilnahme am Los der Geknechteten ein subordiniertes Motiv.

Eine ganz ähnliche Haltung findet man auf einem Sektor der auswärtigen Politik. Da der Anstieg der Einwohnerzahl, genauer gesagt die dichtere Besiedlung des gegebenen russischen Staatsgebietes, oberstes Staatsinteresse ist, sind alle Kriege für das Land verderblich. Gibt es schon an sich nur sehr wenige Fälle, „wo man einem Staate mit gutem Gewissen anrathen kann, auf die Erweiterung seines Bezirks durch neue Eroberungen zu denken", so muß man Rußland im besonderen entschieden vor allen militärischen Unternehmungen warnen. In jedem Krieg, auch dem erfolgreichsten, wird Rußland Menschen verlieren und dadurch sein oberstes Interesse schädigen. Einem Land wie Rußland „einen Eroberungsgeist einflössen, zum beständigen Krieg führen, zu unaufhörlichen Entwürfen, seine Gränzen auszudehnen, anrathen, das würde . . . entweder unbegreiflich thöricht, oder höchst verrätherisch, gehandelt seyn"[136]. So oft Rußland, „um neue Eroberungen zu machen, das kostbare Blut seiner

Bürger vergiesset", handelt es gegen „seinen wesentlichen Nutzen". „Ein sorgfältiges Vermeiden alles Kriegführens, in so fern solches ... ohne der Ehre der Nation oder der Würde des Reichs im mindesten Eintrag zu thun, angeht, wäre also ein Mittel, welches Rußland anwenden könte, um die Zahl seiner Bürger zu erhalten und zu vergrössern." [137]

Schmidt-Phiseldek scheut sich nicht, die Konsequenz dieses Gedankens zu ziehen und den gleichen Urteilsmaßstab an die Kriege Peters des Großen anzulegen. Gegen seine These, so führt er aus, könne man einwenden, daß Rußland ohne die Kriege Peters des Großen gegen Schweden niemals zu dem geworden wäre, was es seither darstelle. Diesem Einwand begegnet er, indem er zunächst einmal zwischen der Lage Rußlands um 1700 und der Situation gegen Ende des 18. Jahrhunderts unterscheidet. „Es kan einem Staate in einer Periode etwas überaus zuträglich seyn, was in einer andern ihm sehr verderblich werden würde. Hieraus folgt, daß es im Anfange der Regierung des Grossen Peters, Rußlandes Interesse hätte gemäß seyn können, auf neue Errungenschaften zu denken, und dennoch jetzo diesem Interesse entgegen wäre." [138] Der Konjunktiv läßt bereits erkennen, daß Schmidt-Phiseldek auf dieses Argument nicht das Schwergewicht legt. Er fährt fort: „Allein auch jenes getrauete ich mir nicht einmal im Ernste zu behaupten, daß nämlich Rußland sein wahrhaftes Interesse beobachtet habe, als es sich in den Krieg mit Carl XII. einließ. Denn ausser dem, daß ein ungerechtes Kriegführen niemals mit den eigentlichen Vortheilen eines Landes bestehen kan; so hatte damals Rußland der Menschen eben so nöthig, als jetzt." [139]

Es war deshalb politisch unklug, den Krieg gegen Schweden zu beginnen, weil der Verlust an Menschen mit Bestimmtheit abzusehen war, der Erfolg aber noch zweifelhaft sein mußte. Der Krieg ist schließlich für Rußland durch äußere Umstände erfolgreich verlaufen, die vom Einfluß der russischen Regierung unabhängig waren, vor allem durch Karls Halsstarrigkeit. Schmidt-Phiseldek geht aber noch weiter. Er bezweifelt, daß die territorialen Gewinne, die so zahlreiche Menschenopfer erforderten, überhaupt eine Voraussetzung für die Vergrößerung der Macht Rußlands waren. Rußland wäre ohne diese Landgewinne wohl „etwas kleiner, hätte seine Flotte auf dem weissen Meere, statt daß es sie auf der Ostsee hat, hätte eine Akademie der Wissenschaften u. s. w. zu Moskwa, St. Petersburg wäre vielleicht noch ein Unding — das wäre der Unterschied alle. Ich weiß nicht, ob Rußland hiebey eben so sehr schlecht sich würde befunden haben."[140]

Die Parallele zu der Forderung, die Leibeigenschaft in Rußland abzuschaffen, ist bei diesen Äußerungen über die russische Außenpolitik in Gegenwart und Vergangenheit deutlich. In beiden Fällen steht der staatsutilitaristische Gesichtspunkt im Vordergrund, ihm gegenüber erscheint der humanitäre als minder bedeutsam. Es darf allerdings auf der anderen Seite nicht unberücksichtigt bleiben, daß für Schmidt-Phiseldek — wie überhaupt für die Aufklärer — die Rechtfertigung des Staates letztlich doch wieder in der Beförderung der höchstmöglichen Glückseligkeit der Einwohner besteht[141]. Der Nutzen des Staates wird nicht als Gegensatz zu den humanitären Postulaten verstanden, sondern als deren Voraussetzung und Erfüllung. Weitere weniger wichtige Vorschläge von Schmidt-Phiseldek zur Vermehrung der Einwohnerzahl Rußlands[142] werden hier übergangen.

Sowohl in der Frage der Leibeigenschaft als auch mit seinen Ausführungen über die Schädlichkeit von Kriegen für Rußland geht Schmidt-Phiseldek über das hinaus, was er z. B. bei Justi vorfand. Justi und andere hatten darauf hingewiesen, daß die Bedrückung der Untertanen dem Bevölkerungszuwachs hinderlich sei[143], Schmidt-Phiseldek konkretisiert in der Anwendung auf Rußland diesen Gedanken und nennt die Leibeigenschaft als Hindernis für die Vermehrung der Einwohnerzahl. Die Warnung vor Kriegen aus der Besorgnis, daß sie die Bevölkerungszahl verkleinern, entspricht übrigens auch der zeitgenössischen militärischen Maxime, Schlachten und Kriege möglichst durch taktische Manöver unter Vermeidung von eigentlichen Gefechten zu gewinnen. Mit der Theorie von der Notwendigkeit der Bevölkerungsvermehrung hängen die Ratschläge Schmidt-Phiseldeks für die russische Wirtschaft zusammen: Das wirtschaftliche Potential eines Landes könne nur dann voll entwickelt und ausgenutzt werden, wenn die notwendigen Arbeitskräfte vorhanden sind.

Im Vordergrund seines Interesses steht die Landwirtschaft. Das ist nicht allein dadurch bedingt, daß sie der wichtigste Produktionssektor Rußlands war, sondern es zeigt sich darin auch ein charakteristisches ideologisches Moment, das natürlich seinerseits wieder mit den objektiven Verhältnissen korreliert. Die Volkswirtschaftslehren der Zeit betonten die Rolle der Landwirtschaft für die gesamte Nationalökonomie besonders nachdrücklich. Das gilt sowohl für die Kameralisten[144] als auch in noch stärkerem Maße für die Physiokraten, für welche die ackerbautreibende Bevölkerung eines Landes die einzige produktive Klasse ist[145].

Schmidt-Phiseldek kritisiert die mangelhafte Bodennutzung durch die russische Landwirtschaft. Das mögliche Argument, Rußland produziere schon jetzt mehr Getreide als es verbrauchen könne, läßt er nicht gelten, weil dabei die vorteilhafte Exportmöglichkeit vergessen werde[146]. Als wichtige Maßnahmen schlägt er vor: 1. Steigerung der Produktion bei den bisher schon angebauten Landesprodukten; 2. Erhöhung der Zahl der angebauten Fruchtarten; 3. sinnvollere Ausnutzung des Waldbestandes, der bei genügender Aufmerksamkeit (Verhütung von Bränden) noch beträchtlich in Anspruch genommen werden kann, ohne substantiell angegriffen zu werden; 4. Aufteilung der Domänen in Bauernhöfe[147]. Zu diesen praktischen Vorschlägen kommt noch eine weitere Empfehlung, die wiederum sehr bezeichnend ist: „Ein grosses Hülfsmittel zur Verbesserung des Ackerbaues würde dies seyn, daß man der Nation gehörige Begriffe von dem Werthe eines guten Ackerbaues beybrächte, und von dem Adel eines Mannes, der das Feld bauet. Aber es geht in diesem Stücke in Rußland, wie in Spanien, in Deutschland und so manchen anderen Staaten. Man hält den Ackermann, weil er mit zu der geringsten Classe der Bürger gehöret, für das verachtenswürdigste Geschöpf unter der Sonne, und man bedenkt nicht, daß eine unsrer ersten und grössesten Bestimmungen der Ackerbau ist, bedenkt nicht, daß ohne den Mann, der hinter der Pflugschaar schwitzt, der Mann in Purpur gekleidet verhungern müste.“[148] Schmidt-Phiseldek rät der Zarin, dem Vorbild des chinesischen Kaisers zu folgen, der in jedem Frühjahr einige Furchen pflügt, um damit die Würde und Bedeutung der Arbeit des Bauern zu bekunden[149].

In bezug auf die industrielle Entwicklung würdigte Schmidt-Phiseldek die Leistungen Peters des Großen. Rußland sehe sich auf dem Gebiet des Manufaktur- und Fabrikwesens durch die Maßnahmen Peters „selbst nicht mehr gleich“[150]. Das bekannte Nachahmungstalent der Russen[151] werde auch der künftigen industriellen Entwicklung dienlich sein[152]. Schmidt-Phiseldek fordert, daß die an sich notwendige Hebung des industriellen Niveaus nicht auf Kosten der Landwirtschaft erreicht werden dürfe. Innerhalb der Industrie müsse die Aufmerksamkeit vor allem auf gute Qualität gerichtet sein. Das Ziel sei die industrielle Autarkie des Landes[153]. In dieser Forderung wird abermals die Abhängigkeit Schmidt-Phiseldeks von den Wirtschaftslehren der Zeit sichtbar.

Als Jurist schenkte Schmidt-Phiseldek naturgemäß auch dem russischen Justizwesen sein Interesse. Er bemängelte das überaus reformbedürftige Privatrecht der Uloženie von 1649, vor allem aber, daß in Rußland nicht nach dem allgemeinen Rechtssatz „lex posterior derogat priori" verfahren werde, so daß Verwirrungen, Unsicherheit und Willkür unvermeidlich seien[154]. Das russische Strafrecht erscheint ihm ebenfalls als reformbedürftig, und zwar vor allem in zwei Punkten: Erstens solle die peinliche Befragung im Kriminalprozeß, „ein Institut, was die Menschheit zu sehr erniedrigt", in Rußland endlich abgeschafft[155], zweitens die Todesstrafe wieder eingeführt werden.

Daß Schmidt-Phiseldek beide Forderungen ausspricht, mag zunächst befremden. Man erwartet, daß der Ablehnung der gerichtlichen Folter die der Todesstrafe entspräche. Denn man muß für die damalige Zeit die außerordentliche Wirkung in Rechnung stellen, die das Buch des Mailänders Cesare Beccaria „Über Verbrechen und Strafen" (zuerst 1764 in Livorno in italienischer Sprache erschienen) im ganzen aufgeklärten Europa ausübte. Beccaria verwirft mit überzeugenden juristischen Argumenten und lebhaftem humanistischen Engagement sowohl die peinliche Befragung als auch die Todesstrafe[156]. Das Echo im gebildeten Europa war überwiegend positiv, wenn auch gegnerische Stimmen erwartungsgemäß nicht fehlten[157]. Schmidt-Phiseldek schließt sich der Argumentation Beccarias in bezug auf die Todesstrafe nicht an, sondern vertritt eine Auffassung, die z. B. auch bei Montesquieu zu finden ist, der die Folter ablehnt, die Todesstrafe aber unter bestimmten Bedingungen beibehalten will[158]. Die faktische Abschaffung der Todesstrafe seit Elisabeth muß nach Schmidt-Phiseldek „als ein wesentlicher Fehler in dem Russischen Criminalrecht angesehen" werden. „Mord, Strassenräuberey und Hochverrath sollten schlechterdings mit dem Tode bestrafet werden." Das Argument für die Wiedereinführung der Todesstrafe ist ihre abschreckende Wirkung. „Hätte Elisabeth hundert Mörder enthaupten lassen: so würde sie nicht genöthigt gewesen seyn, so viele Tausend für verübte Mordthaten knuten zu lassen, und nach Rogerwick zu versenden." [159]

Die notwendige durchgreifende Verbesserung des russischen Justizwesens kann nach Schmidt-Phiseldek nicht durch Einführung des römischen Rechts bewirkt werden, weil die Unwissenheit der russischen Justiz- und Polizeibeamten zu groß ist, um ein so kompliziertes Recht wie das römische zu handhaben. Besonders nachdrücklich warnt Schmidt-Phiseldek die Russen vor einer Übernahme des hart kritisierten deutschen Justizwesens. Statt dessen hält er die Einführung „eines ganz neuen, vollkommenen, allgemein verbindlichen Gesetzbuches", in das man alle für Rußland passenden Bestimmungen ausländischer Rechte nach Bedarf integrieren könnte, für die einzige Möglichkeit der Reform des russischen Rechtswesens[160].

Zu den Ansichten Schmidt-Phiseldeks über Religion und Kirche in Rußland[161] ist hier lediglich zu bemerken, daß er glaubt, Peter der Große habe sich in seinen kirchenpolitischen Maßnahmen auf dem Wege der Reformation befunden[162]. Typisch für die Zeit ist die Warnung vor Aberglauben einerseits und Atheismus andererseits. Atheismus der breiten Massen wird als dem Staatsinteresse abträglich beurteilt[163]. Diese Einstellung, daß die Erhaltung der überlieferten Religion wenigstens bei den ungebildeten Volksschichten ein Erfordernis der Staatsräson sei, war bei den Atheisten weithin verbreitet. Voltaire ist wohl das prominenteste Beispiel dafür.

Für einen Gelehrten des wissenschaftsfreundlichen Jahrhunderts der Aufklärung war der Zustand der Wissenschaft und Bildung in einem Land ein sehr wichtiges Moment für das Gesamturteil über dieses Land. Für Rußland, das erst seit Peter dem Großen einen Wissenschaftsbetrieb im modernen Sinne aufzubauen begonnen hatte, spielte dieser Gesichtspunkt im Bewußtsein der Zeitgenossen eine besondere Rolle. Schmidt-Phiseldek erkennt die Fortschritte Rußlands seit Peter dem Großen zwar an, relativiert sie aber unter Hinweis darauf, „was man in den Wissenschaften schon *könnte* gethan haben", sowie durch den Vergleich mit den weiterentwickelten Staaten Europas[164]. Vor allem bemängelt er die geringe Ausstrahlung des hauptstädtischen Kulturlebens in die Provinzen, ferner das Desinteresse größter Teile des russischen Adels an wissenschaftlicher Bildung. An ihrem geringen Ansehen im Adel sind allerdings die „Gelehrten selbst ... zum Theil durch ihr neidisches Betragen gegeneinander ... Schuld"[165]. In der Gegenwart glaubt Schmidt-Phiseldek sogar eine Abwärtsentwicklung der Wissenschaften in Rußland feststellen zu können. In Petersburg

„scheinet die Gelehrsamkeit überhaupt betrachtet, jetzt wieder eher zu verlieren, als daß sie gewinnen sollte, so sehr auch unstreitig Catharina II. um ihre Aufnahme bekümmert ist“ [166]. Aus einem Brief, den er „vor einigen Monaten“ aus Petersburg erhalten hatte, zitiert er die Klage des ungenannten Absenders: „Sie können sich überhaupt den Verfall der Litteratur in St. Petersburg kaum vorstellen. So sehr die Monarchin die Wissenschaften liebt, so gleichgültig ist der Hof gegen sie. — Die Gelehrten ... reden von ihren Equipagen, von ihren Einkünften, von ihren ehmaligen Verdiensten, und schrecken leider den Geschmack und die Litteratur weit von sich.“ [167] Sicherlich war dieser Pessimismus in seiner Verallgemeinerung ungerechtfertigt.

V

Eine ausführliche Behandlung der übrigen Publikationen Schmidt-Phiseldeks über Rußland, namentlich der beiden historiographischen Werke („Versuch einer neuen Einleitung in die Russische Geschichte“ und „Materialien zu der Russischen Geschichte“) [168], würde das bisher gewonnene Bild noch um interessante Einzelheiten bereichern, die Grundlinien aber nicht mehr verändern. Ziel der Darstellung war, die Ansichten eines Rußlandkenners des späteren 18. Jahrhunderts, der fest in der Tradition der Aufklärung stand, darzulegen und sie auf ihren geistesgeschichtlichen Hintergrund zu beziehen. Die zu Eingang dieses Aufsatzes genannten Arbeiten zum Thema der deutsch-russischen Begegnung im 18. Jahrhundert sollten durch diese Untersuchung über einen typischen Vertreter des Zeitalters, der aber die einzelnen Momente der Vorstellungswelt seiner Epoche dennoch selbständig verarbeitete, ergänzt werden. Dabei ist vor allem interessant, in welcher Weise sich das verbreitete aufklärerische Gedankengut in der Anwendung auf ein einzelnes Land konkretisierte.

Entscheidend wichtig für das Urteil Schmidt-Phiseldeks über Rußland ist der Zeitpunkt, zu dem der Autor zu seinen Ansichten gelangt ist. Einerseits war der anfängliche westeuropäische Optimismus bezüglich der Entwicklung Rußlands nach Peter dem Großen (Fr. Chr. Weber: „Verändertes Rußland“) inzwischen stark gedämpft, andererseits schienen, zumindest zeitweilig, in der Regierungszeit Katharinas II. neue Hoffnungen auf eine progressive Entwicklung Rußlands gerechtfertigt (A. L. Schlözer: „Neuverändertes Rußland“).

Noch in anderer Weise ist der Zeitpunkt, zu dem Schmidt-Phiseldek sein Rußlandbild entwickelte, für die Beurteilung bedeutungsvoll. Kaum zwei Jahrzehnte später löste die Französische Revolution Wirkungen aus, die das politische und geistige Gesicht ganz Europas gründlich veränderten. Seitdem im Gefolge der Revolution Frankreich den ganzen Kontinent zunehmend seinem Machteinfluß unterwarf, entstand in Deutschland eine nationale Strömung, die, wie etwa das Beispiel Ernst Moritz Arndt zeigt[169], Rußland nicht mehr primär mit den Kategorien des aufklärerischen Staats- und Gesellschaftsdenkens beurteilte, sondern im wachsenden Maße nationale und machtpolitische Gesichtspunkte in den Vordergrund rückte. Im Vergleich zu dieser das 19. Jahrhundert weithin kennzeichnenden Haltung ist die spätaufklärerische Betrachtungsweise Schmidt-Phiseldeks unpolitischer, sofern es gestattet ist, dieses Wort für eine nicht nationalmachtpolitisch orientierte Einstellung zu verwenden. Die ältere Haltung bei der Beurteilung Rußlands ist im Vergleich zu der neueren eines Arndt objektiver in dem Sinne, daß nicht das Interesse einer Nation Maßstab für das Urteil über andere Völker ist, sondern prinzipiell für alle Staaten gleichermaßen gültige Wahrheiten und Gesetze anerkannt werden. Verschieden zwischen einzelnen Staaten sind lediglich die Faktoren, unter denen die allgemeinen Gesetze wirksam werden, und die Bedingungen, unter denen sie gelten. Daher ist es kein Zufall, daß Schmidt-Phiseldek zwar Überlegungen anstellt, durch welche innen- und außenpolitischen Maßnahmen oder Unterlassungen Rußland sein Staatsinteresse fördern könne, sich aber kaum darüber ausläßt, welche internationalen machtpolitischen Folgen die eine oder andere Entwicklung Rußlands haben würde.

Anmerkungen

1 Vgl. Liselotte Richter: Leibniz und sein Rußlandbild. Berlin 1946; Ernst Benz: Leibniz und Peter der Große. Der Beitrag Leibnizens zur russischen Kultur-, Religions- und Wirtschaftspolitik seiner Zeit. Berlin 1947; Moritz C. Posselt: Peter der Große und Leibniz. Dorpat und Moskau 1843; Wladimir Iwanowitsch Guerrier: Leibniz in seinen Beziehungen zu Rußland und Peter dem Großen. St. Petersburg und Leipzig 1873; V. I. Čučmarev: G.-V. Lejbnic i russkaja kul'tura. Moskva 1968.

[2] Eduard Winter: Halle als Ausgangspunkt der deutschen Rußlandkunde im 18. Jahrhundert. Berlin 1953; Ders.: Frühaufklärung. Der Kampf gegen den Konfessionalismus in Mittel- und Osteuropa und die deutsch-slawische Begegnung. Berlin 1966.

[3] Einen größeren Zusammenhang behandeln folgende Aufsätze von Eduard Winter: Die Aufklärung bei den slawischen Völkern und die deutsche Aufklärung, in: Zeitschrift für Slawistik 2 (1957) S. 153—162; Ders.: Zur Geschichte der deutsch-russischen Wissenschaftsbeziehungen im 18. Jahrhundert, in: Zeitschrift für Geschichtswissenschaft 8 (1960) S. 844—855; ders.: Über die Bedeutung der Geschichte der deutsch-russischen Wissenschaftsbeziehungen, in: Jahrbuch für Geschichte der UdSSR und der volksdemokratischen Länder Europas 7 (1963) S. 321—334. — Allgemein zum Thema auch Elena Družinina: Die russisch-deutschen Wissenschaftsbeziehungen und die Erforschung der Ukraine gegen Ende des 18. Jahrhunderts, in: Jahrbuch ... (wie vorige Angabe) 10 (1967) S. 219—251. — Heinz Ischreyt: „Gute und genaue Nachrichten von Rußland" — Zur Entwicklung der Kommunikation im 18. Jahrhundert, in: Deutsche Studien 31 (1970) S. 259—264. Studien zur Geschichte der russischen Literatur des 18. Jahrhunderts. Hrsg. von H. Graßhoff und U. Lehmann. Bisher erschienen Bd. 1—4. Berlin 1963—1970.

[4] Conrad Grau: Petrinische kulturpolitische Bestrebungen und ihr Einfluß auf die Gestaltung der deutsch-russischen wissenschaftlichen Beziehungen im ersten Drittel des 18. Jahrhunderts. Phil. Habilschr. Berlin (Humboldt-Universität) 1966 (Maschinenschr.).

[5] Pavel Naumovič Berkov: Deutsch-russische kulturelle Beziehungen im 18. Jahrhundert, in: Die deutsch-russische Begegnung und Leonhard Euler. Beiträge zu den Beziehungen zwischen der deutschen und der russischen Wissenschaft und Kultur im 18. Jahrhundert. Hrsg. ... von E. Winter. Berlin 1958, S. 64—85; Ders.: Literarische Wechselbeziehungen zwischen Rußland und Westeuropa im 18. Jahrhundert. Berlin 1968. Vgl. auch Gerhard Ziegengeist: Deutschland als Zentrum der Vermittlung slawischer Literatur in Europa im ausgehenden 18. und frühen 19. Jahrhundert, in: Zeitschrift für Slawistik 13 (1968) S. 467—478.

[6] Ulf Lehmann: Der Gottschedkreis und Rußland. Deutsch-russische Literaturbeziehungen im Zeitalter der Aufklärung. Berlin 1966. Das Werk hat eine ausführliche Einleitung, die wichtige Nachrichten über Gottsched, G. F. Müller, J. v. Stählin, J. G. Reichel und Ch. G. Köllner enthält. Helmut Graßhoff: Gottsched als Popularisator und Übersetzer russischer Literatur, in: Zeitschrift für Slawistik 15 (1970), S. 189—207.

[7] August Ludwig von Schlözer und Rußland. Eingel. und unter Mitarb. von ... hrsg. von E. Winter. Berlin 1961. Die Sammlung ist eine vorzügliche Quellenedition mit einer ausführlichen und brauchbaren Einleitung. Ferner: Lomonosov, Schlözer, Pallas. Deutsch-russische Wissenschaftsbeziehungen im 18. Jahrhundert. Hrsg. in Zusammenarb. mit ... von E. Winter. Berlin 1962. Es handelt sich um ein Sammelwerk mit Beiträgen über die drei im Titel genannten Gelehrten. Einen Nachtrag zu der zuerst genannten Quellensammlung bringt Conrad Grau: Zwei unbekannte Briefe A. L. Schlözers über seine Anfänge in Rußland, in: Ost und West in der Geschichte des Denkens und der kulturellen Beziehungen. Festschrift Eduard Winter zum 70. Geburtstag. Hrsg. von W. Steinitz, P. N. Berkov u. a. Berlin 1966, S. 321—331. Helmut Neubauer: August Ludwig Schlözer (1735—1809) und die Geschichte Osteuropas, in: Jahrbücher für Geschichte Osteuropas, N. F. 18 (1970) S. 205—230.

8 Peter Hoffmann: Gerhard Friedrich Müller. Die Bedeutung seiner geographischen Arbeiten für das Rußlandbild des 18. Jahrhunderts. Phil. Diss. Berlin (Humboldt-Universität) 1959 (Maschinenschr.) Vgl. ferner L. V. Čerepnin: G. F. Müllers Bedeutung für die Quellenkunde der russischen Geschichte, in: Ost und West in der Geschichte des Denkens (siehe oben Anm. 7) S. 303—311. Über Müller sehr knapp auch Eduard Winter, in: Zeitschrift für Geschichtswissenschaft 8 (1960) S. 849 f.; Ulf Lehmann: Der Gottschedkreis (siehe Anm. 6) S. 29—39. Diese knappe Darstellung basiert auf Hoffmann.

9 Günter Mühlpfordt: Ein deutscher Rußlandkenner des 18. Jahrhunderts. F. Büsching als Herausgeber einer Schrift über die Wiedervereinigung der Ukraine mit Rußland, in: Zeitschrift für Geschichtswissenschaft. Beiheft 1 (1954) S. 40—62; Peter Hoffmann: „Anton Friedrich Büschings Wöchentliche Nachrichten" als Bibliographie der Rußlandliteratur der siebziger und achtziger Jahre des 18. Jahrhunderts, in: Ost und West in der Geschichte des Denkens, S. 312—320.

10 Johann Georg Gmelin 1709—1755. Der Erforscher Sibiriens. Ein Gedenkbuch. (Hrsg.: Otto Gmelin). München 1911, speziell im Kapitel „Leben und Bedeutung J. G. Gmelins" von R. Gradmann (S. 3—20).

11 Eduard Winter: Die russische und die deutsche Frühaufklärung und die Erforschung Sibiriens, insbesondere durch Messerschmidt, in: Jahrbuch für Geschichte der UdSSR und der volksdemokratischen Länder Europas 6 (1962) S. 189—202; D. G. Messerschmidt: Forschungsreise durch Sibirien 1720—1727. In Verb. mit ... hrsg. von E. Winter, G. Uschmann und G. Jarosch. Bisher Teil 1—4. Berlin 1962—1968.

12 Siehe Anm. 7.

13 Siehe Anm. 5. Neben dem dort genannten Werk, das sich mit Euler als Generalthema befaßt, sind noch einige Quelleneditionen zu nennen: 1. Die Berliner und die Petersburger Akademie der Wissenschaften im Briefwechsel Leonhard Eulers. 2 Teile. Berlin 1959—1961; 2. Leonhard Euler und Christian Goldbach: Briefwechsel 1729—1764. Hrsg. von P. A. Juškevič und E. Winter. Berlin 1965 (Abhandlungen der Deutschen Akademie der Wissenschaften zu Berlin. Klasse für Philosophie, Geschichts-, Staats-, Rechts- und Wirtschaftswissenschaften. 1965, Nr. 1).

14 Anneliese Lauch: Wissenschaft und kulturelle Beziehungen in der russischen Aufklärung. Zum Wirken H. L. Ch. Bacmeisters. Berlin 1969; Neues Material über Bacmeister bringt auch die Abhandlung: A. N. Radiščev und Deutschland. Red. von E. Hexelschneider. Sitzungsberichte der Sächs. Akademie der Wissensch. zu Leipzig, phil.-hist. Klasse Bd. 114 (1969) Heft 1; Gerhard Teich: Hartwig Ludwig Christian Bacmeisters „Russische Bibliothek" und die Anfänge der Nationalbibliographie in Rußland, in: Buch — Bibliothek — Leser. Festschrift für Horst Kunze zum 60. Geburtstag. Berlin 1969, S. 291—309.

15 Ulf Lehmann: Johann Gottlieb Willamov. Ein Mittler zwischen der deutschen und russischen Literatur, in: Zeitschrift für Slawistik 7 (1962) S. 374—382.

16 Wolfgang Bernhagen: Johann Leonhard Frisch und seine Beziehungen zu Rußland, in: Die deutsch-russische Begegnung und Leonhard Euler (siehe Anm. 5) S. 112—124; Ernst Eichler: Johann Leonhard Frisch und die russische Sprache. Ein Kapitel deutscher Slawenkunde. Ebenda S. 94—111.

17 Vladimir Alekseevič Holobućkyj: Güldenstädts „Reisen durch Rußland" und ihre Bedeutung für die Erforschung der sozial-ökonomischen Entwicklung der Linksufrigen Ukraine im 18. Jahrhundert, in: Ost und West in der Geschichte des Denkens (siehe Anm. 7) S. 406—416.

[18] Karl Stählin: Aus den Papieren Jacob von Stählins. Ein biographischer Beitrag zur deutsch-russischen Kulturgeschichte des 18. Jahrhunderts. Königsberg und Berlin 1926; U. Lehmann: Der Gottschedkreis und Rußland (s. Anm. 6) S. 39—48.

[19] Z. B. H. Pohrt: Karl Gottlob von Anton und die Slawen, in: Zeitschrift für Slawistik 13 (1968) S. 712—721; Ulf Lehmann: Deutsch-russische Wechselseitigkeit in deutschen und russischen Zeitschriften des 18. Jahrhunderts. [Über Gottscheds Zeitschrift: „das Neueste aus der anmuthigen Gelehrsamkeit"], in: Deutsch-slawische Wechselseitigkeit in sieben Jahrhunderten. Gesammelte Aufsätze. (E. Winter zum 60. Geburtstag dargebracht). Berlin 1956, S. 247—255; Ders.: Der Verlag Breitkopf in Leipzig und die Petersburger Akademie in den 60er und 70er Jahren des 18. Jahrhunderts, in: Zeitschrift für Slawistik 8 (1963) S. 25—33; Ders.: Johann Gottfried Reichel, Christian Gottlieb Köllner, in: Der Gottschedkreis und Rußland (siehe Anm. 6) S. 48 — 58, 58 — 60; Wolfgang Bernhagen: Das deutsche Rußlandbild in Hübners „Reales Staats-, Zeitungs- und Conversations-Lexicon" am Anfang des 18. Jahrhunderts, in: Zeitschrift für Slawistik 7 (1962) S. 383—385; Heinz Mohrmann: Studien über russisch-deutsche Begegnungen in der Wirtschaftswissenschaft (1750—1825). Berlin 1959; Othmar Feyl: Die Rußlandbeziehungen der Universität Jena im 18. Jahrhundert, in: Die deutsch-russische Begegnung und Leonhard Euler (siehe Anm. 5) S. 170—175; Harald Raab: Die Universität Greifswald und die Begegnung der deutschen und der russischen Kultur im 18. Jahrhundert. Ebenda S. 164—169. Ulf Lehmann: Johann Friedrich Hartknochs Beitrag zur deutschen Rußlandkenntnis im 18. Jahrhundert, in: Zeitschrift für Slawistik 15 (1970), S. 323—330.

[20] Vgl. Anm. 5.

[21] Positiv beurteilt wird Schmidt-Phiseldek jüngst von Neubauer (s. Anm. 7) S. 221.

[22] August Ludwig Schlözer's öffentliches und Privatleben, von ihm selbst beschrieben. 1. Fragment: Aufenthalt und Dienste in Rußland ... Göttingen 1802, S. 4. Vgl. auch Pavel Naumovič Berkov: Deutsch-russische kulturelle Beziehungen im 18. Jahrhundert (siehe Anm. 5) S. 78—80.

[23] Christoph Schmidt dictus Phiseldek: De variis legum positivarum speciebus, earum interpretatione et ad facta occurentia adplicatione Dissertatio inauguralis iuridica. Goettingae 1764. Der Lebenslauf steht am Schluß (S. 20—23) der zur Dissertation gehörigen „Ordinis iuridici decani Georgii Henrici Ayreri D. ad viri praenobilissimi doctissimique Christophori Schmidt dicti Phiseldek Nordheimensis solemnia inauguralia invitatio".

[24] Für die Zeit bis 1764 folgt auch die kurze Biographie von P. Zimmermann in der Allgemeinen Deutschen Biographie. Bd. 32 (1891) S. 19f. diesem selbstverfaßten Lebenslauf.

[25] Die Orthographie des zweiten Namensbestandteils schwankt. Die Familie schrieb sich später Schmidt-Phiseldeck (also mit ck), während Christoph sich in der Regel Schmidt genannt Phiseldek (also mit k) schrieb, nicht nur in seinen gedruckten Werken, sondern auch bei handschriftlichen Eintragungen (z. B. im Wolfenbütteler Exemplar der „Briefe über Rußland" oder in einer Stammbucheintragung im Staatsarchiv Wolfenbüttel in russischer Sprache, Sign. VI Hs 13 Nr. 74). Schon bei den Zeitgenossen findet man die Schreibung mit ck häufig, z. B. Braunschweigische Anzeigen. Gelehrte Beiträge. Jg. 1765 (Sp. 542), 1766 (Sp. 126, 526), 1769 (Sp. 101, 522); Büsching: Wöchentliche Nachrichten 1 (1773) S. 188; Ders.: Eigene Lebensgeschichte. Halle 1789, S. 342. Da der Betroffene die Form mit k vorzog, wird sie auch in dieser Arbeit verwendet.

[26] Lebenslauf (siehe Anm. 23) S. 21. Die am Schluß des Satzes bekundete Verehrung für die beiden Grafen Münnich findet ihren Ausdruck auch in den zwei Widmungen der Dissertation. Die erste gilt „Illustrissimo atque Excelentissimo Domino, Domino Burcardo Christophoro S. R. I. Comiti de Münnich ... domino meo gratiosissimo", die zweite „Nec non Illustrissimo atque Excellentissimo Domino, Domino Ernesto S. R. I. Comiti de Münnich ... magni patris filio magno, domino ac patrono meo indulgentissimo".

[27] Vgl. die im übrigen wenig befriedigende, romanhafte Münnich-Biographie von Melchior Vischer: Münnich. Ingenieur, Feldherr, Hochverräter. Frankfurt a. M. 1938, S. 483.

[28] Arved Jürgensohn: Graf Ernst von Münnich (1708—1788). Ein Lebensbild aus dem 18. Jahrhundert, in: Die Memoiren des Grafen Ernst von Münnich. Nach der deutschen Originalhandschrift hrsg. sowie mit einer Einleitung und einer Biographie des Verfassers versehen von Arved Jürgensohn. Stuttgart 1896, S. 15—51 (hier: S. 24). Jürgensohns Biographie Ernst von Münnichs (künftig zitiert als „Jürgensohn: Biographie E. von Münnichs") geht voraus ein ebenfalls kurzer Lebensabriß Münnichs von Vera V. Timoščuk: Graf Ernst Minich 1707—1788. Očerk ego žizni, in: Ernst Graf von Münnich: Rossija i russkij dvor v pervoj polovine XVIII veka. Zapiski i zamečanija gr. Ernsta Minicha. Izdanie redakcii istoričeskago žurnala „Russkaja starina". S.-Peterburg 1891, S. 285—306 (Das ganze Werk ist eine russische Gesamtausgabe der beiden Memoirenwerke Ernst von Münnichs).

[29] Vgl. die Akten, die S. Šubinskij unter dem Titel „Dlja biografii grafa Ioanna Ernsta Minicha", in: Russkij archiv". God 4-j (1866) Sp. 1544 (1547)—1567, herausgegeben hat (künftig zitiert: Šubinskij), Nr. 8, Sp. 1555 f. Für Ernst von Münnich war zunächst das Dorf Vyčjug im späteren Gouvernement Kostroma als Verbannungsort bestimmt worden (ebenda Nr. 3, Sp. 1549). Er konnte sich wegen des schlechten Gesundheitszustandes seiner Frau noch längere Zeit in Petersburg halten (ebenda, Nr. 3—5, Sp. 1549—1553).

[30] Šubinskij Nr. 10, Sp. 1559.

[31] Ebenda Nr. 11, Sp. 1560.

[32] Jürgensohn: Biographie E. von Münnichs S. 34.

[33] Ernst Gustav (1744—1812), Burchard Christoph (1747—1824), Ludwig Anton (1748—1800), Anna Ulrika (1741—1811), Dorothea (geb. 1746) und Juliane (geb. 1749).

[34] Šubinskij Nr. 13, Sp. 1564.

[35] Pis'ma Ernsta Minicha k djade. (Po povodu pis'ma fel'dmaršala grafa Minicha k Runce). Soobšč. graf D(mitrij) A. Tolstoj, in: Russkaja starina. Ežemesjačnoe istoričeskoe izdanie 53 (1887) S. 464—469. Die vier in russischer Sprache (nach deutschen und französischen Originalen) gedruckten Briefe sind vom 9. August 1756, 25. Dezember 1757, 28. Mai 1758 und 16. Juli 1758.

[36] Pis'ma Ernsta Minicha k djade S. 467 (25. Dezember 1757), S. 469 (16. Juli 1758).

[37] Ebenda, S. 469 (16. Juli 1758).

[38] Vgl. das Zitat aus dem Lebenslauf Schmidt-Phiseldeks.

[39] A. F. Büsching: Eigene Lebensgeschichte, in vier Stücken. Halle 1789, S. 341 f.

[40] Ebenda, S. 489.

[41] Günter Mühlpfordt: Ein deutscher Rußlandkenner des 18. Jahrhunderts (siehe Anm. 9) S. 43.

[42] Jürgensohn: Biographie E. von Münnichs (siehe Anm. 28) S. 35.

[43] Šubinskij (siehe Anm. 29) Nr. 8, Sp. 1556, Nr. 11, Sp. 1560, Nr. 12, Sp. 1561.

[44] Ebenda, Nr. 12, Sp. 1561 f.

[45] Ebenda, Nr. 14, Sp. 1565.

[46] Leider war es nicht möglich, nennenswertes handschriftliches Material zu erhalten. Der Nachlaß der Familie Schmidt-Phiseldeck, der sich seit 1946 im Stadtarchiv Braunschweig befindet, enthält nach Auskunft des Archivs keine Quellen, die sich auf die Beziehungen Schmidt-Phiseldeks zu Rußland beziehen. Es sind aber Briefe von Schmidt-Phiseldeks Sohn Ferdinand aus dem russischen Militärdienst an seinen Bruder Justus aus den Jahren 1828 bis 1849 vorhanden (G IX 13). Negativ war auch das Ergebnis von Anfragen an das Niedersächsische Staatsarchiv Wolfenbüttel und an die Herzog-August-Bibliothek in Wolfenbüttel.

[47] Zimmermann (siehe Anm. 24). Ein Niederschlag dieser Kenntnis ist der Aufsatz „Zubereitung der Juften oder Juchten nach wologdäischer Art", den Schmidt-Phiseldek in den „Gelehrten Beyträgen zu den Braunschweigischen Anzeigen" 15 (1775) Sp. 615—624 anonym veröffentlichte. Danach gab es 1760 in Wologda 17 Juchtengerbereien. Über die Juchtenfabrikation vgl. auch Schmidt-Phiseldeks „Briefe über Rußland" II (1770) S. 238 f. In den Zusammenhang gehört auch die Beschäftigung mit den Wologdäer Talgkerzen, die sich in der ebenfalls anonymen „Nachricht von den wologdäischen Talglichtern" in den „Gelehrten Beyträgen zu den Braunschweigischen Anzeigen" 16 (1776) Sp. 433—438 und „Briefe über Rußland" II S. 240—243 zeigt.

[48] Jürgensohn: Biographie E. von Münnichs (siehe Anm. 28) S. 39.

[49] Vgl. das Zitat aus dem Lebenslauf zur Dissertation; ferner Büsching: Wöchentliche Nachrichten I (1773) S. 188. Aus Schmidt-Phiseldeks „Materialien zu der Russischen Geschichte" I (1777) S. 359 f. und II (1784) S. 382 f. geht übrigens hervor, daß er 1762 Zeuge des Wiedersehens der Familie Ernst von Münnich mit Burchard Christoph von Münnich war.

[50] Alles: Zimmermann (siehe Anm. 24) S. 19 f.

[51] Nekrolog. Christoph von Schmidt, genannt Phiseldek. Herzogl. Braunschw. Hofrath und Archivar zu Wolfenbüttel, gest. den 9. Sept. 1801, in: Allgemeine Literatur-Zeitung vom Jahre 1801. 4. Bd., Intelligenzblatt Nr. 213 (4. Nov. 1801). Jena und Leipzig 1801, Sp. 1721. Die Stelle ist fast wörtlich nachgedruckt im Nekrolog des Braunschweigischen Magazins. 15. Bd. (Wöchentliche gemeinnutzige Beilagen zum 58. Jg. der Braunschweigischen Anzeigen für das Jahr 1802). Braunschweig 1802, 4. Stück (23. Januar) Sp. 53 f.

[52] Vgl. Anm. 21 (Neubauer).

[53] Briefe über Rußland. Erste und Zwote Sammlung. Braunschweig: Schröder 1770. zus. 258 S. Die beiden „Sammlungen" enthalten insgesamt 16 „Briefe" sowie „Beylagen". Das Exemplar der Herzoglichen Bibliothek Wolfenbüttel enthält eine handschriftliche Widmung Schmidt-Phiseldeks. Das Werk zitiere ich künftig als „Briefe" I oder II.

[54] Beyträge zur Kentniß der Staatsverfassung von Rußland. Hrsg. von D. Christoph Schmidt genannt Phiseldek. Riga: Joh. Fr. Hartknoch 1772, 216 S. Zitiert als „Beyträge zur Kentniß der Staatsverfassung".

[55] Beyträge zur Kentniß der Staatsverfassung S. I.

[56] Ebenda, S. II und S. 86, Anm.

[57] Vgl. A. L. Schlözer: Von der Unschädlichkeit der Pocken in Rußland und von Rußlands Bevölkerung überhaupt. Göttingen 1768.

[58] Versuch einer neuen Einleitung in die Russische Geschichte. Nach bewährten Schriftstellern. Von D. Christoph Schmidt, genannt Phiseldek. 1. Theil. Riga:

Joh. Fr. Hartknoch 1773, 2. Theil, 1. Abth. Ebenda 1774. [Mehr nicht erschienen], 388 bzw. 362 S. Das Werk führt bis 1725. Künftig zitiert als „Versuch" I oder II.

59 Versuch I S. III (Vorbericht).

60 A. L. Schlözer: Geschichte von Rußland. 1. Theil bis auf die Erbauung von Moskau im Jahre 1147. Göttingen und Gotha 1769.

61 Gottlieb Samuel Treuer: Einleitung zur Moscowitischen Historie. Leipzig und Wolfenbüttel 1720.

62 Des Herrn La Combe Geschichte der Staatsveränderungen des rußischen Reichs. Mit Verbesserungen, Zusätzen und Anmerkungen versehen von D. Joh. Friedr. Joachim, Halle 1761. Fortgesetzt von Joachim als „Fortgesetzte Geschichte der Staatsveränderungen des russischen Reichs" in 2 Bänden. Halle 1763 und 1764.

63 Michail Lomonosov: Alte Russische Geschichte von dem Ursprunge der Russischen Nation bis auf den Tod des Großfürsten Jaroslaws des Ersten, oder bis auf das Jahr 1054 ... Aus dem Russischen ins Deutsche übersetzt. Riga und Leipzig 1768.

64 Alles: Versuch I S. III—IV.

65 Ebenda I S. V f.

66 Anton Friedrich Büsching: Wöchentliche Nachrichten von Landcharten, geographischen, statistischen und historischen Büchern und Sachen. Berlin. 1. Jahrg. (1773) S. 188—192, 209—212, 361—371, 2. Jahrg. (1774) S. 201—204.

67 Büsching: Wöchentliche Nachrichten I S. 188 f.

68 Ebenda, S. 190.

69 Versuch I S. XI f.; VII; X; XVI.

70 Ebenda, S. 59 Anm. Vgl. auch ebenda S. X.

71 A. L. Schlözer: Oskold und Dir, eine Russische Geschichte, kritisch beschrieben. Erste Probe Russischer Annalen. Zugleich eine Beilage zu Hrn. Schmidts Versuch einer Russischen Geschichte, und Hrn. Büschings Wöchentlichen Nachrichten. St. 27. Göttingen und Gotha 1773. Angriffe gegen Büsching finden sich besonders in der „Vorrede" und S. 63—108. Büsching antwortet seinerseits scharf in den Wöchentlichen Nachrichten I (1773) S. 361—371. Zur Feindschaft zwischen Büsching und Schlözer vgl. auch die Sammlung „August Ludwig v. Schlözer und Rußland". Eingel. und unter Mitarb. von ... hrsg. von E. Winter. Berlin 1961, S. 17 und 38 f. In diesem Streit sucht jeder durch ein Lob Schmidt-Phiseldek auf seine Seite zu ziehen. Schlözer nennt ihn einen „bedächtigen und billigen Schriftsteller" (Oskold und Dir S. 62), Büsching lobt Schmidt-Phiseldek in Wöchentliche Nachrichten I S. 371. Ein sehr kühles Urteil Schlözers über Schmidt-Phiseldek findet sich in der Nestor-Ausgabe (Nestor. Russische Annalen in ihrer slavonischen Grundsprache verglichen. Übersetzt und erklärt von A. L. Schlözer, Theil 1—5. Göttingen 1802—1809) Bd. I, S. 109. Sehr hart ist Büschings Kritik am „Versuch" II (Wöchentliche Nachrichten II, 1774, S. 201—204). Der Hauptvorwurf ist hier, daß Schmidt-Phiseldek sich kein ungedrucktes Material von G. F. Müller besorgt habe.

72 Versuch I S. 317—384: „Auszug aus einem auf der Herzogl. Bibliothek zu Wolfenbüttel befindlichen Manuscripte, welches den Titel führt: Beschreibung der Moskovitterischen Rayß welche Ich Hans Geörg Peyerle von Augspurg mit Herrn Andreasen Nathan und Matheo Bernhardt Manlichen dem Jüngeren Ady 19. Marty Ao 1606. von Crachaw aus angefangen, und was Wir wahrhafftiges gehört, gesehen und erfahren, alles aufs khürzest beschriben, bis zue unserer Gott lob wider dahin ankunft den 15. Decembris Anno 1608." Vollständig hat

Schmidt-Phiseldek den Text 1777/78 veröffentlicht in: Der Geschichtsforscher. Hrsg. von Joh. Georg Meusel. 5. Theil. Halle 1777, S. 148—193, 6. Theil. Halle 1778, S. 131—245. Eine vollständige russische Ausgabe ist gedruckt in: Skazanija sovremennikov o Dmitrii samozvance. Izdanie 3. Hrsg. von N. Ustrjalov. Čast' pervaja. Sankt Peterburg 1859, S. 151—234; vgl. Helmut Neubauer: Ein Augsburger Bericht über die Moskauer „Wirren", in: Studien zur Geschichte Osteuropas. 3. Teil: Gedenkband für Heinrich Felix Schmid. Graz, Köln 1966, S. 130—140. Um den Vorrat an slawischen Handschriften an der Herzoglichen Bibliothek Wolfenbüttel entspann sich in diesem Zusammenhang ein Streit des Bibliothekars Lessing mit Schlözer. Anlaß war eine Notiz Schlözers, auf Grund derer Schmidt-Phiseldek in der Herzoglichen Bibliothek suchen ließ. Den ganzen Vorfall kann ich hier nicht darlegen, sondern nur einige Quellenhinweise geben: Versuch I S. XVI; August Ludwig v. Schlözer und Rußland. Eingel. und ... hrsg. von E. Winter. Berlin 1961, Nr. 78, S. 218; Lessings Werke. Vollständige Ausg. in 25 Teilen. Hrsg. von Julius Petersen und Waldemar von Olshausen. Berlin-Wien-Stuttgart o. J. 25. Teil, S. 54—57. Zum Sachverhalt vgl. S. M. Stoev: Opisanie pamjatnikov slavjanorusskoj literatury, chranjaščichsja v publičnych bibliotekach Germanii i Francii. Moskva 1841, S. 69, 96, 102—105; G. Kuncevič: Perečen' russkich rukopisej Gercogskoj biblioteki v Vol'fenbjuttele. S-Peterburg 1912; K. Günther: Slawische Handschriften in Deutschland, in: Zeitschrift für Slawistik 5 (1960) S. 353.

73 Materialien zu der Russischen Geschichte seit dem Tode Kaisers Peter(s) des Großen. Erster Theil: 1725—1730. Riga: Hartknoch 1777, Zweiter Theil: 1730—1741. Ebenda 1784, Dritter Theil: 1741—1762. Erste Abtheilung. 1741—1756. Frankfurt und Leipzig 1788 (ohne Verlagsangabe). Künftig zitiere ich das Werk als „Materialien" I—III.

74 Materialien I S. [V] (Vorrede).

75 Materialien III, Vorrede. Darauf, daß es vor allem „Bedenklichkeiten des in Riga lebenden Verlegers" (Hartknoch, vgl. Nachruf auf Schmidt-Phiseldek im Braunschweigischen Magazin. 15. Bd. Wöchentl. gemeinnützige Beilage. Braunschweig 1802, 4. Stück Sp. 55) waren, die die Fortsetzung verhinderten, scheint die Angabe des Erscheinungsvermerks für Materialien III hinzudeuten (vgl. vorletzte Anm.).

76 Materialien I S. 1—195.

77 Ebenda, S. 431—460.

78 Materialien II S. 289—608.

79 Materialien II, 144 Seiten nebst unpaginiertem Register und 13 Kupferstichen. Zu John Castles Tagebuch vgl. P. E. Matvievskij: Dnevnik Džona Kestlja kak istočnik po istorii i etnografii kazachov, in: Istorija SSSR (1958) Heft 4, S. 133—145.

80 Materialien I, Vorrede.

81 Ebenda.

82 Hamburg und Bremen 1771.

83 Die Memoiren des Grafen Ernst von Münnich (siehe Anm. 28).

84 Zapiski grafa Minicha, syna fel'dmaršala, pisannyja im dlja detej svoich. Sanktpeterburg 1817. Die Datumsangabe „Vologda 1758 goda" findet sich am Schluß der Edition.

85 S. g. Ph.: Nachricht von dem in Rußland neu errichteten St. Georgs-Orden, in: Braunschweigische Anzeigen 27 (1771). Gelehrte Beyträge Bd. 11, Sp. 601—616.

86 Auserlesene Bibliothek der neuesten deutschen Litteratur, Lemgo. Bd. 5 (1774) S. 194—200, Bd. 6 (1774) S. 176—183, 183—199, Bd. 9 (1776) S. 510—516, 516—521. Es sind alles mit „27." gezeichnete Beiträge (vgl. Schmidt-Phiseldek: Hermäa. Leipzig 1786, S. 267 Anm.)

87 Zubereitung der Juften oder Juchten nach Wologdäischer Art, in: Braunschweigische Anzeigen 31 (1775). Gelehrte Beyträge Bd. 15, Sp. 615—624; Nachricht von den wologdäischen Talglichtern. Ebenda 32 (1776). Gelehrte Beyträge Bd. 16, Sp. 433—438. Vgl. auch oben Anm. 47. Die Talglichter aus Wologda genossen eine gewisse Bekanntheit in der Zeit: Vgl. auch A. Hloschey: Fertigung der wologodskischen Lichter, in: Auswahl ökonomischer Abhandlungen, welche die freye ökonomische Gesellschaft in St. Petersburg in teutscher Sprache erhalten hat, 2. Bd. (1791) S. 3.

88 Beyträge zu der rußischen Geschichte aus den Handschriften der herzoglichen Bibliothek zu Wolfenbüttel, in: Der Geschichtsforscher. Hrsg. von Joh. Georg Meusel. 2. Theil (1776) S. 11—49, 4. Theil (1777) S. 135—157, 5. Theil (1777) S. 148—193, 6. Theil (1778) S. 131—245. Die beiden letzten Stellen enthalten die schon erwähnte vollständige Veröffentlichung von Peyerles Reisebeschreibung (vgl. Anm. 72).

89 Historische Miscellaneen [anonym]. 1. u. 2. Theil. Halle: Joh. Jacob Gebauer 1783—1784. Der 1. Teil enthält u. a.: „Zur Geschichte des großen Nordischen Krieges gehörige Nachrichten" (S. 46—148) und „Des Rußischen Czaars Peter des Gr. und Kayser Joseph 1707 gewechselte die Geschichte des unter König Carl XII. von Schweden geführten Kriegs erläuternde Briefe" (S. 121—148).

90 Hermäa. Von D. Christoph Schmidt genannt Phiseldek. Leipzig: Crusius 1786. Die Sammlung enthält Quellen zu Rußland S. 222—255 und 267 f. Der Nordische Krieg ist ebenfalls wieder berücksichtigt (S. 186—210). In Lessings und Eschenburgs Sammelwerk Zur Geschichte und Litteratur. Aus den Schätzen der Herzoglichen Bibliothek zu Wolfenbüttel. 5. Beitrag, Braunschweig 1781, S. 155—182, veröffentlichte Schmidt-Phiseldek „Kilburgers Unterricht vom russischen Handel, aus einer Wolfenbütteler Handschrift berichtigt". Vgl. G. v. Rauch: Studien über das Verhältnis Rußlands zu Europa. Darmstadt 1964, S. 68 ff. Der Catalogue de la section des Russica der Bibliothèque Impériale publique de St.-Pétersbourg. Tome II. St.-Pétersbourg 1873, S. 272 Nr. 619 schreibt Schmidt-Phiseldek ferner die anonym erschienenen Denkwürdigkeiten der Regierung Catharina II. Riga und Mitau 1780, zu.

91 Z. B. die Übersicht über die Gouvernements (Briefe I S. 5—13) oder die Charakterisierung des Landesklimas. Über die Bedeutung des Klimas im Denken des 18. Jahrhunderts vgl. Günther Wiegand: Zum deutschen Rußlandinteresse im 19. Jahrhundert. Arndt und Varnhagen von Ense. Stuttgart 1967, S. 54—59.

92 Briefe I S. 61. Vgl. z. B. Rousseau: Du contrat social III 9: „Quelle est la fin de l'association politique? C'est la conservation et la prospérité de ses membres." (J.-J. Rousseau: Oeuvres complètes. Edition publiée sous la direction de Bernard Gagnebin et Marcel Raymond. Vol. 3. Paris 1964 = Bibliothèque de la Pléiade. Vol. 169, S. 347—470, hier: S. 419 f. Nach dieser Ausgabe wird der „Contrat social" künftig stets zitiert.)

93 Vgl. Paul Hazard: Die Herrschaft der Vernunft. Hamburg 1949, S. 44—59.

94 [Friedrich Christian Weber:] Des veränderten Rußlandes Dritter Theil. Die Regierung der Kayserin Catharina und des Kaysers Petri Secundi ... Hannover 1740, S. 170.

[95] Briefe I S. 94 f.
[96] Ebenda, S. 102.
[97] Rousseau: Du contrat social III 10 (S. 423).
[98] Rousseau: Du contrat social I 4 (S. 356). Wenn hier und im folgenden häufiger auf Rousseau und Montesquieu verwiesen wird, so bedeutet das nicht, daß die betreffenden Vorstellungen in jedem Falle nur oder auch nur zuerst bei ihnen zu finden seien. Die Wirkung dieser beiden Denker war jedoch besonders groß, so daß es gerechtfertigt erscheint, ihre Aussagen in den Vordergrund zu stellen.
[99] Rousseau: Du contrat social I 4 (S. 358).
[100] Rousseau: Du contrat social II 1 (S. 369).
[101] Briefe I S. 103. Ursache dieser Duldung ist die Unwissenheit (S. 104).
[102] Ebenda, S. 104.
[103] Ebenda, S. 104.
[104] Ebenda, S. 101.
[105] Ebenda, S. 104 f.
[106] Montesquieu: De l'esprit des lois V 14 (Montesquieu: Oeuvres complètes. Texte présenté et annoté par Roger Caillois. Vol. 2. Paris 1951 = Bibliothèque de la Pléiade. Vol. 86, S. 225—1117, hier: S. 294. Nach dieser Ausgabe zitiere ich künftig.)
[107] Briefe I S. 105.
[108] Briefe I S. 106. Die Äußerung gehört in den Zusammenhang der in Westeuropa herrschenden Meinung über Katharina. Eine reichhaltige Materialsammlung bietet B. v. Bilbassoff: Katharina II. Kaiserin von Rußland im Urtheile der Weltliteratur. Autorisierte Übers. aus dem Russischen. 2 Bde. Berlin 1897 (hier Bd. 1). Unbedingt heranzuziehen ist Ulrich Preuss: Katharina II. von Rußland und ihre auswärtige Politik im Urteile der deutschen Zeitgenossen, in: Jahrbücher für Kultur und Geschichte der Slaven. N. F. 5 (1929) S. 1—56, 169—227.
[109] Montequieu: De l'esprit des lois XI 6 (S. 396—407). Anders Rousseau: Du contrat social III 15 (S. 430). Vgl. Paul Hazard: Die Herrschaft der Vernunft. Hamburg 1949, S. 262.
[110] Hier liegt die rationalistische These zu Grunde, daß jedem Volk je nach geographischer Lage, Klima usw. eine bestimmte Regierungsform natürlich ist.
[111] Alles: Briefe I S. 107 f.
[112] Paul Hazard: Die Herrschaft der Vernunft. Hamburg 1949, S. 261.
[113] Montesquieu: De l'esprit des lois VIII 17 (S. 363 f.) u. VIII 19 (S. 365). Rousseau: Du contrat social III 3 (S. 403 f.).
[114] Briefe I S. 108 f.
[115] Ebenda, S. 109 f.
[116] Ebenda, S. 109.
[117] Ebenda, S. 112.
[118] Ebenda, S. 113.
[119] Ebenda, S. 112.
[120] Ebenda, S. 113. Vgl. Paul Hazard: Die Herrschaft der Vernunft. Hamburg 1949, S. 269 (Bolingbroke).
[121] Briefe I, S. 106 f. Vgl. Montesquieu: De l'esprit des lois V. 14 (S. 296).
[122] Ebenda, S. 113 f. Schmidt-Phiseldek verweist u. a. auf Elisabeth I. von England, Maria Theresia und Katharina II. Vgl. auch Montesquieu: De l'esprit des lois VII 17 (S. 348 f.).
[123] Briefe I, S. 114 f.
[124] Ebenda, S. 46—48.

[125] Ebenda, S. 50. Natürlich findet sich hier der Hinweis auf die altrussischen Bärte, die Peter zu scheren befahl (S. 52).

[126] Ebenda, S. 55. Vgl. Siegmund Freiherr zu Herberstein: Rerum Moscoviticarum Commentarii. Basel: Oporinus 1571, Kapitel „Matrimonium", S. 48.

[127] Joh. Heinr. Gottl. v. Justi: Grundsätze der Policey-Wissenschaft. 2., stark verm. Aufl. Göttingen 1759, S. 63. Wenn hier gerade Justi angeführt wird, so soll das nicht heißen, nur er habe diese Auffassung vertreten (vgl. Montesquieu: De l'esprit des lois XXIII 26, S. 710; Rousseau: Du contrat social II 10, S. 388 f. und III 9, S. 420). Justi besaß als der führende Systematiker der Kameralisten eine besondere Bedeutung.

[128] Justi (siehe Anm. 127) S. 64.

[129] Ebenda, S. 63—88. Die Vorschläge Justis sind z. T. sehr detailliert. Im ersten Abschnitt (S. 63—70) fordert er u. a. Gewissensfreiheit für die Fremden und deren rechtliche Gleichstellung mit den Einheimischen. In zwei weiteren Abschnitten empfiehlt er Maßnahmen zur Geburtensteigerung (S. 71—80) und Verminderung der Sterblichkeit (S. 81—88). Viele Einzelheiten, die sich bei Justi finden, führt auch Schmidt-Phiseldek an.

[130] Ebenda, S. 71.

[131] Alles: Briefe I S. 63 f.

[132] Ebenda, S. 71.

[133] Ebenda, S. 71 f.

[134] Ebenda, S. 73.

[135] Ebenda, S. 73.

[136] Ebenda, S. 65 f.

[137] Ebenda, S. 68 f.

[138] Ebenda, S. 66.

[139] Ebenda, S. 66 f.

[140] Alles: Briefe I S. 67 f. Übrigens hält Schmidt-Phiseldek eine Rückverlegung der Residenz von Petersburg nach Moskau für angebracht (Briefe I S. 88).

[141] Vgl. das angeführte Zitat (vgl. Anm. 92) sowie den in der zugehörigen Anmerkung zitierten Satz Rousseaus (III 9, S. 419 f.)

[142] Z. B. Kampf gegen Alkoholismus (Briefe I S. 73—77) und Luxus (ebd. S. 70), Ansiedlung von Ausländern (ebenda S. 78) u. a. Wie schon angedeutet, deckt sich ein Teil der Vorschläge Schmidt-Phiseldeks mit den Ansichten J. H. G. von Justis (vgl. Anm. 127) S. 63—88 (z. B. Einschränkung der Ehelosigkeit bei Klostergeistlichen, Kampf gegen Luxus, Anreiz zur Einwanderung).

[143] J. H. G. von Justi: Grundsätze der Policey-Wissenschaft. 2. Aufl. Göttingen 1759, S. 71.

[144] Vgl. J. H. G. von Justi: Oeconomische Schriften über die wichtigsten Gegenstände der Stadt- und Landwirthschaft. 2. Bd. 2. Aufl. Berlin und Leipzig 1767, S. 205 f.: „Ich habe schon ... gezeiget, daß der Wohlstand eines Landes, und die Macht und Glückseeligkeit eines Staats, hauptsächlich auf der vollkommenen Cultur des Bodens und den blühenden Zustand der Landwirthschaft ankommt. Die Bevölkerung, der ganze Nahrungsstand, die Manufacturen, und selbst die Commercien ruhen auf dem Flor der Landwirthschaft ..."

[145] François Quesnay: Tableau économique. (3. Ausg. 1759). Hrsg., eingel. und übers. von Marguerite Kuczynski. Berlin 1965, S. 5 und 7 (bzw. deutsch S. 43 und 45), S. 30 (bzw. S. 68) Anm. [b]. Vgl. auch Henry Higgs: The Physiocrats. New York 1952, S. 33, 38 f., 43 f.

[146] Briefe I S. 38 f.

[147] Ebenda, S. 41 f.
[148] Ebenda, S. 39 f.
[149] Ebenda, S. 40.
[150] Briefe II S. 237 f.
[151] Vgl. Günther Wiegand: Zum deutschen Rußlandinteresse im 19. Jahrhundert. Stuttgart 1967, S. 70 f. Anm. 377 und S. 25 f.
[152] Briefe II S. 246.
[153] Ebenda, S. 246—248.
[154] Ebenda, S. 203 f.
[155] Ebenda, S. 206 f.
[156] Cesare Beccaria: Über Verbrechen und Strafen. Nach der Ausg. von 1766 übers. und hrsg. von Wilhelm Alff. Frankfurt 1966 (sammlung insel 22) Kap. XVI, S. 81—89, Kap. XXVIII, S. 110—118.
[157] Wilh. Alff in der Einleitung zu der in voriger Anm. zitierten Beccaria-Ausg., S. 16—23. Alff verweist auch auf die Rezeption in Rußland (S. 22 f.). Friedrich Andreae: Beiträge zur Geschichte Katharinas II. Die Instruktion vom Jahre 1767 für die Kommission zur Abfassung eines neuen Gesetzbuches. Berlin 1912, S. 39, 73—76. Nikolaj N. Alexeiev: Beiträge zur Geschichte des russischen Absolutismus im 18. Jahrhundert, in: Forschungen zur osteuropäischen Geschichte 6 (1958) S. 25.
[158] Montesquieu: De l'esprit des lois VI 17 (S. 329). Ebenda XII 4 (S. 435): „Un citoyen mérite la mort lorsqu'il a violé la sûreté au point qu'il a ôté la vie, ou qu'il a entrepris de l'ôter. Cette peine de mort est comme le remède de la société malade. Lorsqu'on violé la sûreté à l'ègard des biens, il peut y avoir des raisons pour que la peine soit capitale."
[159] Alles: Briefe II S. 216—218. Zum Tadel am Verhalten Elisabeths in der Frage der Todesstrafe vgl. auch Materialien III S. 19 f.
[160] Briefe II S. 223—228.
[161] Ebenda, S. 119—177.
[162] Briefe II S. 122 f. Zur Sache vgl. R. Wittram: Peter I. Bd. 2. Göttingen 1964, S. 170—194.
[163] Briefe II S. 172 f.
[164] Ebenda, S. 178.
[165] Ebenda, S. 180. Hier wird auf Vorgänge angespielt, die sich teilweise noch nachweisen lassen: Vgl. den (Anm. 7) angeführten Quellenband „August Ludwig v. Schlözer und Rußland". Sowohl die Einleitung als auch die Dokumente selbst lassen die Spannungen erkennen, die zwischen den Petersburger Gelehrten bestanden. Auch die sonstige oben genannte Literatur gibt viele Hinweise auf die Gruppierungen und Feindschaften dieser Wissenschaftler. Vgl. ferner: Istorija Akademii nauk SSSR. Tom. 1. Moskva, Leningrad 1958, S. 151—180, 263—284, 309—334, 397—400.
[166] Briefe II S. 180.
[167] Der Brief an Schmidt-Phiseldek ist auf ein besonderes Blatt gedruckt, das Nachträge und Berichtigungen zu Briefe I und II enthält. Er gehört zu Briefe II S. 180. Die Klage des Absenders knüpft an den Abschied Schlözers aus russischen Diensten an.
[168] Es sei hier noch einmal auf das günstige Urteil Neubauers (vgl. Anm. 7) S. 221 über die beiden Werke hingewiesen.
[169] Vgl. Günther Wiegand: Zum deutschen Rußlandinteresse im 19. Jahrhundert. E. M. Arndt und Varnhagen von Ense. Stuttgart 1967.

LITERATUR- UND WISSENSCHAFTSBERICHTE AUS POLEN IN DER LEIPZIGER ZEITSCHRIFT „NEUE ZEITUNGEN VON GELEHRTEN SACHEN“

Von Michał Cieśla

Eine ihrer Hauptaufgaben sah die Aufklärung in der Ausbreitung des Lichts und in der Befreiung der Menschen aus ihrer Enge durch Anbahnung neuer Wege in eine weite und herrliche Welt. Am trefflichsten und am knappsten ist diese Tendenz in den Worten Christian Wolffs, die er in einem Brief an Manteuffel äußerte, ausgedrückt: „Ich suche nichts in der Welt, als die Wahrheit auszubreiten“[1]. Das konnte nur durch Popularaufklärung, die ihren Entstehungsgrund im pädagogischen Eros des 18. Jahrhunderts hatte[2], geschehen.

I

Zum Zeitschriftenwesen des 18. Jahrhunderts. Die Mittlerinnen aufklärerischer Ideen waren u. a. die Zeitschriften, die im 18. Jahrhundert wie Pilze aus der Erde zu schießen begannen. Neben der Bücherliteratur stand eine große Anzahl von gelehrten und nichtgelehrten Zeitschriften als mindestens gleich wichtige Geistesnahrung des Bürgertums, des geistig aufgeschlossenen Adels und der Gelehrtenwelt zur Verfügung. Neben moralischen Schriften nach dem Muster des englischen „Tatler“ oder „Spectator“ erschienen wissenschaftliche, gelehrte Periodika, wie das Leipziger führende Organ „Acta Eruditorum“, eine Nachahmung des „Journal des Savants“. Die Acta, von Otto Mencke 1682 gegründet und von dessen Nachfolgern weitergeführt, brachten alles Wissenswerte und Gelehrte nach der Auffassung der Herausgeber und Mitarbeiter, und zwar in einer internationalen Sprache, um die Forschungsergebnisse einem größeren europäischen Leserkreis zugänglich zu machen. Die Hauptaufgabe, die sich die Herausgeber stellten, geht auf einen Gedanken zurück, den Morhof 1668 ausgesprochen hatte: „. . . quod non ad libros tantem sed etiam ad omnia cogitanda et inventa aliasque historias literarias extendi vellem“[3]. Auf diese Weise wurden die „Acta“ ein Gegenstück der englischen „Philosophical Transactions“ und des „Giornale de Letterati d’Italia“.

Trotz ihres fortschrittlichen Charakters waren die Acta von den Vorurteilen der „Gottesgelahrtheit" nicht frei, was an mehreren Aufsätzen erkennbar ist. Im Grunde aber war die Absicht Otto Menckes, der mit ausländischen Gelehrten in London, Amsterdam, Utrecht und Paris in enger Verbindung stand[4], deren Erfahrungen nach Leipzig zu verpflanzen und die Erkenntnisse und Ergebnisse der realen Wissenschaften zu propagieren, „daß sie sowohl neue experimenta und observationes in re mathematica, physica, medica ausführe als auch recensionen novorum librorum von anno 1681 an"[5]. So sammelte man wissenschaftliche Aufsätze und rezensierte eingesandte Bücher des In- und Auslandes aus verschiedenen Wissenschaftsgebieten. Die „Acta" fanden volle Anerkennung im Westen als vorzügliche wissenschaftliche Zeitschrift. Pierre Bayle würdigte sie folgendermaßen: „j'ai trouvé qu'ils [Acta] surpassent la grande réputation qu'ils se sont acquise, et ils m'ont parû si judicieux, si exacts, si diversifiez ..."[6].

Die „Acta Eruditorum" waren eine exklusive Zeitschrift, bestimmt für hochgebildete Personen, die nicht nur in den Wissenschaften beflissen, sondern auch eines perfekten Lateins mächtig waren. Es bestand aber in der Zeit der deutschen Frühaufklärung auch die Notwendigkeit, breitere Massen des Bürgertums mit den Ergebnissen internationaler Forschungsarbeiten und Büchern bekannt zu machen, und das konnte auf deutschem Sprachgebiet nur eine Zeitschrift in deutscher Sprache tun. „Journale der Gelehrten, sie mögen Namen haben, wie sie wollen, durchzugehen und kürzlich Nachricht von dem Inhalt derselben zu geben"[7], war das ursprüngliche Ziel der Herausgeber der ersten deutschen wissenschaftlichen Zeitschrift in deutscher Sprache, der „Neuen Zeitungen von gelehrten Sachen". Sie begann 1715 unter Leitung von Johann Gottlieb Krause in Leipzig zu erscheinen und wurde bis 1784 herausgegeben. In ihrem fast siebzigjährigen Bestehen erfüllte sie ihre Aufgabe in doppelter Richtung: sie informierte die Leserwelt darüber, was in den gelehrten Kreisen des In- und Auslandes vorging, und teilte mit, welche Neuerscheinungen auf dem Büchermarkt zu verzeichnen waren. So ergänzte sie auch die Leipziger und Frankfurter Meßkataloge. Der wesentliche Unterschied zwischen der Leipziger Zeitschrift und den Meßkatalogen bestand darin, daß die erstere den genauen bibliographischen Angaben kritische Rezensionen beifügte. Darüber hinaus informierten die

„Neuen Zeitungen“ von Zeit zu Zeit ihre Leser über verschiedene Vorkommnisse und Unternehmungen in gelehrten Kreisen und ab und zu über den Inhalt der „Acta Eruditorum“. Ihr Hauptinteresse lenkten die „Neuen Zeitungen“ auf die sogenannte schöne Literatur und Arbeiten von Gelehrten und wissenschaftlichen Gesellschaften Westeuropas. Aber auch die Zahlen der Mitteilungen über die Arbeiten der Petersburger Akademie und der Moskauer Universität sind nicht unbedeutend.[8]

Auch aus Polen kamen Buchbesprechungen und wissenschaftliche Berichte. Anfangs waren sie sehr spärlich. Mit der Zeit aber, seit Daniel Janocki Nachrichten aus Warschau übermittelte, wuchs deren Zahl und erreichte in den Jahren 1746—1747 40 Beiträge je Jahrgang.[9] Die von Lemke angeführten Zahlen für die Jahre 1746/47 beziehen sich anscheinend nur auf Nachrichten aus der Feder Janockis. Rechnet man alle Mitteilungen zusammen, die aus verschiedenen Ortschaften des damaligen Polen stammten und fügt die Berichte aus dem deutschen Gebiet und dem sonstigen Ausland über polnische Angelegenheiten hinzu, so ergibt sich folgende Zusammenstellung:

Berichte aus den Jahren	1715—1745	125
	1746—1747	53
	1748—1784	254
		432

Die Gesamtzahl der Berichte verteilt sich auf die Herkunftsorte wie folgt: Danzig: 148; Warschau: 93; Leipzig: 60; Thorn: 22; Wilna: 10; Lemberg: 10; Breslau: 9; Krakau: 8; Lublin: 6; Königsberg: 5. Eine Reihe anderer Ortschaften waren mit einer bis vier Meldungen vertreten. Aus dieser Zusammenstellung ergibt sich, daß die meisten Berichte aus Danzig, Warschau und Leipzig stammten. Die Beteiligung Leipzigs an den Höchstzahlen ist nicht verwunderlich, weil hier nicht nur viele Bücher ihren Druckort hatten, sondern weil auch sämtliche Veranstaltungen der Societas Jablonoviana, die in Leipzig ihren Sitz hatte, gewissenhaft notiert wurden.

Nicht alles, was in und über Polen gedruckt worden war, entsprach den Anforderungen der Redaktion, die darauf bedacht war, vor allem aufklärerisches Gedankengut zu vermitteln. Doch wie aus den weiteren Ausführungen zu ersehen sein wird, wurden auch Bücher besprochen, die es unter diesem Gesichtspunkt gar nicht verdienten, daß man sie erwähnte. In vielen dieser Schriften überwog noch die Gottesgelehrsamkeit und die scholastische Philosophie, von denen, wie bereits gesagt, auch die „Acta Eruditorum" nicht frei waren. Mit Recht warf Christian Wolff dem Herausgeber, Otto Mencke, vor, daß die „Neuen Zeitungen" unwichtige Bücher ausführlich besprechen, während wertvolle Werke kaum erwähnt würden[10].

Leider gab es vor Janocki wenige Korrespondenten, die zuverlässige Nachrichten aus Polen übermittelten. Trotz eifriger Bemühungen gelang es nicht, sie auch nur namhaft zu machen. Die Redaktion war auf zufällig eingesandte Bücher und auf mittelbare Nachrichten, die sie aus verschiedenen Zeitschriften und Meßkatalogen schöpfte, angewiesen. Gelehrte Zeitschriften, die zahlreiche Informationen vermittelten, gab es allerdings vor allem in Westpolen. Eine der ersten wissenschaftlichen Periodika, die der polnischen Geschichte und Historiographie weitgehenden Platz einräumte, war die in den Jahren 1718/19 von Gottfried Lengnich in Danzig redigierte „Polnische Bibliothec". Darauf folgten gleichfalls in Danzig erscheinende naturwissenschaftliche Zeitschriften, so die von M. Ch. Hanow in den Jahren 1734—1736 herausgegebenen „Erläuterten Merkwürdigkeiten der Natur" und die von demselben 1747—1750 redigierte „Preußische Sammlung allerlei bisher ungedruckter Urkunden, Nachrichten und Abhandlungen", ferner die in den Jahren 1747—1756 erscheinenden „Versuche und Abhandlungen der Naturforschenden Gesellschaft zu Danzig".

Zu ihnen gesellten sich Periodika, die in Thorn von G. P. Schultz herausgegeben wurden: „Das gelehrte Preußen" (seit 1723), „Continuiertes Gelehrtes Preußen" (1725), die von P. Jaenichius gegründete „Meletemata Thoruniensia" (1726—1762) und seit 1760 die von S. L. Geret redigierte Zeitschrift „Thornische wöchentliche Nachrichten", daneben die in den Jahren 1762—1766 von J. G. Willamovius herausgegebenen „Thornischen Nachrichten von gelehrten Sachen".

In Warschau wirkte als Herausgeber wissenschaftlicher Zeitschriften der aus Sachsen stammende Frühaufklärer L. Mitzler de Kolof, indem er von 1753 an „Die Warschauer Bibliothek" und in den Jahren 1755 bis 1764 die „Acta Litteraria Regni Poloniae et Magni Ducatus Lithuaniae" edierte. Beide Periodika enthielten literarische und juristische Berichte sowie Bibliographien. Die in polnischer Sprache erscheinenden populärwissenschaftlichen „Nowe Wiadomości Ekonomiczne i Uczone“ (1758—1767), wie auch andere polnische Periodika der Folgezeit („Monitor“, „Zabawy przyjemne i pożyteczne“) wurden wegen ungenügender Kenntnis der Sprache von den Redakteuren der „Neuen Zeitungen“ nicht berücksichtigt. Eine Quelle zur Kenntnis der naturwissenschaftlichen Forschungen in Zentralpolen bildeten die in den Jahren 1768—1770 herausgegebenen „Vermischten Abhandlungen der Physisch-Chymischen Warschauer Gesellschaft“. Die Tradition wissenschaftlicher Periodika übernahm in den siebziger Jahren das kurzlebige „Journal Littéraire de Varsovie“ (1777—1778), das P. Dufour herausgab und Deschamps de Saucourt redigierte. Dann schlossen sich eine Reihe von moralischen Zeitschriften an, die aber für die „Neuen Zeitungen“ ohne Bedeutung waren.

Für die Aufklärung und die neuen Wissenschaften hatte man im Polen der „sächsischen Zeit“ wenig Verständnis. Der Großteil des Adels war ihr abgeneigt, ja sogar feindlich gesinnt. Man sah diese viel beschrieenen Aufklärer und Rationalisten als „gottlos“ an, und flüchtete sich beharrlich in das Gefilde des klassischen Altertums und der Devotion. Das höhere Schulwesen und die zwei bestehenden Universitäten des Landes waren vor den Reformen von Stanisław Konarski und Hugo Kołłątaj Widerstandsnester von Dunkelmännern. Nicht immer ging die Umwandlung der alten Lateinschule unter dem Einfluß der neuen Wissenschaften reibungslos vor sich. Ein Teil der Schulen, besonders der meisten Jesuitenkollegien, wehrte sich lange und blieb bei dem alten Lateinbetrieb. Überall gab es geistige Auseinandersetzungen. Den Piaristen seit 1740 und der Staatskommission für die nationale Erziehung nach dem Jahre 1773 gereicht es zum Verdienst, das Bildungswesen fortschrittlicher gestaltet zu haben.

Der Feudalismus wirkte sich negativ auf die Wirtschaft, die politische Verfassung und die Kultur aus, und die ungeheilten Wunden der großen Kriege im 17. Jahrhundert, die innere Zerrissenheit im politischen Leben des 18. Jahrhunderts erwiesen sich als nachteilig für das kulturelle Leben. Etwas besser erging es den Westgebieten des Landes, wo das ökonomisch starke Bürgertum eine bedeutende Rolle spielte und der neuen geistigen Bewegung größeres Verständnis entgegenbrachte. Deswegen erlebte auch in Danzig, Thorn und Warschau die Frühaufklärung ihre erste Blüte, und deshalb kamen von dort die meisten Nachrichten in die „Neuen Zeitungen“.

II

Dichtungen. Unter den Mitteilungen und Besprechungen wurde der Dichtung trotz vieler Einwände dagegen erhebliche Beachtung geschenkt. Vor allen Dingen rezensierte man in den „Neuen Zeitungen" Schöpfungen, die in deutscher oder lateinischer Sprache verfaßt und deswegen dem internationalen Leserpublikum verständlich waren. Gegen die Besprechung von Dichtungen in den „Neuen Zeitungen" war ihr Redakteur, der aus Ungarn stammende Karl Andreas Bel, Professor der Redekunst in Leipzig. Im Vorwort zum Jahrgang 1757 begründete er seine Ansicht, indem er schrieb, „daß die Poesie sich nicht zur Abhandlung ernsthafter Wissenschaft schicke — Poesie ist Nachahmung der Musik, Wissenschaft ist sachlich". Darin stimmte er mit Wolff überein, der den „Neuen Zeitungen" vorgeworfen hatte, in ihnen würden unwichtige Dinge ausführlich besprochen.

Zu den Dichtungen, die sich am wenigsten dazu eigneten und doch rezensiert wurden, gehörten Gelegenheitsgedichte, besonders Lobgedichte nach der Art der noch nicht ausgestorbenen Gattung gewerblich hergestellter und bezahlter Carmina. In der Zeit von 1726 bis in die fünfziger Jahre gab es Berichte über derartige Produkte der Auftragsdichtung. So erfahren wir, daß ein polnischer Edelmann in Warschau im April 1727 auf die Genesung des polnischen Königs August eine Hymne verfaßte, die Piaristen der Hauptstadt den Sohn des Feldmarschalls Fleming priesen (Februar 1726), Viktoria Culmus aus Danzig zum Geburtstag der russischen Zarin einen Glückwunsch reimte (Februar 1733), ein Jesuit in Warschau ein Epithalamium auf Kaiser Karl VI., „ein schwülstiges Wortspiel und ein Gerassel rauer Töne" verfertigte (Juli 1738) und daß noch weitere Loblieder auf die Krakauer Universität, auf Bischöfe und sonstige Würdenträger verfertigt wurden. Die Erwähnung solcher Produkte bricht ungefähr zur selben Zeit ab, als Bel seine kritische Bemerkung machte.

Von großer Bedeutung sind die Mitteilungen über Ausgaben von Werken namhafter und zum Teil hochangesehener Dichter Polens. So erfahren wir, daß in der Druckerei des Faustyn Grodzicki in Lemberg eine neue Ausgabe des in ganz Polen bekannten Lateindichters Matth. Casimir Sarbiewski, des „polnischen Horaz des 17. Jahrhunderts", mit Kommentar in Vorbereitung sei (Februar 1747), ferner, daß in Wilna die Oden desselben Autors im Druck herausgekommen sind und — wie es der Rezensent wünscht — in Deutschland bekannt werden sollten (April 1748). Über den berühmten Lateindichter, den „poeta laureatus" der polnischen Renaissance, Klemens Janicki, hieß es, daß bei Johann Boehme in Leipzig (Januar 1755) seine „Poemata" herausgegeben würden, wobei der Rezensent hinzufügte, Janicki könne als der polnische Ovid angesehen werden. Gerechtfertigt war offenbar auch die Besprechung der im Mitzlerschen Verlag in Warschau erschienenen Gesamtausgabe der Werke des neulateinischen Dichters Szymon Szymonowicz (Simonis Simonidae Bendowski . . . Opera omnia), des „polnischen Pindars". Der Herausgeber Angelus Maria Darini habe, so hieß es, einen guten Kommentar geliefert. Am besten beurteilt wurden die Bühnenwerke „Castus Joseph" und „Pentesilea"; in seinen Oden stehe Szymonowicz Horaz nicht nach.

Die drei erwähnten Dichter gehören tatsächlich zu den angesehensten Neulateinern Europas, und die Anmerkungen der Redaktion können als aufrichtige Anerkennung betrachtet werden. Auch der polnische Humanist, Übersetzer und politische Schriftsteller des 16. Jahrhunderts, Łukasz Górnicki, wurde in den „Neuen Zeitungen" anläßlich der Herausgabe der „Acta Regni Poloniae" lobend erwähnt. Diese wurden unter dem Protektorat des Kronreferendars Załuski in Warschau gedruckt und enthielten eine Einführung in Leben und Werk von Górnicki (Februar 1755). Zu gleicher Zeit (Februar 1752) beförderten die Piaristen in Warschau die „Dialogi de electione, libertate legibus moribusque Poloniae" desselben Autors zum Druck. Der Korrespondent meint, das Werk werde den Lehrern dazu dienen, die an „viele Unordnungen" gewöhnten Zöglinge erziehen zu helfen. Dieses Werk Górnickis hat nach einer Meldung aus Danzig der Danziger Friese ins Deutsche übersetzt und bei Korn in Breslau herausgegeben (Juni 1762). Im Oktober 1764 wird aus Breslau mitgeteilt, bei Korn sei eine Sammlung „Joannis de Curiis Dantisci . . . Poemata et Hymny e Bibliotheca Zalusciana", die der Leipziger Professor Johann Gottlieb Boehmius besorgte, erschienen. Das Verdienst Załuskis um die Herausgabe dieser lateinischen Dichtungen des Dantiscus wird besonders hervorgehoben. Der Rezensent hält die Elegien für erhaben, die Sinngedichte für sanft, in den geistlichen Liedern findet er Besonnenheit. Schon früher war des Johannes Dantiscus gedacht worden, und zwar in den Lebensläufen der ermländischen Bischöfe im 3. Teil der Zeitschrift „Das gelehrte Preußen", nachgedruckt in den „Neuen Zeitungen" im März 1725.

Auch zweitrangige polnische Neulateiner wurden erwähnt. Nach einer Mitteilung aus Krakau (Februar 1747) war in der dortigen akademischen Druckerei ein „Elegiarum ... libri II Authore Josepho Szyskowscio CC Neocorci" (aus Nowy Korzec) erschienen. Es ist ein Lobgedicht zu Ehren der Familie Potocki. Der Vers sei zu barock und der Inhalt gedankenleer. Ebenso geringschätzig äußert sich der Rezensent, es scheint Janocki gewesen zu sein, über das Gedicht „Lechus, carmen heroicum" des Jesuiten Johann Skorski, das in Lublin herausgegeben wurde. Es stehe, so heißt es, den Dichtungen des Sebastian Klonowicz weit nach (April 1748).

Der Römerkult, der im 18. Jahrhundert in ganz Polen und besonders in den Ordensschulen blühte, veranlaßte die Schulmänner, immer neue Werke römischer Dichter auch in polnischer Übersetzung zu veröffentlichen. So lesen wir in einer Meldung aus Warschau (Januar 1754), daß die Piaristen im Begriff seien, den Vergil in polnischer Sprache (die vorherige Übersetzung war vor 160 Jahren erschienen) herauszugeben. Sie wird durch eine weitere vervollständigt, daß das Werk dieses Dichters bei Nicolai in Marywil bei Warschau schon erschienen sei, und daß Załuski dem Vergil noch die „Bibliotheca Poetarum Polonorum qui patrio sermone scripserunt" beigefügt habe. Die Edition wird sehr gelobt (März 1755).

Jakob Nezker, Professor am Gymnasium in Thorn, ein großer Verehrer Vergils, verteidigte den römischen Dichter gegen die Vorwürfe des Engländers Henry Home, des Verfassers der „Elements of Criticisme", wo es heißt, daß Vergil sich in seinen „Georgica" nicht an einen festen Plan gehalten habe. Die Redaktion meint, Nezker habe wenig Gegenargumente gefunden, obzwar er ein guter Kenner der klassischen Literatur sei (August 1772). Als Handbuch für Schüler der modernen Schulen (gemeint sind die Schulen der Staatskommission für nationale Erziehung) wird das in Warschau bei Gröll gedruckte „Encheridion" des Epiktetos lobend erwähnt (August 1777).

Ein anderes Kapitel der zeitgenössischen Literaturgeschichte wird durch die „Poetische Sammlung itztlebender oder zu unserer Zeit verstorbener Poeten" (in polnischer Sprache) eröffnet. Dem anonymen Herausgeber steht Załuski zur Seite. In dem Bande befinden sich Gedichte der hochgeschätzten Dichterin Elżbieta Drużbacka. Nach der Meinung des Rezensenten seien allerdings nicht alle Dichtungen gut, aber in vielen finde man „Feuer und Lebhaftigkeit" (April 1753). Bei

Korn in Breslau (April 1767) gab Janocki ein „Excerptum Poloniae litteratae huius atque superioris aetatis Auctore ...“ (1766) heraus, in dem sich Gedichte zu Ehren des polnischen Königs in lateinischer, polnischer und französischer Sprache befinden. Die in den Gedichten behandelten politischen Tatsachen findet der aufklärerische Rezensent wenig überzeugend und unwissenschaftlich dargelegt; ihn ärgert offenbar der dort veröffentlichte Hirtenbrief des Bischofs Załuski mit der Verteidigung des Jesuitenordens und der Bulla Apostolica des Papstes.

Besondere Beachtung schenkten die „Neuen Zeitungen“ Stanisław Konarski, dem bekannten Reformer der Piaristenschulen und Begründer eines modernen, vom Geist der Aufklärung angehauchten Erziehungswesens in Polen zur „sächsischen Zeit“. Konarski gründete in Warschau 1740 das Collegium Nobilium, eine exklusive Lehranstalt, die der neuen Geistesströmung die Tore weit öffnete. Dieser aufgeschlossene Piaristenpater war ein eifriger Verfechter der Modernisierung und Erneuerung des vor dem Abgrund stehenden Staates, ein Feind des Liberum Veto und Anhänger des Exilkönigs Stanisław Leszczyński. Der Rezensent, vermutlich Janocki, bespricht das Werk „De emendandis eloquentiae vitiis ...“ (Juli 1746), in dem Konarski in bezug auf die Redekunst eine wohlgeordnete und sprachliche Ausformung der Gedanken und Erkenntnisse als Hauptforderung stellt. Der Rezensent würdigt diese Leistung und betont dabei, daß das Werk viele Angriffe der Gegner, vor allem der Jesuiten, ausgelöst habe. Ein Gegner Konarskis, der Jesuit Faustyn Grodzicki, veröffentlichte das „Theatrum Eloquentiae“, in dem er die goldene Freiheit und die Rhetorik des 17. Jahrhunderts lobt und sich darüber beschwert, daß es den Jesuiten „nicht erlaubt sey, in Schulwissenschaften einerley Lehre und eben dieselbe Wahrheit öffentlich auszunehmen“ (gemeint ist hier die Gottesgelehrsamkeit im scholastischen Sinne). Der Rezensent will durch diese Äußerung anscheinend die Stellungnahme des rückschrittlichen Ordens charakterisieren. Auch der 1754 erschienenen Rede Konarskis „De viro honesto et bono cive ab ineunte aetate formando“ schenkte man in den „Neuen Zeitungen“ Aufmerksamkeit (Juni 1755). Das Hauptziel der Jugenderziehung sei die Gottes- und Vaterlandsliebe, heißt es in der Besprechung, und deswegen müsse die Jugend zur Lektüre guter und patriotischer Bücher angehalten werden.

Vergeblich sucht man in den „Neuen Zeitungen“ Nachrichten über die wirklich bedeutenden Dichter der polnischen Literatur im 18. Jahrhundert: A. Naruszewicz, F. D. Kniaźnin, S. Trembecki und vor allem I. Krasicki werden nicht einmal erwähnt. Ihre Werke galten im Zeitalter der Vernunft in ganz Westeuropa als die Erfüllung des „prodesse et delectare" und daher als die höchste Dichtung. Krasicki befreite die polnische Literatur aus den Fesseln der panegyrischen Poesie und gilt darüber hinaus als der Schöpfer eines modernen Romans und der Satire. Im Falle Krasicki ist dieses Schweigen um so merkwürdiger, als gerade er zu deutschen Schriftstellern in näheren Beziehungen stand.

III

Französische und englische Literatur. Schon am Ende des 17. und in der ersten Hälfte des 18. Jahrhunderts machten sich in Polen französische Einflüsse geltend, die später von entscheidender Bedeutung für die Kultur und Literatur des Landes werden sollten. Der königliche Hof und die Spitzen der Gesellschaft verfielen so wie in den meisten anderen Ländern Europas der Frankomanie und das Bürgertum im Westen Polens war gallophil. Die Schriften französischer Philosophen und Dichter dienten in den Händen der Aufklärer der Befreiung von der Oberherrschaft der Theologie über die Wissenschaften. Man las sie gern in der Originalsprache, desgleichen in polnischer und deutscher Übersetzung.

Bücher und Zeitschriften in französischer Sprache wurden auch in Polen herausgegeben. Es wurde viel übersetzt, und nach damaliger Auffassung war die Arbeit des Übersetzens, abgesehen von ihrem literarischen Wert, eine wissenschaftliche Leistung. Man übersetzte sehr eifrig, besonders aus dem Französischen und seit dem Ende des Jahrhunderts auch aus dem Englischen.

Eine Mitteilung aus Danzig vom September 1740 besagt, es habe sich die Notwendigkeit gezeigt, die Schrift von Gomez „Journées amusantes dediées au Roi" zu übersetzen. Sie würde in der Rüdigerschen Buchhandlung erscheinen. G. M. Knoch in Danzig kündigte die Herausgabe einer „Geschichte der Gallen" aus dem Französischen an (November 1728). Die Piaristen in Warschau gaben „La veritable politique des Personnes de qualité ..." heraus, und die „Neuen Zeitungen" empfahlen das Buch besonders der Jugend zur Lektüre (April 1753). Bei Wedel in Danzig erschien eine deutsche Übertragung der „Moralischen Briefe des Herrn Abée Bellegarde" (Januar 1763). Der

Rezensent findet das Werk „lebhaft und witzig", die Übersetzung im allgemeinen gut; nur die Wiedergabe der Bezeichnung „precieuses ridicules" durch „lächerliche Kostbare" scheint ihm sprachwidrig zu sein. Aus Danzig wird ferner gemeldet, daß der Freiherr von Bielefeld bei Wedel eine Sammlung von Briefen (ohne nähere Bezeichnung) aus dem Französischen herausgegeben habe (September 1765). Bei Rüdiger in Danzig (Februar 1744) kam eine deutsche Übersetzung des Buches „La vie de Don Alphonso Blas de Gil" heraus, vermutlich eine Umarbeitung des Romans von Alain-René Lesage, der in deutscher Sprache schon 1726 erschienen war. Im selben Verlag erschien eine Sammlung dramatischer Belustigungen aus dem Französischen, jedoch gefielen diese Stücke nicht dem Rezensenten, weil sie dem deutschen Geschmack nicht entsprächen (Juli 1768). Die Danzigerin Frau Culmus übersetzte „Gedanken von Frauenzimmern" der Anna Therese Lambert (Vorrede, 1731); und in Lublin erschien (Dezember 1746) die „Geschichte Aegyptens, Assyriens und Babyloniens" von Charles Rollin in polnischer Übersetzung des Josef Alexander Jabłonowski im Druck. Der Rezensent, vermutlich Janocki, fand viele sprachliche und terminologische Fehler. Der Übersetzer, heißt es weiter, sei im Begriff, eine Geschichte Polens zu schreiben.

Bei dem schon mehrfach erwähnten Danziger Verleger Daniel Ludwig Wedel erschienen mehrere Werke von zwei bedeutenden französischen Schriftstellern, von Jean Jaques Rousseau und von dem utopischen Sozialisten und Historiker Gabriel Bonnot de Mably; und zwar 1764 „Auserlesene Gedanken des Herrn Johann Jakob Rousseau, Bürgers zu Genf" und im gleichen Jahre Mablys „Observations sur l'histoire de France" in zwei Bänden (Dezember 1764 und Januar 1766). Über Rousseau äußert sich die Redaktion nicht weiter, weil der Philosoph allgemein bekannt sei und seine Schriften gern gelesen würden. Die Auswahl habe die wichtigsten Werke berücksichtigt, die Übersetzung sei adäquat. Unter dem Einfluß von Rousseaus Ideen gab Wedel 1766 auch ein Buch unter dem Titel „Der Schüler der Natur" heraus, das — wie der Rezensent meint — an eine Robinsonade erinnert und die Abenteuer eines Jünglings auf einer einsamen Insel schildert. Es sei eine Kompilation aus verschiedenen französischen Abenteuerromanen (Dezember 1766). Rousseau wurde auch ins Polnische übersetzt, aber das wird in den „Neuen Zeitungen" nicht erwähnt. Nach einer Meldung aus Danzig soll der Buchhändler Wedel auch 1766 ein Journal „Der Freydenker zwey Jahre" verlegt haben, das aber kein Echo hatte (Dezember 1766). Auf Ablehnung stieß „Valmont oder die Verirrungen der Vernunft", das bei Flörke in Danzig erschien. Wer modische und schlüpfrige Erzählungen suche, meint er, würde das Buch enttäuscht beiseite legen. Der Verfasser sei ein katholischer Geistlicher, St. Louis du Louvre, ein strenggläubiger Mann, dessen Werk bei Protestanten keinen Anklang finden würde (März 1777).

Nicht alles, was die „Neuen Zeitungen" aus Polen an Übersetzungen aus dem Französischen verzeichnen, gehört der Aufklärungsliteratur an. Das gilt vor allem für theologische religiöse Schriften. Nach einer Mitteilung aus Warschau erschien dort das fünfbändige Werk des Professors an der Sorbonne de la Chambre „Verité de la religion chretienne", dessen Übersetzung ins Lateinische von den Brüdern Załuski gutgeheißen wurde (Mai 1746). Die Piaristen, so heißt es in einer Meldung aus derselben Stadt, übersetzten die „Histoire du peuple de Dieu" des Jesuiten Joseph Berruyer, ein Werk in Romanform, das durch die päpstliche Zensur verboten worden war. Der anonyme Übersetzer sei — so meint der Verfasser der Meldung, wahrscheinlich Janocki — der Fürst Michał Wiśniowiecki, ein bekannter Kunstmäzen und Büchersammler (Februar 1748). Zu dieser Gruppe von Übertragungen aus dem Französischen gehört auch die Herausgabe des „Catéchisme historique" des Jesuitenzöglings und Hugenottenbekehrers Claude Fleury (Januar 1749). Aus derselben Piaristendruckerei in Warschau stammte auch die „Bibliotheca gnomico-historico-symbolyco-politica", eine Sammlung theologisch-politischer Sentenzen französischer Denker. Als Übersetzer wird Arnolf Żeglicki genannt (Januar 1749).

Die englische Literatur fand im 18. Jahrhundert ihren Eingang nach Polen meist durch französische Übertragungen[11]. Dieses gilt für Übersetzungen sowohl in die polnische als auch in die deutsche Sprache. Aus einer Meldung aus Danzig (Februar 1744) erfahren wir, daß bei Rüdiger der pikareske Roman Henry Fieldings „Aventures de Joseph Andrews, frère de Pamela et de Abraham Adams", eine Parodie Richardsons, in deutscher Fassung erschienen sei. Die erste deutsche Übersetzung stammte aus dem Jahre 1745. Wedel ließ eine „Sammlung vor den Geist und vor das Herz" von Texten verschiedener Autoren (unter ihnen Richardson, Fielding, Milton) erscheinen, die größtenteils aus „London Chronicle" geschöpft worden seien (August 1762). Kurz darauf (Oktober 1762) verließ der zweite Band dieser Sammlung die Druckerei. Der Gutachter der „Neuen Zeitungen" erwartete weitere Bände. In der gleichen Danziger Buchhandlung wurden nach einer Meldung im März 1765 Fieldings „Tom Jones" und „Jonathan Wild" und einige Schriften von Richardson verkauft. Etwas später erschien bei Wedel ein Band englischer Dramen in der als vorzüglich beurteilten Übersetzung von Schmid (Dezember 1773). Es handelt sich dabei um Christian Heinrich Schmidt, der seit 1771 Professor der Poesie und Beredsamkeit in Gießen war. 1778 folgten einige Dramen von Oliver Goldsmith und William Congreve in deutscher Fassung (März 1778). In dieser Nachricht wünscht der Rezensent, man möge von den vielen Übersetzern nur die besten berücksichtigen. Flörke gab moralische Erzählungen Robert Harleys heraus (September 1774), die jedoch vom Rezensenten sehr kritisch beurteilt und wegen des unnützen Räsonierens des Herausgebers sogar getadelt wurden. Bei den Jesuiten in Kalisch sei, wie es in einer Meldung heißt, „Jonathan", ein polnisches Drama des Stanisław Jaworski herausgekommen, das eine Umarbeitung des gleichnamigen Werkes von Henry Fielding zu sein scheint (Februar 1748).

Den Theateraufführungen und der Dramatik schenkten die „Neuen Zeitungen" sehr geringe Aufmerksamkeit. In bezug auf Polen stammt die einzige Nachricht aus Warschau (April 1746). Es handelt sich um die Erstaufführung der Tragödie „Demophoon" des Paters Portalupi, die von den Schülern des Theatinerkollegiums aufgeführt und vom Publikum sehr warm aufgenommen worden sein soll. Auffallend ist, daß das rege Theaterleben in der zweiten Hälfte des Jahrhunderts nicht berücksichtigt wird. Weder die Aufführungen französischer Dramen auf Schulbühnen, noch die Gründung des Nationaltheaters in Warschau (1765) werden gemeldet.

IV

Orientalische Einflüsse und Reiseliteratur. In Polen bestand offenbar ein Interesse für Übersetzungen der Bibel in Sprachen weit entlegener Länder und Völker. So lesen wir in einer Meldung aus Warschau, daß dort ein gewisser Bachstrom aufgetaucht sei, der nach Konstantinopel zu reisen beabsichtige, um die Hl. Schrift ins Türkische zu übertragen (August 1729). Der König habe sich sogar verpflichtet, ihm dafür eine bestimmte Geldsumme zu geben. Auch die Hebräistik wurde in den „Neuen Zeitungen" berücksichtigt. Mit dem Studium der hebräischen Literatur befaßte sich der Professor für Griechisch und orientalische Sprachen des Danziger Gymnasiums Gottlieb Wernsdorf. Er schätzte die poetischen Stilmittel der Hebräer, nicht nur in den Psalmen, sondern auch in der weltlichen Lyrik hoch ein und stellte sie den europäischen gleich (Oktober 1744). In Danzig erschien auch sein Buch „De arte poetica Hebraeorum" (November 1745), und in einer wissenschaftlichen Versammlung des dortigen Gymnasiums verteidigte er gemeinsam mit seinem polnischen Schüler Fendlon die These von den hebräischen Quellen des Bacchusmärchens (September 1753). Positiv beurteilt wurde die in Thorn gedruckte philologische Abhandlung über die Bezeichnungen des Todes in den hebräischen und griechischen Bibeltexten. Sie stammt aus der Feder des Thorner Gymnasiallehrers Fr. Chr. Jetze (September 1757).

Der Islam und das Religionsbuch der Araber, der Koran, weckten das Interesse vieler Philologen. Der Prediger an der Marienkirche in Danzig, Michael Gustav Ruttich, beabsichtigte eine lateinische Übersetzung von ihm herauszugeben. Wie bekannt, wurde der Koran in Deutschland zum erstenmal in Hamburg 1694 übertragen. Die Nachricht über Ruttichs Vorhaben entlehnten die „Neuen Zeitungen" der Zeitschrift „Das gelehrte Preußen" (2. Teil, 1724).

Auch die Reiseliteratur war in Polen vertreten. In Supraśl (Podlachien) wurde die „Reise in das Heilige Land" des Fürsten Mikołaj Radziwiłł, die zum erstenmal in Braunsberg 1601 und darauf in Amsterdam 1614 erschienen war, neu herausgegeben. Diese Neuausgabe des hochinteressanten Buches findet der Berichterstatter nachlässig gedruckt (April 1753). In Lemberg erschien in lateinischer Sprache die Beschreibung einer Pilgerfahrt nach Jerusalem des Tomasz Stanisław Wolski. Er durchreiste Asien sowie Afrika und kam bis an den Atlantischen Ozean. Der Rezensent hält Wolski für einen lügenhaften Abenteurer und „bon vivant", der allerlei phantastische Erlebnisse gehabt haben will. Der Inhalt enttäusche den anspruchsvollen Leser, meint der Berichterstatter zum Schluß (Mai 1747). Der schon mehrmals erwähnte Danziger Verleger Daniel Ludwig Wedel veröffentlichte den 3. Band des Reisetagebuches von Josef Marschall aus den Jahren 1768—1770. Marschall bereiste Schweden, Rußland, Polen und Deutschland. Der Korrespondent wirft dem Verfasser auch phantastische und unglaubwürdige Schilderungen vor und bedauert, daß den Beschreibungen die Grundlage fehle (August 1775).

Über Polen und seine wirtschaftlichen und kulturellen Verhältnisse wurden im 18. Jahrhundert im Westen zahlreiche negative Informationen verbreitet, die nicht immer zutreffend waren. So wurde nach einer Meldung aus Den Haag (April 1742) dort eine Verteidigungsschrift unter dem Titel „Varsovie vengée et son apologie..." als Antwort auf die Satire „Varsovie ridicule" kolportiert. Der Korrespondent meint, „daß man nicht das Lächerliche in Polen antrifft, welches man ihm aufbürden wollte." Auch auf das Grenzland Litauen und dessen Bewohner wurde man aufmerksam. Theodor Leyners Buch „Der preußische Litauer oder die Vorstellung der Nahmensherleitung, Kindtaufe, Hochzeit...", also ein volkskundliches Werk, das bereits 1690 geschrieben worden war, kam bei Rüdiger in Danzig aus der Presse (September 1745).

V

Zum Fremdsprachenunterricht. Besondere Erwähnung verdienen sprachwissenschaftliche Mitteilungen und Nachrichten über Fremdsprachenlehrbücher. So liest man in einer Notiz aus Warschau, daß der bereits erwähnte Piaristenpater Stanisław Konarski an einer lateinischen Schulgrammatik arbeite (Mai 1747). In der Piaristendruckerei daselbst wurde das Lehrbuch „La manière d'apprende la langue française" gedruckt und dem Fürsten Czartoryski gewidmet. Der Rezensent wundert sich, daß ein derart anspruchsloses Schulbuch einer so gebildeten Person, wie der Fürst es sei, verehrt werden konnte. Dagegen schätzt er das von Antoni Wiśniewski, einem „gelehrten und bekannten Piaristen" verfaßte Lehrbuch „Grammatica gallica" (Mai 1748) sehr hoch ein. Zum Sprachunterricht trugen die genannten Ordensbrüder, unterstützt von „der gelehrten Gräfin Zamoyska", auch durch ein dreisprachiges Wörterbuch, das „Nouveau Grand Dictionnaire" (französisch-lateinisch-polnisch) und durch die Grammatik der deutschen Sprache bei (April 1749).

In Wilna arbeiteten die Jesuiten an einer polnischen Übersetzung des „Dictionnaire historique... de la Bible" von Augustin Calmet (Oktober 1748). Aus Wien wurde gemeldet, daß der in Polen naturalisierte und geadelte Franzose Franz Mesgnien-Meniński in der orientalen Buchdruckerei Schilgisch seine „Institutiones Linguae Turcicae..." drucken ließe (April 1756). Einer Meldung aus Leipzig zufolge wurde dort das vierbändige „Lexicon Harmonico-Etymologicum Slavicum" (wendisch-tschechisch-polnisch) des Abraham Frencelius in Druck gegeben. Es handelt sich um ein Werk, das bereits in den „Acta Eruditorum" vom Jahre 1693 (S. 304) gelobt worden war (April 1759). Gleichfalls aus Leipzig wurde mitgeteilt (April 1741), daß der aus Warschau eingetroffene Michael Trotz ein polnisch-deutsch-französisches Wörterbuch bei Gleditsch 1742 herauszugeben beabsichtige. Der Rezensent begrüßt dieses Vorhaben aufs wärmste, weil eine lebhafte Nachfrage nach einem solchen Werk bestünde.

Im Zusammenhang mit dem Fremdsprachenunterricht können auch Zeitschriften in fremden Sprachen betrachtet werden. In Warschau wurde das „Journal de Varsovie", das viele Nachrichten aus Polens Geschichte vermittelte, kolportiert (Oktober 1748). Sieben Jahre später erschien dort (April 1755) das „Journal litteraire de Pologne", eine Zeitschrift, die Neuerscheinungen auf dem einheimischen Büchermarkt meldete und begutachtete. Von Gröll in Warschau wird das baldige Erscheinen des „Journal Polonais" angekündigt. Der Berichterstatter, der schon eine Probenummer in der Hand gehabt hat, ist von der Schrift nicht begeistert. Sie enthalte viele minderwertige Gedichte und manche vom „Mercure de France" abgedruckten Aufsätze. „Wir wünschen den Herren Herausgebern alle Unterstützung und empfehlen ihnen nur etwas mehr Wahl und Ordnung in Ansehung der Aufsätze, die sie einreichen" (Juli 1770). Gröll beabsichtigte auch die Herausgabe einer neuen Monatsschrift, des „Journal litteraire" (Januar 1770). Der Herausgeber sucht Beiträge polnischer Verfasser, jedoch keine theologischen und juristischen Aufsätze, die dem Stand der neuen Wissenschaft widersprechen. Die Redaktion der „Neuen Zeitungen" begrüßt sie aufs wärmste.

VI

Nachrichten über wissenschaftliche Zeitschriften in Polen. Den Meldungen über das Zeitschriftenwesen in Polen räumen die „Neuen Zeitungen" einen großen Platz ein. Meist handelt es sich um Nachrichten von ihrem Erscheinen mit kurzer Inhaltsangabe. Das gilt besonders für die wissenschaftlichen Zeitschriften. In erster Linie wurde die in Danzig erscheinende und von Gottfried Lengnich redigierte Monatsschrift „Polnische Bibliothec, welche von Büchern und anderen zur Polnischen und Preußischen Historie dienenden Sachen ausführliche Nachricht gibt" besprochen. Der Herausgeber war, wie die Rezensenten der „Neuen Zeitungen" feststellen, in der Darstellung der Landesgeschichte sehr kritisch und verwarf alles nicht nachweisbare Legendäre aus der Frühgeschichte Polens (z. B. die Legende von Lech, Czech und Russ). In der Besprechung des ersten Heftes wurde der Zweck der „Polnischen Bibliothec" hervorgehoben. Sie solle vor allem den Ausländern dienen, „weil die Ausländer sich keinen Begriff von der Pohlnischen Regierungsform machen können, so will er (Lengnich) auch bisweilen das Ius publicum berühren und endlich auch Lebens-Beschreibungen von wohlverdienten Männern mit beifügen" (November 1718). Weitere Mitteilungen über die „Polnische Bibliothec" folgten in den nächsten Nummern (Dezember 1718; März 1719; August 1720; Oktober 1720; Dezember 1720). Eine besondere Würdigung der Verdienste Lengnichs um die polnische Geschichtsschreibung erfolgte, wie die „Neuen Zeitungen" im November 1718 mitteilen, in der „Nova Litteraria Eruditorum" (d. i. Nova litteraria in supplementum actorum eruditorum divulgata, Leipzig 1718—1723), aus dem Jahre 1718, Nr. XVI, S. 186 (November 1718). Nach einer weiteren Nachricht (Juni 1724) erfahren wir über Lengnich, „daß er sich als ein redlicher Geschichtsschreiber aufgeführt, keinen Hauptpunkt vorbey gelassen, eine gute Ordnung beobachtet, alles aus glaubwürdigen Dokumenten erwiesen".

Eine ganze Reihe von Meldungen betrafen die zweite historische Zeitschrift „Das gelehrte Preußen", die der Professor am Gymnasium zu Thorn Georg Peter Schultz im Oktober 1722 herauszugeben begann. In ihr sollten gedruckte und ungedruckte Schriften besprochen und Lebensläufe gelehrter Männer, welche in Preußen geboren wurden oder dort gelebt hatten, dargestellt werden. Ähnlich wie im Falle der „Polnischen Bibliothec" wurde der Inhalt einzelner Hefte — zuweilen wohlwollend — mitgeteilt (Oktober 1724; März 1725; Juni 1725; Juni 1726).

Ferner sind hier die Periodika zu nennen, die Mitzler de Kolof in Warschau herausgab. Es handelt sich vor allem um die „Warschauer Bibliothek", deren erster Band 1753 erschien. Der Korrespondent betonte, daß sich in Zentralpolen ein wissenschaftliches Leben zu regen beginne, was mit der Gründung der Załuskischen Bibliothek in engem Zusammenhang stehe und eine aussichtsvolle Zukunft verkünde: „Wir können es auch, bei unseren aufgeklärten Zeiten, mit Grunde hoffen" (Mai 1754). Wie üblich wird der Inhalt angegeben. Die weiteren Bände der „Warschauer Bibliothek" sind in folgenden Ausgaben erwähnt: August 1754; Juni 1755; Juli 1755. In der letzten Mitteilung lesen wir, künftig werde die „Warschauer Bibliothek" in lateinischer Sprache als „Acta Litteraria Regni Poloniae..." erscheinen, damit sie breiteren Leserkreisen in Polen zugänglich sei.

Das Erscheinen dieser Zeitschrift wurde im Dezember 1755 bekanntgegeben und die weiteren Bände in den nächsten Jahrgängen besprochen (Januar 1758; Februar 1760).

Die einzige Nachricht vom Erscheinen der Wochenschrift „Thornische wöchentliche Nachrichten und Anzeigen" kommt im März 1761 aus Thorn. Nur der Inhalt des Heftes 32 wird angegeben. Periodika der zweiten Hälfte des Jahrhunderts, die in polnischer Sprache verfaßt und hier eingangs erwähnt wurden, fanden in den „Neuen Zeitungen" nicht die ihnen gebührende Würdigung.

VII

Historiographisches und Juristisches. Unübersehbar ist die Zahl der kleinen und großen Darstellungen der Geschichte Polens. Im 18. Jahrhundert erschienen Werke, die unter den damaligen Verhältnissen eine wichtige, patriotische Rolle gespielt haben und heute noch zu den zuverlässigen historiographischen Quellen der Landesgeschichte gezählt werden können. Die Geschichtsschreiber der Frühaufklärung zeichnen sich durch die kritische Behandlung des Stoffes aus, den sie quellenkundig meistern, sie verwerfen, was der Vernunft widerspricht und nicht nachweisbar ist. Zu diesen kritisch veranlagten Historikern, die die Vergangenheit des Landes und dessen Verfassung vom juristischen Standpunkt aus genau studierten und sich auf zuverlässige Quellen stützten, gehören vor allem Lengnich, Konarski, Załuski.

Die bedeutendsten Werke dieser Autoren fanden auch Beachtung in den „Neuen Zeitungen". So lesen wir in einer Nachricht aus Danzig (Februar 1723), daß Lengnich die „Geschichte der Preußischen Lande königlich Pohlnischen Antheils... mit dem Jahre 1526 bis auf den Tod Königs Sigismundi I." herausgegeben und diese „mit gehörigen Urkunden versehen" habe. Die Redaktion betont, daß der Verfasser die Archivalien in Danzig benutzt habe und die Chronik des Caspar

Schütz fortzusetzen beabsichtige. Nach einer weiteren Meldung aus Danzig (Oktober 1724) wollte Lengnich 1725 eine „Historia Interregni Gentis Polonae" erscheinen lassen und suchte einen Verleger. Bei Schuster in Leipzig wurde (November 1740) Lengnichs „Historia Polona a Lecho ad Augusti II. mortem" gedruckt, ein Werk, das der Gutachter als beste Geschichte Polens, die es je gegeben habe, würdigt. Mit Nachdruck wird betont, daß sie frei von nicht beurkundetem Stoff sei. Bei Rüdiger erschien der zweite Band des „Ius publicum Regni Poloni" desselben Autors. Der Rezensent lobt den Mut des Verfassers, weil er den Senatoren, Wojwoden und Kastellanen ihre Rechte und Pflichten im Spiegel der Verfassungsbeschlüsse des Sejms vor Augen führe (Juli 1746).

Des Historikers Lengnich wurde schließlich in einem Nachruf gedacht (Juni 1774), der seine Verdienste um die polnische Historiographie würdigt. Eine deutsche Übersetzung der Lengnichschen Geschichte besorgte Gottfried Stolterfoth und ließ sie 1766 bei Meissner in Danzig unter dem Titel „Entwurf einer pragmatischen Geschichte von Polen ... insonderheit für junge Standes- und andere wohl zu erziehende Personen" erscheinen. Nach Äußerungen des Korrespondenten habe der Herausgeber auch die „Thornischen wöchentlichen Anzeigen" benutzt und eine kompilatorische Arbeit geleistet, daher sei auch das „Programmatische" in Frage gestellt (Dezember 1768).

Eine erweiterte Ausgabe des „Ius Regni Poloniae" des Mikolaj Żelazowski bereitete der Professor Albrecht Miciński in Krakau zum Druck vor (Februar 1748). Aus Elbing wurde gemeldet, daß der Abdruck des „Corporis iuris militaris Polonici" des Brodowski erfolgen solle (April 1753), und Johann Schreiber in Danzig hatte das „Ius Culmense ex ultima revisione" mit Kommentar und Register herauskommen lassen (Dezember 1745), das dann nach einem Bericht aus Danzig 1770 von M. Ch. Hanow verbessert und durch Hinzufügung neuerer Quellen ergänzt worden sei (Mai 1770).

Hanow gab auch bisher unbekannte Quellen, vor allem zur Geschichte des Deutschen Ordens heraus (März 1758). Durch eine Festschrift in Folio anläßlich des Abfalls vom Deutschen Orden vor 300 Jahren „wollten es [die Stadtbürger Danzigs] öffentlich an den Tag legen, wie sehr sie die dadurch erhaltenen Vortheile zu schätzen wüßten" (September 1755). Am dortigen Gymnasium verteidigte Ernst Gottlieb Bernis seine These „Exercitatio iuris", wobei er Beispiele der „Danziger Willkühr" anführte (Mai 1763). Ein ähnliches Problem hatte der Elbinger Franz Grüttner in seinem Buch „Tractatio iuris publici Pruthenici de Prussia...", das bei Knoch in Danzig erschien, angeschnitten. Wie der Berichterstatter hervorhebt (März 1742), sei in dem Buch nachgewiesen worden, daß die Urbewohner von Preußen Wenden, Galinaer und Ludiner gewesen sind, die schon damals ein republikanisches Staatssystem gehabt hätten. Der Danziger Professor Georg Peter Schulz verfaßte (September 1738) eine „Historia interregni in Prussia Polonica", in der das Interregnum 1733 und die Reichs- und Landtage Polens behandelt wurden. Der Korrespondent beurteilt die Arbeit positiv, obzwar er dem Verfasser manche falschen Schlüsse aus der politischen Geschichte vorwirft. Einige Jahre später erschien bei Knoch ein Werk desselben Autors: „Commentarius de cancellariis Regni Poloniae" (September 1742). Ähnliche Probleme behandelte der Thorner Professor Martin Boehm in seinem „Commentarius de Interregnis in Regno Poloniae". „Das Buch wird den Liebhabern der Pohlnischen Historie, sonderlich jetzt, da jedermann daran Nachricht zu haben verlangt, ohne Zweifel sehr angenehm seyn" (Januar 1734), meint der Rezensent.

Der Erbfolgekrieg in Polen erweckte auch in Deutschland ein lebhaftes Interesse für die Geschichte des polnischen Exilkönigs Stanisław Leszczyński. In Leipzig erschienen bei Junius vier Bände der „Oeuvres du Philosophe bienfaisant Solignac", des Staatssekretärs des Königs, zu gleicher Zeit in Halle „Des Ritters von Solignac Geschichte von Pohlen" (Juli 1764). In der Einleitung zum ersten Band der Halleschen Ausgabe wirft Carl Friedrich Pauli dem Verfasser vor, er habe sich nur auf polnische Quellen gestützt.

Bei Gröll in Warschau erschien 1766 eine Geschichte Polens bis auf August III. Es handelt sich um eine polnische Übersetzung des „Abrégé chronologique de l'histoire de Pologne". Der Übersetzer war der Jesuit Johann Albertrandi. Nach der Meinung des Rezensenten habe der Übersetzer vieles, was den Jesuiten nicht genehm war, ausgelassen und einiges sogar umgearbeitet, besonders was die Ketzerverfolgung anbetrifft (Januar 1767). Die Dissidenten und der Kampf der Protestanten um Gleichberechtigung in Polen wurden schon früher in den „Neuen Zeitungen" im Zusammenhang mit der Schrift des Georg Kasimir Ancuta „Ius plenum Religionis Catholicae in Regno Poloniae..." aus Wilna erwähnt (Januar 1720). Fünf Jahre später kam aus Königsberg ein Bericht über das Thorner Blutgericht vom 7. Dezember 1724 mit einer Schilderung der Vorgänge (Dezember 1725).

Besondere Aufmerksamkeit erweckte die Schrift des Wojwoden von Posen, Stefan Garczyński, „Anatomia Reipublicae Polonae", die 1751 erschienen ist. Unter anderen Problemen behandelt sie die Lage der polnischen Bauern. Der Korrespondent aus Warschau beurteilt das Werk mit großer Anerkennung. Es stelle die Lage der Wirtschaft und Volksbildung dem, was noch in Polen geleistet werden könnte, gegenüber. Die Wirtschaft könne gehoben werden, wenn Manufakturen und Handel gefördert würden, und wenn die Geistlichen, statt über Sachen zu reden, von denen sie nichts verstünden, mehr für die Schulbildung auf dem Lande täten. Diese Bemerkungen seien dem englischen „The Querist" entnommen und vom Kronreferendar Załuski übertragen worden (März 1753).

VIII

Zalusciana. Eine ganze Reihe von Nachrichten aus Polen betrifft die Brüder Załuski, ihre Verdienste um die Förderung der modernen Kultur im Lande und ihre Beziehungen zu ausländischen Gelehrten[12]. Da diese Frage bereits von H. Lemke gründlich behandelt worden ist, sollen hier die aus Warschau eingelaufenen Mitteilungen in chronologischer Reihenfolge, mit Stichworten versehen, verzeichnet werden: Herausgabe der „Analecta historica" (Oktober 1726) durch den Domherrn Załuski in Krakau; Kronreferendar Josef Załuski beabsichtigt die „Bibliotheca Poloniae", eine Sammlung historischer Traktate, zu veröffentlichen (September 1728) und arbeitet an der „Historia Litteraria Sarmatiae", in der von berühmten polnischen Gelehrten die Rede ist (Januar 1730); er beabsichtigte die Herausgabe der „Volumina legum" auf Empfehlung des Kronreferendars Załuski (März 1732); Versuch einer „Critischen Historie von Polen" (Vorrede zum Jg. 1734); „Specimen Historiae Polonae Criticae ..." in Warschau erschienen (November 1734); Załuski beabsichtigt, die politischen Reden von Paul Potocki herauszugeben (Vorrede zum Jg. 1744); wissenschaftliche Diskussion im Palais des Kanzlers Załuski in Warschau (Januar 1746); die Eröffnung der Załuskischen Bibliothek in Warschau am 11. November 1746 wird angekündigt (Januar 1746;

September 1746), aber dann vertagt (Dezember 1746); die Sejmreden Paul Potockis unter dem Patronat von Andreas Załuski werden von Jesuiten herausgegeben (Februar 1747; März 1747; Juni 1747); Eröffnung der Załuskischen Bibliothek auf den 3. August 1747 festgelegt (März 1747); Vergrößerung der Załuskischen Bücherei durch neue Ankäufe (November 1746; Mai 1747); „De usu bibliothecarum publicarum ...", eine Festschrift (in Folio) zur Eröffnung der Bibliothek erschienen (Juli 1747); Eröffnung der Bibliothek (September 1747); Brand in der Załuskischen Bibliothek, „Volumina legum" gerettet (April 1748); Bischof Załuski ordnet an, sämtliche Buchbestände und Archivalien der Jesuiten in Krakau und Wilna zu katalogisieren (September 1748); mehrere Theologen promovieren an der Krakauer Universität, Promotor ist der Bischof Załuski (Juni 1748); Bischof Załuski läßt einen Katalog der Bibliothek und des Archivs in Krakau anfertigen (September 1748); die Załuskische Bibliothek enthält zwei goldene Schaumünzen (Oktober 1748); in Krakau wird Andreas Załuskis Hirtenbrief publiziert (Oktober 1748); der Kronreferendar Załuski wird Mitglied der Berliner Akademie (Dezember 1748); die Załuskische Genealogie erscheint in Warschau (Juni 1753); „Schola Salernitana" in polnischer Übersetzung des Kronreferendars (Juni 1753); Band 3 bis 5 des Katalogs der Załuskischen Bibliothek von Janocki erscheinen in Breslau bei Korn (Dezember 1753); die Akademie in Warschau wird vom Kronreferendar ins Leben gerufen (Vorrede zum Jg. 1754).

Viele Vorhaben der Brüder Załuski wurden von dem Bibliothekar Johann Daniel Janocki ausgeführt. Dieser fleißige und seinem Beruf ganz ergebene Mann, der als erster Bibliograph in Polen gilt, war nicht nur der Verfasser eines Handschriftenkatalogs der Załuskischen Bibliothek, sondern auch der „Polonia litterata nostri temporis" und der nach ihm benannten „Janociana". Als Korrespondent der „Neuen Zeitungen" lieferte er in den Jahren 1746—1747 die meisten Nachrichten über das geistige Leben seiner Heimat. Es ist daher nicht verwunderlich, daß über seine wissenschaftliche und organisatorische Tätigkeit immer wieder in der Leipziger Zeitschrift berichtet wird. Die erste Nachricht aus Leipzig besagt, daß dort bei Langenheim Janockis „Litterarum in Polonia instauratores", ein reichhaltiges, dem Kronreferendar zugeeignetes Nachschlagewerk über polnische Gelehrte herausgekommen sei (Dezember 1744). Im Gegensatz zu diesem sehr positiv besprochenen Werk fanden Janockis „Critische Briefe an vertraute Freunde“ nicht die Anerkennung des Rezensenten, der „fast Bedenken getragen, diesen unreifen Unternehmungen über ein pures Nichts einen Platz in unseren Blättern zu gönnen“ (Juli 1745). In der Vorrede zum Jahrgang 1746 wird neben verschiedenen Nachrichten aus Krakau noch einmal die Biographie polnischer Gelehrter erwähnt, und zwar mit der Bemerkung: „wobey der Geschichte der Wissenschaften in diesen Ländern selbst ein großes Licht aufgestecket worden“. Eine gleichzeitige Meldung aus Breslau und Danzig besagt, daß bei Korn der erste Band der „Polonia Litterata“ erschienen sei; zu loben sei die unparteiische Sachlichkeit seiner Darstellungsweise (Januar 1751). Nebenbei wird der Übertritt Janockis zum katholischen Glauben (1750) erwähnt. In der Vorrede zum Jahrgang 1752 finden wir eine Mitteilung von der Anfertigung des vorhergenannten Handschriftenkatalogs der Załuski-Bibliothek durch Janocki und darauf die Nachricht aus Dresden von dessen Erscheinen unter dem Titel „Specimen Catalogi Codicum Manuscriptorum Bibliothecae Zaluscianae“ (Mai 1752).

Den Bemühungen Załuskis nahe stand auch Mitzler de Kolof. Er war nicht nur der Herausgeber und Redakteur von wissenschaftlichen Zeitschriften, Mitarbeiter der Załuskischen Bibliothek, Herausgeber von Geschichtsquellen und polnischen Literaturwerken des 17. und 18. Jahrhunderts, sondern setzte sich auch in Polen für die Verbreitung der Philosophie Christian Wolffs ein. Die Meldung über die erste Urkundensammlung zur polnischen Geschichte, die Mitzler unter dem Titel: „Historiarum Poloniae ab excessu Vladislai IV ad pacem Oliviensem usque Libri IX ...“ herausgegeben hat, stammt aus Warschau (März 1756). Der Rezensent meint, das Werk hätte eine allgemein europäische Bedeutung, wenn sich nicht der Verfasser der Kommentare, Lorenz Rudawski, aus Unkenntnis der neuen Philosophie mehrfach geirrt hätte. Nach einer anderen Meldung aus Warschau bereitete Mitzler eine Arbeit über polnische Geschichtsschreiber vor (Dezember 1758), die in der Vorrede zum Jahrgang 1763 als abgeschlossen bezeichnet wird. Im Februar 1759 erfährt man, daß er zu Ehren der Brüder Załuski das Werk des polnischen Historikers Szymon Starowolski „De claris oratoribus Sarmatiae ...“ herausgegeben habe, ein sehr nützliches Werk für Studenten der Rechtsgelehrsamkeit.

In der Besprechung des Buches, dessen Titel in der Übersetzung Mitzlers „Von einem nützlichen Mittel zum Bestand der ordentlichen Reichstage in Polen“ lautet, betont der Rezensent, daß die Forderung nach der Abschaffung des Liberum Veto die sicherste Maßnahme zur Verhütung der Anarchie sei (Juli 1763). Gleichfalls in einer Meldung aus Warschau wird das Hauptwerk Mitzlers, die „Historiarum Poloniae et Magnus Ducatus Lituaniae Scriptorum ... Collectio magna ...“ erwähnt. Die verspätete Herausgabe sei auf die politischen Wirren im Lande zurückzuführen. Der Herausgeber habe die Sammlung objektiv kommentiert und dem Kommentar auch Gegenstimmen seiner Kritiker mit beigefügt (August 1763).

IX

Universitäten und die Societas Jablonoviana. Besonderes Interesse der „Neuen Zeitungen“ galt den Universitäten und den wissenschaftlichen Bibliotheken in Polen. In einer eingehenden Besprechung des 6. Bandes der Zeitschrift „Das gelehrte Preußen“ (Oktober 1724) ist u. a. auch die Rede vom „Privilegium fundationis Academiae Culmensis“, der Gründungsurkunde von 1387. Der Krakauer Universität wurde anläßlich eines Nachrufs auf den verstorbenen Rektor Lipski gedacht (30. März 1746). Der Korrespondent hofft, daß die verwaiste Schule einen neuen Förderer in Bischof Załuski gefunden habe (April, Mai 1746). Aus einer weiteren Meldung aus Krakau ist zu ersehen, daß der Bischof Załuski auf eigene Kosten „geschickte Lehrer der neuen Philosophie“ aus dem Ausland kommen lassen werde (August 1747).

Einen Wendepunkt in der Geschichte der Universitäten in Krakau und Wilna bildeten die Reformen, die die Staatskommission für nationale Erziehung am Ende der siebziger Jahre durchführte. Es erfolgte eine gänzliche Umorganisation und Modernisierung der Hochschulen. Im Zuge ihrer Verweltlichung legten die Lehrprogramme größeres Gewicht auf Mathematik und Naturwissenschaften; die Unterrichtssprache wurde polnisch, der Übergang vom konfessionell gebundenen Schulbetrieb zu wissenschaftlicher Forschung und Lehre angebahnt.

Diese Reform spiegelt sich in der Leipziger Zeitschrift in einer Meldung aus Wilna (April 1782). Dort lesen wir, daß 1780 die „Schola regni generali“ in Krakau schon reformiert sei und daß die Wilnaer

„Schola princeps" nachfolge. Die Redaktion habe ein Vorlesungsverzeichnis erhalten, aus dem hervorgehe, wer zum Lehrkörper gehöre und über welche Institute und Lehrstühle die Universität verfüge. Berühmte Gelehrte werden namentlich genannt. Die Redaktion begrüßt diese Reform und hofft, daß die Universität der Aufklärung weit die Tore öffnen werde.

Einer früheren Meldung aus Wilna zufolge (März 1749) seien hier alle Urkunden, die die Geschichte der Lehranstalt dokumentieren, gesammelt worden. Die Regsamkeit der Akademie in Posen wird in einer Nachricht aus dieser Stadt hervorgehoben. Der Akademierektor Stanisław Mamczyński, ein Rechtsgelehrter, habe das schon 1738 erschienene Werk „Praxis Commissoralis fori spiritualis ..." erneut herausgegeben. Ebenso wurde eine „Historia Cancellarium Consistorialium in Polonia" angekündigt (März 1747). Die vom Untergang bedrohte Akademie in Zamość wurde nach einem Bericht von dort auf Betreiben des Grafen Zamoyski umorganisiert und die Reform derselben dem Prälat Jerzy Laskowicz übertragen (März 1749). Auch die vom Exilkönig Stanisław Leszczyński gegründete Ritterakademie in Nancy wurde erwähnt (Vorrede zum Jahrgang 1755).

Verwunderlich ist es, daß in den „Neuen Zeitungen" keine Nachricht über die Ritterakademie in Warschau zu finden ist, eine fortschrittliche Lehranstalt, die durch König Stanisław August 1765 ins Leben gerufen wurde und bis 1794 bestand. Die meisten Lehrer dieser Anstalt waren Ausländer, unter ihnen auch einige Deutsche, und aus ihr ging eine ganze Generation polnischer Aufklärer hervor. Auch vermißt der Leser beim Durchblättern der letzten Jahrgänge (1773—1784) der Zeitschrift wenn auch nur kurze Nachrichten über die sehr wichtige Arbeit der Staatskommission für nationale Erziehung in Polen. Vielleicht läßt sich diese Erscheinung durch die allgemeine Abnahme der Zahl von Meldungen aus Polen in den letzten Jahren des Bestehens dieser Zeitschrift erklären.

Besondere Beachtung schenkte man in den „Neuen Zeitungen" der „Societas Jablonoviana", einer wissenschaftlichen Gesellschaft, die der Wojwode von Nowogródek, Fürst Józef Alexander Jabłonowski (1711—1777) im Jahre 1774 in Leipzig gründete. Ursprünglich hatte er Danzig dafür in Aussicht genommen, doch war er darüber erzürnt, daß die Naturforschende Gesellschaft in Danzig August Ludwig

Schlözer einen Preis für eine Abhandlung zuerkannte, in der die sagenhaften Brüder Lech und Czech in das Reich der Fabel verwiesen wurden[13]. Ein kurzer Bericht aus Leipzig meldete (Dezember 1770), daß bei Breitkopf August Ludwig Schlözers „Dissertatio de Lecho, praemio Jablonoviano adfesta XV Mai MDCCLXX ...“ erschienen sei. An dem Streit um den legendären Polenfürsten Lech nahmen der Redakteur der „Neuen Zeitungen“, Karl Andreas Bel, Stanisław Nałęcz-Moszczeński, Lektor der polnischen Sprache an der Leipziger Universität, und Georg Heinrich Ayrer teil. Wie weiter verlautet, soll Schlözer seine These von dem unhistorischen Lech widerrufen haben[14]. Dabei wird auch auf russische Quellen und die Handschrift des Boguchwał hingewiesen.

Die „Societas Jablonoviana“ veranstaltete alljährlich Versammlungen, auf denen drei Preise für Abhandlungen aus Geschichte, Ökonomie, Mathematik und Physik verliehen wurden. Über die Preisfragen und die Versammlungen berichteten die „Neuen Zeitungen“ ausführlich, weil ihr Redakteur, Karl Andreas Bel, zugleich Sekretär der „Societas“ war[15]. Die meisten Meldungen über die „Societas“ kommen zwar nicht aus Polen, sondern aus Leipzig, aber behandeln polnische und slawische Fragen.

Die erste Nachricht von den Verdiensten des Fürsten Jabłonowski als Förderer der Wissenschaften und Künste finden wir in einer Meldung aus Warschau (September 1752), wo es heißt, daß dort „Boguphali II. ... Chronicon Poloniae ... sumptu Josephi Alexandri Jablonowski“ bei den Piaristen erschienen ist. Dreizehn Jahre später lesen wir in einer Mitteilung aus Danzig, daß der Fürst der dortigen Naturforschenden Gesellschaft 90 Dukaten gestiftet habe. Es wurde ein Preis für eine historische Abhandlung ausgesetzt, in der nachgewiesen werden sollte, daß Lech im 6. Jahrhundert nach Polen gekommen sei (November 1765). Ein Bericht über die Sitzung der Naturforschenden Gesellschaft vom 19. März 1766 stellte fest, daß nur wenige Abhandlungen eingegangen seien. Deswegen wurde die Preisverteilung auf den 1. Juni verlegt und A. L. Schlözer aus Petersburg ein Preis verliehen. Es handelte sich um die bereits erwähnte Abhandlung. Auf der Sitzung in Danzig verlas übrigens Christian Sendel ein Lobgedicht auf den Fürsten (November 1767). Weitere Berichte aus Danzig über Jabłonowski liegen nicht vor. Der Fürst verlegte sein Tätigkeitsfeld 1768 nach Leipzig[16].

Aus der Vorrede zum Jahrgang 1769 und einer Meldung aus Leipzig geht hervor, daß Jabłonowski weiterhin Historiker aufmunterte, über Lech zu schreiben sowie nachzuweisen, daß die mährischen Henaci (bzw. Hanaci) Slawen gewesen seien, und zu erörtern, welcher Herkunft die Könige der Sauromathae am Bosporus und der Chresti im Chersonesos gewesen wären (April 1769). Die Preisverteilung, die im Oktober 1769 stattfinden sollte, wurde auf das nächste Jahr vertagt (Oktober 1769; Dezember 1769), weil die Aufsätze nicht fristgemäß eingereicht worden waren. Auf Wunsch einiger Gelehrten wurde der Einsendungstermin vom 4. Februar auf den 26. März verlegt (Januar 1770), jedoch fand die nächste Sitzung tatsächlich erst am 15. Mai statt. Eine lateinische Abhandlung über Lech lag vor, jedoch verschwieg der preisgekrönte Verfasser seinen Namen und wurde gebeten, sich bei dem Stiftungssekretär Bel zu melden (Mai 1770). Für das Jahr 1771 wurden nochmals zwei Preise für Arbeiten über Lech ausgesetzt (Dezember 1770). Die eingereichten Schriften wurden auf einer Sitzung der Societas am 23. August 1771 begutachtet. Es handelte sich um vier Arbeiten über Lech und die polnische Geschichte und drei über Erziehung von jungen polnischen Edelleuten. Eine historische und eine pädagogische Arbeit wurden preisgekrönt. Die Verfasser waren Johann Salomo Semler (Geschichte) und Christian Adolf Klotz (Pädagogik), beide Professoren in Halle. Ferner wurden Preise für historische Arbeiten über die Urheimat der Wenden und Südslawen in Aussicht gestellt (Oktober 1771).

In der Vorrede zum Jahrgang 1772 wurde das Mäzenatentum Jabłonowskis gewürdigt. Am 24. November 1773 erfolgte die Preisverteilung. Von den 13 eingesandten historischen Arbeiten wurden zwei, die die Geschichte der Heneten behandelten, ausgezeichnet. Preisgekrönt wurden Gottlob Benedikt Schirach, Professor in Helmstedt, und der Hallische Professor Thünmann (Dezember 1773). Für das Jahr 1774 wurden von Jabłonowski für Arbeiten über die Herkunft der Slawen und Bulgaren Preise gestiftet, ferner für Untersuchungen zu den Fragen, ob die Kosaken von den Bulgaren abstammen und ob der Slawenherrscher Samo Slawe oder Franke gewesen sei (Januar 1774).

Aus der Vorrede zum Jahrgang 1775 erfahren wir, daß die Societas der Leipziger Universität auf immer einverleibt worden sei. Eine ausführliche Meldung berichtet über den feierlichen Akt, der am

23. Dezember 1774 stattfand. Zugleich wurden die Preise für das Jahr 1773 verteilt. Den ersten Preis für die Geschichte der Slawen erhielt der Fürst selbst, jedoch übergab ihn Jabłonowski an den Pastor Schlösser aus Lengsdorf bei Bonn, der eine Arbeit über den Ursprung der Sarmaten, Slawen und Kosaken abgefaßt hatte. Der zweite Preis wurde Pater Michaeler aus Hall in Tirol zuerkannt (Januar 1775). Eine neue Preisfrage betraf die Ursachen, Ziele und Umstände der Wanderungen skandinavischer Völker nach dem Süden (März 1775). Auf der Sitzung am 19. März 1776 wurden in der historischen Klasse jedoch keine Preise verliehen, weil die eingesandten Abhandlungen den ihnen gestellten Anforderungen nicht entsprachen (April 1776). Die nächste Versammlung beschloß, den Preis für die Arbeit über das Thema „Wanderungen der Skandinavier" zu verdoppeln (Juli 1776); ferner wurde das Preisausschreiben in verschiedenen wissenschaftlichen Zeitschriften bekanntgegeben (Dezember 1776). Als am 1. März 1777 der Fürst Josef Alexander Jabłonowski einer tödlichen Krankheit erlag, wurde seiner in einem Nachruf gedacht und man würdigte seine Verdienste um Wissenschaft und Kunst entsprechend (März 1777). Am Geburtstag der Fürstin Jabłonowski am 23. Dezember 1777 versammelte sich die Societas, um den verstorbenen Fürsten zu ehren und die Preise zu verteilen, doch wurde keine historische Arbeit ausgezeichnet (Januar 1778). Die nächste historische Preisfrage galt der Geschichte der Karolinger (Mai 1778).

Da nach dem Tode des Fürsten sich ein Gerücht verbreitete, die Societas höre zu existieren auf, wurde bekanntgegeben, daß die Fürstin Jabłonowski nach ihrer Rückkehr aus Polen und der junge Prinz für das weitere Bestehen der Gesellschaft Sorge tragen würden (November 1778). Unter dem Vorsitz der Fürstin und des Prinzen August versammelte sich die Gesellschaft am 25. Februar 1779. In der Klasse für Geschichte wurde der Preis feierlich an Johann Rudolf Becker aus Lübeck verliehen (März 1779). 1779 sollte die Genealogie des litauischen Großfürsten Witold behandelt werden (Mai 1779), jedoch ging keine Arbeit zu diesem Thema ein (April 1780). Den Rechtshistorikern wurde die Aufgabe gestellt nachzuweisen, warum das sächsische Recht in Polen schon im 13. Jahrhundert ausgeübt worden wäre (April 1780). Die Ablieferungsfrist für die Arbeiten wurde bis zum November verlängert (Oktober 1780). Auf der Dezemberversammlung unter dem Vorsitz des Prinzen August wurden zwei Schriften über das sächsische

Recht in Polen preisgekrönt, die des Kammersekretärs Becker aus Lübeck und des Leipziger Rechtsanwalts Carl Rössig (Januar 1781). Für das Jahr 1781 wurde ein Preis für eine Arbeit über die verschiedenen Perioden und Grade der ehemaligen Abhängigkeit der Moldau und Walachei vom Königreich Polen ausgesetzt (Februar 1781), für das Jahr 1782 über die Genealogie des Hauses Batory (Bathori de Somlyo und Bathori de Bathor), wobei man die Einsender ermahnte, dem Wunsche des Stifters gemäß, die Arbeiten nicht in deutscher, sondern in lateinischer Sprache abzufassen (Januar 1782). Wahrscheinlich wurde diese Preisfrage nicht beantwortet, jedenfalls wiederholte man sie (August 1782). Der letzte Bericht über die Tätigkeit der Societas ist sehr kurz: die Gesellschaft verlieh zwei Preise in der Klasse für Geschichte an den Hofrat Wenk und an C. G. Rössig (August 1784). Die Themen wurden nicht genannt.

X

Mathematik und Naturwissenschaften. Im Zeitalter der Aufklärung nahmen Mathematik und Naturwissenschaften eine Sonderstellung ein, das fand auch seinen Ausdruck in der Berichterstattung der Leipziger Zeitschrift. So wird gemeldet, daß sich Michael Christoph Hanow in Danzig (März 1742) und Corsonich in Warschau mit der Quadratur des Kreises befaßten (August 1779). Hanow verteidigte auch mittels mathematischer Methoden eine These über die Bewegung der Körper (Februar 1752). Mit kubischen Gleichungen befaßte sich Heinrich Kühn in Danzig (Juli 1769; April 1771) und sprach im Gymnasium über die Bedeutung der mathematischen Wissenschaft (Januar 1760). Im Palais Załuski in Warschau verteidigte Stefan Dembowski einige geometrische Thesen (Januar 1745). In derselben Stadt erschien ein Lehrbuch der Geometrie des Schweizers Simon Lhuilier (Dezember 1782).

Auch über die Beobachtung von Himmelserscheinungen in Danzig, Thorn und Warschau wird berichtet. Dr. Culmus befaßte sich in Danzig mit dem Nordlicht (Januar 1732), das man in Warschau irrtümlicherweise für einen Kometen hielt (April 1730). Ein Thorner Professor gab ein Buch über die Sonnenfinsternis heraus (November 1740). Die Dissertation des Paul Pater aus Danzig handelte „De astrologia persica ...“ (September 1720).

Typisch für die Zeit war auch das Interesse für die praktische Anwendung der Wissenschaften, wobei man auch Kuriositäten ernst nahm, so die Konstruktion eines Perpetuum mobile, die einem Warschauer Tischler angeblich geglückt sei (Januar 1738). Andererseits sind die Maschine des Danziger Physikers H. Kühn, über die der Bericht in den Warschauer „Acta Litteraria" wiedergegeben wurde (Februar 1757), und M. Chr. Hanows Glaskolbenversuche in derselben Stadt (Oktober 1751), Zeugnisse einer neuen Wissenschaftsgesinnung. Im ganzen ist es eine bunte Blütenlese verschiedener Nachrichten; Anton Wiśniewski hielt in Warschau eine „Oratio de utilitate ex Varsaviensi bonarum Artium et Scientiarum Academia in Poloniam redundantura" (Juli 1754). Der Wolffianer Martin Świątkowski verteidigte in einer Schrift die modernen Wissenschaften (März 1766). Die galanten Wissenschaften hingegen lobte im Jesuitenkollegium in Lemberg Adam Miączyński (Juni 1748). Mitzler rezensierte das Buch „Primitiae physicomedicae" (Juni 1755), und bei den Piaristen in Warschau gab ein gewisser Świdziński seine „Propositiones philosophicae" heraus, in denen Fragmente aus Bernoulli, Boyle, Descartes, Leibniz, Newton, Galilei u. a. abgedruckt werden (September 1752). Für die Bauern übersetzte der Kronreferendar Załuski die „Schola Salernitana" ins Polnische, die in Warschau im Druck erschien (Juni 1753). Aus Sandomierz wurde die geplante Herausgabe der „Historia Naturalis Regni Poloniae ..." des Gabriel Rzączyński für das Jahr 1720 angezeigt (März 1719), jedoch nach Erscheinen abfällig kritisiert (Dezember 1721).

Ein besonderes Interesse erweckte der Bernstein wegen seiner physikalischen Eigenschaften. Unter Bezugnahme auf das „Gelehrte Preußen" teilen die „Neuen Zeitungen" mit, daß einige Gelehrte in Elbing die Eigenschaften und die Herkunft des Bernsteins erforschten (Juni 1726; März 1729; Königsberg, April 1731).

Besonders eifrig wurden im 18. Jahrhundert Naturalien und Kuriositäten gesammelt. Die „Neuen Zeitungen" berichten über die Warschauer Naturaliensammlung des königlichen Stabsmedicus Christian Heinrich Erndt (Januar 1730), sowie darüber, daß der polnische König mehrere Wissenschaftler nach Afrika geschickt habe, damit sie dort „allerhand Seltenheiten" für das Dresdener Naturalienkabinett beschaffen (Vorrede zum Jahrgang 1731). In Danzig „sucht (Jakob Breynius) ein schönes Naturalien-, Müntz- und Antiquitätencabinett noch immer vollständiger zu machen" (Vorrede zum Jahrgang 1724; März 1759). Breynius veröffentlichte auch einen reich bebilderten Katalog von exotischen Pflanzen (Oktober 1724; Februar und Mai 1739), und der um die Entwicklung der Naturwissenschaften verdiente Danziger Forscher Jakob Theodor Klein gab „Tier- und Pflanzentafeln" (Juni 1735), eine „Historia piscium" (Dezember 1740; August 1742; April 1749) und Vogelbilder mit einer polnisch-lateinischen Nomenklatur heraus (April 1759). Auch Hanow veröffentlichte mehrere Aufsätze über Tiere und Pflanzen (Februar 1755). Vom regen wissenschaftlichen Leben in dieser Stadt zeugte die Naturforschende Gesellschaft, die eine Sammlung naturwissenschaftlicher Abhandlungen herausgab (November 1747).

Auch der Medizin wurde in den Besprechungen Rechnung getragen. So werden das Erscheinen der „Primitiae physico-medicae", einer Zeitschrift über die Medizin in Polen gemeldet (Oktober 1750) und zwei Bücher Mitzlers über die praktische Medizin besprochen (November 1756). Auch medizinische Kuriositäten fanden Beachtung: so wurde von einem 14jährigen Mädchen aus Bojanowo gemeldet, daß es drei Jahre ohne Nahrung gelebt habe (Mai 1729).

Schließlich seien noch einige Meldungen über die Beschäftigung mit geographischen Fragen genannt. So nimmt man davon Notiz, daß in Elbing der Arzt Endersch einen Globus samt Sonnenbahn konstruiert (Mai 1742), aus der Presse der Jesuitenschule in Wilna ein Geographie-Lehrbuch des Kasimir Hołówko kommt (Oktober 1747) und zwei Jahre später ein ähnliches Buch des Stefan Puzyna (Januar 1749). In Warschau erscheint der „Atlas polonicum" (Januar 1753), und in Danzig untersucht man die Versandung des Haffs (April 1767), wofür die Naturforschende Gesellschaft einen Preis verlieh (Juni 1768).

Natürlich gab es unter den Meldungen aus Polen auch solche über theologische Traktate, Religionsbücher und konfessionelle Streitschriften, das Schwergewicht der Berichterstattung in den „Neuen Zeitungen" lag jedoch in der Vermittlung von Nachrichten über die fortschreitende Aufklärung in Polen. Und in der Tat begannen sich auch hier trotz der politisch unruhigen Jahrzehnte die Wissenschaften, die Kunst und Literatur immer deutlicher zu entwickeln. Die „Neuen Zeitungen" nahmen davon Notiz, vermittelten der deutschen Gelehrtenwelt ein Bild dieser Erfolge fast sieben Jahrzehnte lang und zeigten damit eine für jene Zeit erstaunliche Leistung.

Anmerkungen

[1] F. Brüggemann: Das Weltbild der deutschen Aufklärung. In: Deutsche Literatur, hrsg. von H. Kindermann, Bd. 2 1930, S. 19.
[2] W. Mönch: Deutsche Kultur von der Aufklärung bis zur Gegenwart. München 1962, S. 43.
[3] J. Kirchner: Zur Entstehungs- und Redaktionsgeschichte der Acta Eruditorum. In: Archiv für Buchgewerbe und Gebrauchsgraphik, Jg. 1928, Bd. 65, S. 75.
[4] J. H. Zedler: Grosses vollständiges Universal Lexikon, Bd. 20, Halle u. Leipzig 1739 (Fotomechan. Nachdruck Graz 1961), S. 629; ebenso: G. Witkowski: Geschichte des literarischen Lebens in Leipzig. Leipzig 1909, S. 185.
[5] J. Kirchner, a. a. O., S. 79.
[6] G. Witkowski, a. a. O., S. 187.
[7] J. Kirchner: Die Grundlagen des deutschen Zeitschriftenwesens. Mit einer Gesamtbibliographie der deutschen Zeitschriften bis zum Jahre 1790, Leipzig 1928, S. 102.
Zum Programm und den Arbeitsmethoden der Redaktion der „Neuen Zeitungen“ lesen wir im Vorwort zur ersten Nummer (1715) folgende Zeilen aus der Feder des Redakteurs Johann Gottlieb Krause: „Es werden aber unsere Nachrichten vornehmlich von zweyerlei Art seyn, indem wir theils die Zufälle und Unternehmungen der Gelehrten erzählen, theils auch berichten werden, was hernach andere von der Ausführung dieser letzteren vor ein Urtheil gefället. Das erste wird man aus allen bissherigen Lateinischen, Französischen, Italiänischen, Holländischen und Deutschen Journalen der Gelehrten ... und anderen Schriften nehmen, daraus man nur etwas dergleichen ziehen kann, was wir etwan selber durch Correspondenz oder andere Weise erfahren dörften“.
[8] J. Tetzner: Die Leipziger „Neuen Zeitungen“ über die Anfänge der Petersburger Akademie. In: Zeitschrift für Slawistik, Berlin 1956, Bd. I, S. 93 ff.
[9] Vgl. H. Lemke: Die Brüder Załuski und die Beziehungen zu Gelehrten in Deutschland und Danzig. Studien zur polnischen Frühaufklärung. Berlin 1958, S. 84.
[10] Ebenda, S. 87.
[11] M. Cieśla: Julian Antonowicz, autor pierwszego polskiego podręcznika języka angielskiego. In: Języki Obce w Szkole, 1960, Nr. 3, S. 134.
[12] Näheres darüber bei H. Lemke, a. a. O.
[13] Ł. Kurdybacha: Stosunki kulturalne polsko-gdańskie w XVIII w, Gdańsk 1937, S. 73; auch bei H. Lemke a. a. O., S. 144.
[14] Näheres darüber bei Eduard Merian: Die Jablonowskische Gesellschaft unter besonderer Berücksichtigung der Slawistik. Diss. Leipzig 1965 (Maschinenschrift), S. 64; vgl. auch H. Lemke, a. a. O., S. 144.
[15] Vgl. E. Merian, a. a. O.
[16] Ebenda, S. 40.

THEODOR JANKOVIĆ UND DIE SCHULREFORM IN RUSSLAND

Von Peter Polz

I

Die Vorgeschichte. 1764 beauftragte Katharina II. den Präsidenten der Akademie der Künste und Direktor des adeligen Kadettenkorps I. I. Beckij[1] (1704—1795), einen Reformentwurf für das Schulwesen in Rußland anzufertigen, und tat damit den ersten bedeutungsvollen Schritt zur Gründung eines geordneten Schulsystems. Beckij erarbeitete eine „Sammlung der Weisungen und Verordnungen betreffend die Erziehung der adeligen und bürgerlichen Jugend beiderlei Geschlechtes in Rußland" („Sobranie učreždenij i predpisanij kasatel'no vospitanija v Rossii oboego pola blagorodnago i měščanskago junošestva"), die am 12. März 1764 von der Zarin bestätigt wurde.[2] Darin wies Beckij eindringlich auf die Notwendigkeit der Erziehung hin und verlangte die Gründung von geeigneten Lehranstalten. Spätestens mit dem vollendeten fünften bis sechsten Jahr sollten die Kinder dort zusammengezogen werden und bis zu ihrem 18.—20. Lebensjahr unter der ausschließlichen Kontrolle der Erzieher und Lehrer bleiben, denn, so formulierte Beckij seinen wichtigsten Erziehungsgrundsatz, eine wirksame Erziehung sei nur fernab des schädlichen Einflusses der Familie und der Gesellschaft zu erzielen, weshalb die Jugend davon ferngehalten werden müsse.

Seine besondere Aufmerksamkeit widmete Beckij den außerehelich Geborenen. In einem eigenen „Generalentwurf des Moskauer Erziehungsheimes" („General'nyj plan Moskovskogo vospitatel'nogo doma") verlangte er, daß diese Kinder in einem solchen Heim Aufnahme finden sollten. Niemand, der ein illegitimes Kind dorthin brächte, wäre verpflichtet, sich auszuweisen oder Auskunft über das Kind zu geben. Die Kinder sollten auf Kosten des Staates erzogen, geschult und für den späteren Beruf vorbereitet werden.[3]

Beckijs Pläne wurden nur zum Teil verwirklicht: Auf seine Anregung geht die Errichtung einiger adeliger Lehranstalten zurück, von denen vor allem die Gründung des berühmten Smolnyj-Institutes Beachtung verdient. Da diese Anstalten jedoch nur der privilegierten

Schicht des russischen Volkes zugute kamen, spielten sie in der Geschichte der allgemeinen Volksaufklärung keine Rolle.

Im gleichen Jahr wie Beckijs Sammlung erschien auch ein Reformentwurf des Archangelsker Magistrates, der von Vasilij Krestinin, einem Bürger dieser Stadt, verfaßt worden war. Krestinin forderte die Errichtung von Volksschulen für Kinder beiderlei Geschlechtes und aller Stände in allen Städten. Wohlhabende Eltern sollten einen Beitrag entrichten, für die ärmeren hatten die Stadtverwaltungen aufzukommen. Der Unterricht sei obligatorisch[4]. Aber auch dieser Plan, wie eine Reihe anderer, deren Autoren größtenteils nicht bekannt sind, wurde nicht verwirklicht. Von den anonym verfaßten Entwürfen seien hier nur das in französischer Sprache abgefaßte „Raisonnement sur le projet d'établissement de pensions et écoles dans toutes les provinces de l'étendue de l'empire de Russie" erwähnt, in dem ähnliche Ideen vertreten wurden, wie sie Beckij propagierte, und die gleichfalls anonymen „Anfangsüberlegungen über den Plan zur Einrichtung öffentlicher Lehranstalten" (Načal'noe razsuždenie o planě dlja učreždenija publičnych učilišč)[5].

Zu den denkwürdigen Ereignissen in der Geschichte Rußlands gehört das Zusammentreten der großen Gesetzgebungskommission im Jahre 1767. Katharina berief 500 Delegierte aus allen Teilen des Russischen Reiches, die verschiedenen Völkern, Stämmen und Religionen des Imperiums angehörten, und verfaßte eine Instruktion („Nakaz") für die Kommission, die als Leitfaden der neuen Gesetzessammlung dienen sollte[6]. In dieser Instruktion gedachte sie auch der Erziehung und der Schule. Damals meinte sie noch, es sei unmöglich, das ganze Volk zugleich aufzuklären[7], weshalb zunächst nur die höheren Stände in den Genuß der Bildung kommen sollten. Ihre Überlegungen leitete Katharina von der Grundidee Montesquieus ab, die Erziehung sei die erste Grundlage des Staatsbürgertums[8].

In bezug auf die Schulen hielt sie sich in erster Linie an die Vorstellungen Beckijs. Sie verlangte, daß die Erziehung auf Gottesfurcht sowie auf den Geboten Gottes und der Kirche zu beruhen habe; es sei Aufgabe der Erziehung, Liebe zum Vaterlande wachzurufen sowie Gehorsam gegenüber Gesetz und Obrigkeit beizubringen. Väter und Erzieher hätten die Kinder von schädlichen Einflüssen fernzuhalten, ihnen durch gutes Beispiel voranzugehen und vor allem Abscheu vor der Lüge, als dem schlimmsten Laster, einzuflößen[9].

Am 8. April 1768 unterschrieb Katharina die „Vorschrift für die Beendigung der Kommission zur Ausarbeitung des Plans einer neuen Uloženie“ („Načertanie o privedenii k okončaniju Kommisii o sostavlenii proekta novago uloženija“), worin die öffentliche Erziehung durch die Schule gefordert wurde. Danach sollte es drei Schultypen geben: Elementarschulen, Gymnasien und Universitäten. Aus der Delegiertenversammlung wurde eine Unterkommission „Für Schulen und die der Fürsorge Bedürftigen“ ernannt[10], die die Details der durchzuführenden Maßnahmen ausarbeiten sollte.

Die Schulkommission legte einige Entwürfe[11] vor, die sich u. a. eingehend mit der Organisation der Elementarschulen befaßten, und die Errichtung von Dorf- und Stadtschulen vorsahen. Der Unterricht in den Dorfschulen müßte für alle Kinder männlichen Geschlechtes zwischen 8 und 12 Jahren obligatorisch sein; Mädchen sollten nur auf ausdrücklichen Wunsch der Eltern die Schule besuchen. In der Dorfschule hätten die Kinder nur das Lesen, jedoch nicht das Schreiben zu lernen. Auf jeweils 100—250 Familien wäre eine Dorfschule für etwa 30 Kinder zu errichten. Als Lehrer wären die Diakone und nur in Ausnahmefällen weltliche Personen heranzuziehen. Bau und Unterhalt der Schulen sei Sache der Gemeinde, die Aufsicht Aufgabe der Erzpriester in Verbindung mit den Gouverneuren. In den Städten sei der Unterricht auch für die Mädchen obligatorisch; Knaben sollten hier Lesen und Schreiben, Mädchen nur Lesen lernen. Im übrigen galten für die Stadtschule die gleichen Bestimmungen wie für die Dorfschule.

An der Ausarbeitung dieser Pläne, denen das preußische Schulsystem als Vorbild diente, beteiligte sich auch die von Peter I. begründete Russische Akademie der Wissenschaften. Sie entwarf vor allem Richtlinien für die organisatorischen Vorarbeiten. So forderte man u. a. die Schaffung eines zentralen staatlichen Unterrichtsressorts, dem die Kontrolle der Reform und die Leitung der Schulen zu unterstehen hätte[12].

Auch die Projekte der großen gesetzgebenden Kommissionen und der ihr inkorporierten Schulkommission wurden nicht verwirklicht. Katharina gelangte allmählich zu der Überzeugung, daß sie die Aufgabe nicht aus eigenen Kräften zu lösen vermochte, weshalb sie sich an das Ausland wandte. Einer der ersten, den sie befragte, war ihr Briefpartner Diderot, der ihr 1775 den „Plan einer Universität für die russische Regierung oder Projekt der Volksbildung in allen Wissenschaften" übermittelte[13]. Diderot wandte jedoch sein Hauptinteresse den mittleren Lehranstalten zu, für die er recht eigenwillige Vorstellungen entwickelte. Der Elementarbildung sprach er nahezu jegliche Bedeutung ab und vertrat die Auffassung, es genüge vollauf, wenn die Kinder in der Volksschule Lesen, Schreiben und die Anfangsgründe der Zahlenlehre lernten. Alles andere sei die Aufgabe der Mittelschulen, die er als den wichtigsten Teil des Bildungssystems ansah[14].

Katharina stimmte mit Diderots Vorschlägen nicht überein und versuchte nochmals, auf dem Verwaltungswege zu einer Lösung zu gelangen. Am 7. November 1775 erließ sie eine Instruktion, in der sie von den Gouvernements die Errichtung und Erhaltung von Schulen forderte. Jede größere Ortschaft sollte eine Schule bekommen, der Unterricht allerdings nicht obligatorisch, sondern freiwillig sein. Die Kinder müßten Lesen, Schreiben, Arithmetik, Zeichnen und Katechismus lernen und zu diesem Zwecke täglich vier Stunden in der Schule verbringen[15]. Aber auch dieser Versuch führte zu keinem Ergebnis.

Nun wandte sich Katharina erneut um Rat ins Ausland. Eine besonders rege Korrespondenz zur Frage der Schulreform führte sie mit Friedrich Melchior Grimm, der dem Kreise der Pariser Enzyklopädisten angehörte[16]. Am 2. Februar 1777 machte sie ihm das Angebot, nach Rußland zu kommen und die Schulreform in die Wege zu leiten. Grimm lehnte jedoch mit der Begründung ab, daß ein Mann, der nicht einmal die Sprache des Landes beherrsche, schlecht geeignet sei, es zur Aufklärung zu führen[17]. Er empfahl ihr dagegen, das Philantropin des Barons Karl von Dalberg in Würzburg als Muster für die künftige russische Schule zu nehmen. Dalberg hatte in seiner Anstalt die Normalmethode und auch einige Schulbücher Felbigers eingeführt und erzielte damit gute Erfolge.

Einen entscheidenden Einfluß auf den weiteren Verlauf der Entwicklung und auf die Reformtätigkeit Katharinas II. nahm der ehemalige Astronom des Berliner Observatoriums Ulrich Theodor Aepinus, der in die Dienste der russischen Akademie der Wissenschaften getreten war und von Katharina die Würde eines Staatsrates erhalten hatte. Nach dem Vorbild für die russische Schulreform befragt, sprach sich Aepinus für das österreichische Modell aus, über das er offenbar gut informiert war. Die Zarin betraute ihn mit der Ausarbeitung eines Gutachtens, worauf er seine „Bestimmungen der Gesichtspunkte, aus welchen ein Nationalschulplan angesehen werden muß“ vorlegte. In dieser theoretischen Auseinandersetzung nahm Aepinus den Standpunkt ein, die Wohlfahrt des Staates beruhe auf der Qualität seiner Schulen, diese wiederum hänge von der Qualität des Lehrstoffes und der Unterrichtsmethode ab. Den Lehrstoff bestimme der Zweck, den die Schule zu erfüllen hat, die Methode aber müsse erfahrenen Fachleuten überlassen werden. Eine der wichtigsten Fragen überhaupt, so meinte Aepinus, sei die Ausbildung der Lehrer. Die „Allgemeine Schulordnung“ des österreichischen Schulreformators Johann Ignaz Felbiger sei gut geeignet, das elementare Bildungswesen zu verbessern. Es gäbe kaum ein sichereres Mittel, „die Anzahl zuverlässig guter Schulen in mäßiger Zeit ansehnlich zu vermehren, als dasjenige, dessen man sich in den österreichischen Ländern bedienet“. Österreich habe zwar den Vorteil, zu Beginn der Reform bereits über eine ansehnliche Zahl von Lehrern (aus den Reihen der Schulorden) zu verfügen, die bloß in der neuen Methode ausgebildet werden müßten, da sie die anderen Kenntnisse schon mitgebracht hätten, dies sei leider in Rußland nicht der Fall; doch müßten diese Schwierigkeiten zu meistern sein, wenn es auch hier etwas länger dauern würde als in Österreich.

Als oberstes Prinzip der Reform sah Aepinus die Einheitlichkeit des Unterrichtssystems an. Diese könne man durch unifizierte Lehrerausbildung und entsprechende Weisungen erreichen. Jede Abweichung von den gesetzten Normen würde eine Verschlechterung der Schule bedeuten, weshalb sie rechtzeitig zu verhindern sei. Es müsse daher besonders darauf geachtet werden, daß die Normalschulen in den Provinzzentren, die als Vorbild für alle anderen Schulen zu dienen haben, die vorgezeichneten Richtlinien einhalten.

Aepinus wünschte entschieden, daß in Rußland der österreichische Schulplan ohne Veränderungen zur Anwendung gelange, wobei Abweichungen nur insofern gestattet sein mögen, als es die Lokalumstände erforderten. Unverzüglich sollten drei oder vier Normalschulen, eventuell in Petersburg, Moskau, Kazan und Kiev, errichtet werden. Um sie in Gang zu bringen, solle man den österreichischen Monarchen um einige in Theorie und Praxis erfahrene Männer ersuchen, damit sie als Lehrer herangezogen würden. Es wäre vielleicht möglich, so meinte Aepinus, diese Männer in jenen österreichischen Provinzen ausfindig zu machen, wo man sich der slawischen Sprache bediene, die der russischen nahe verwandt sei. Noch besser wäre es, wenn diese Leute orthodoxer Konfession wären, damit das Volk sie nicht mit Mißtrauen empfange.

Die ersten Lehramtskandidaten wollte Aepinus aus verschiedenen geistlichen Seminaren Rußlands holen. Für ihren Unterhalt und die Ausbildung hätte der Staat aufzukommen. Das wichtigste aber wäre die sofortige Bestellung eines Reichsschuldirektoriums, das sich vorerst mit drei primären Aufgaben zu befassen hätte: 1. mit der Prüfung des österreichischen Schulplanes und seiner Anpassung an die russischen Verhältnisse, 2. mit der Erarbeitung eines Entwurfes zur Errichtung der ersten Normalschulen und 3. mit der Bestimmung finanzieller Mittel für die Übersetzung und Umarbeitung österreichischer Schulbücher.

Abschließend brachte Aepinus einige erläuternde Bemerkungen. Es sei nichts schlimmer, schrieb er, „als eine gar zu große Ungleichheit (disproportio) in der Aufklärung der Geistlichkeit und der übrigen Nation". Das Übergewicht an Aufklärung auf einer Seite sei immer mit Unheil für die andere verbunden. Weder der geistliche noch der weltliche Stand dürfe daher dieses Übergewicht erlangen. Im Zeitalter der Aufklärung mache sich in Rußland die Gefahr bemerkbar, daß die Religion in den Hintergrund gedrängt werde. Bei einer Bildungsreform dürfe man den Klerus nicht außer Acht lassen. „Will man die Nation aufklären, so muß man erstlich beim gemeinen Manne, mit Normalschulen, auf österreichisch und protestantisch, anfangen; und um hier anfangen zu können, zweitens vor allen Dingen die stockfinsteren Popen zu etwas mehr Licht und Helle bringen, da es psychologisch und historisch erweislich ist, daß ein aufgeklärter Geistlicher mächtiger in die Aufklärung seiner Provinz wirken kann, als 10 geratene Bildhauer, Kupferstecher und Wachs-Poussirer"[18].

Hinsichtlich des Fremdsprachenunterrichtes plädierte Aepinus für die Einführung des Französischen oder des Deutschen in die russischen Schulen. Die lateinische Sprache kam nach seiner Auffassung nicht in Betracht, da sie für Rußland nicht die gleiche Bedeutung habe wie für Österreich, wo sie als Amtssprache verwendet würde.

Eine Gefahr für den Erfolg der Reform erblickte Aepinus im Charakter der Russen, „vermöge dessen alles Neue mit großer Lebhaftigkeit angenommen, aber auch eben sobald in Vergessenheit gestellt wird". Infolgedessen müsse man trachten, Mittel und Wege zur Festigung der Reform zu finden. Je weniger Personen man mit dieser Aufgabe betraue, desto gesicherter sei der Fortbestand der Reform, zumal diese wenigen Personen mehr Verantwortung tragen müßten, die sie auf niemanden abwälzen könnten[19].

Das Gutachten des Staatsrates Aepinus war der Anstoß, der Katharina II. zur Übernahme der österreichischen Schulreform bewog. Dazu kam noch eine Empfehlung des Großfürsten Pavel Petrovič, der im Verlaufe seiner Europareise im Jahre 1781 die Wiener Normalschule zu St. Anna besucht und sich über sie genauestens informiert hatte[20]. Als es 1780 zu den politischen Gesprächen zwischen Katharina II. und Josef II. in Mogilev kam, nützte die Zarin die Gelegenheit, den österreichischen Monarchen auch über die Möglichkeiten der Verpflanzung der Felbigerschen Reform nach Rußland zu befragen: „Ich sage, daß gestern die Normalschulen einen unserer Gesprächsgegenstände bildeten", schrieb sie am 25. Mai 1780 an Grimm, „und daß, soferne ich nach dem Erzählen ein Urteil abgeben kann, diese Normalschulen eine wunderbare Einrichtung sind"[21].

Josef II. zeigte sich geneigt, den Wünschen der „Normalschulmeisterin", wie Katharina infolge ihrer Begeisterung für die österreichische Schule von Grimm genannt und auch in seinen Briefen an sie apostrophiert wurde, entgegenzukommen. In einem Brief an den Grafen Brigido, den ehemaligen Präsidenten der Temesvarer Landesadministration, befahl er, mit dem ersten Kurier je zwei Exemplare aller vorhandenen Schulbücher an die Zarin zu schicken[22]. Bereits am 29. Juni 1780 gingen 29 dieser Bücher nach Rußland ab[23].

Zu Beginn des Jahres 1782 bat Katharina Josef II., ihr einige geeignete Fachleute, wenn möglich Serben, zu schicken, die die Reform in Rußland in die Wege leiten könnten. Die Auswahl einer entsprechenden Person übertrug der Kaiser J. I. Felbiger. Dieser schlug, ohne lange zu zögern, Theodor Janković[24] vor. Damit stieß er allerdings auf vielseitigen Widerstand, zumal sich verschiedene Instanzen dagegen aussprachen, einen der besten Schulleute der Monarchie außer Landes gehen zu lassen. Felbiger sah sich gezwungen, den Vorwürfen entgegenzutreten und seine Entscheidung zu begründen. „Alle Eigenschaften", schrieb Felbiger, „welche die russische kaiserliche Majestät von dem Lehrer nach der Normalmethode fordern, weiß ich in keinem anderen Manne beysammen zu finden, als in dem Direktor der Temeswarer Normalschule von Jankovicz". Nur er könne der österreichischen Schule in Rußland zur Ehre gereichen. Sein Verständnis und seine praktischen Erfahrungen würden das gute Gedeihen der Reform garantieren. Außerdem brauche man nicht zu befürchten, daß man für Janković keinen geeigneten Nachfolger werde finden können. Unter den 293 von Janković selbst ausgebildeten serbischen Lehrern würde es sicherlich einen geben, der sein Werk im Banat erfolgreich weiterführen könne. Janković selbst werde kaum etwas gegen diese ehrenhafte Berufung einzuwenden haben, zumal er mit der gegenwärtigen Besoldung nicht ganz zufrieden und überdies „die Neigung der illyrischen Nation gegen die russischen Souveraine eine zu bekannte Sache" sei. Wenn aber der Widerstand gegen die Abberufung dieses Mannes nicht zu beseitigen wäre, dann möge man der Zarin einige erfahrene, deutschsprachige Personen vorschlagen, die bei Janković in Temesvar entsprechend vorbereitet werden müßten. Das wäre besser, schloß Felbiger, als wenn man statt Janković irgendeinen anderen schicke, „der so eine Erfahrung und dergleichen Prudentiale schwerlich haben möchte"[25].

Die Entscheidung über die Entsendung von Janković nach Rußland fiel in die Zeit der Tagung der Preßburger Schulkommission, an der auch Janković teilnahm. Graf Blumegen verständigte dort Felbiger über die Verfügung Josefs II., daß „der bisherige Director der illyrischen Schulen zu Temeswar Jankovicz nach Rußland mit einem Gehilfen, den er sich selbst zu wählen hätte, um die Normallehrart allda einzuführen, auf ein Jahr abgeschicket . . ., indessen sein Platz für ihn offen gelassen werden solle"[26].

Am 10. März 1782 folgte Janković der Anordnung des Monarchen und sprach in einer persönlichen Audienz bei Josef II. vor[27]. Darauf schrieb der Kaiser an Katharina II., er fühle sich verpflichtet, auf die Fähigkeiten und die Kenntnisse dieses Mannes hinzuweisen, den er für sie ausgesucht habe. Es gäbe außer ihm niemanden, von dem man noch behaupten könnte, er sei hinsichtlich seiner Fähigkeiten einzigartig unter seinem Volke[28].

Janković selbst war sogleich bereit, das ehrende Angebot anzunehmen. Er hegte persönliche Sympathien für das orthodoxe Rußland und so fiel ihm die Entscheidung nicht schwer. Sein Scheiden aus dem Banat rief allgemeines Bedauern hervor. Der ungarische

Hofkanzler Esterházy schrieb dem Kaiser, „daß es ein wahrer Verlust seye, daß dieser geschickte Mann dermahlen in dem besten Lauf seiner Schull-Einrichtungen abberufen wurde" und er „nicht weiß, ob man ein derley in dem Normal Schull Wesen so gut erfahrenes Individuum von der griechisch nicht unirten Religion" als Ersatz werde finden können[29].

Am 14. Mai 1782 verließ Janković Preßburg, um nach Temesvar zurückzureisen. Zuvor richtete er an den Kaiser ein Ansuchen, er möge ihm gestatten, den Temesvarer Lehrer Andreas Georgievié als Gehilfen nach Rußland mitzunehmen. Außerdem sollte ihm eine zweimonatige Frist gewährt werden, um alle Amts- und Privatgeschäfte zu ordnen. Als drittes ersuchte er den Monarchen, er möge Avram Mrazović aus Sombor zu seinem Stellvertreter ernennen[30].

Josef II. gab auf Anraten des Grafen Esterházy allen diesen Bitten statt. Zugleich verlangte er von Janković, er möge „mit halbem July desto sicherer hier [in Wien] eintreffen, als er seine Reise noch bey guter Witterung um so leichter nach Petersburg vornehmen könne"[31]. Am 24. Mai erhielt Janković diese Anordnung. Schon im Juli 1782 reiste er, mit einem Geleitbrief seines Monarchen versehen, nach Rußland ab. Am 4. September meldete Graf Cobenzl, der österreichische Gesandte am Zarenhof, Janković sei angekommen und bitte um eine Audienz bei der Zarin. Katharina gewährte Janković eine viertägige Ruhepause und empfing ihn in den späten Nachmittagsstunden des 6. September in Audienz. Bereits einen Tag darauf bedankte sie sich bei Josef II. für den Mann, dessen Kenntnisse und Wissen in ihr Anerkennung und ein Gefühl der Verbundenheit erweckten[32].

Schon am 7. September erließ Katharina ein Dekret, worin sie ihren Willen kundtat, in ganz Rußland das Elementarschulwesen zu organisieren. Zu diesem Zwecke, hieß es in dem Dekret, habe man Theodor Janković ins Land geholt, einen Mann mit großer Erfahrung in Schulsachen[33]. Im ähnlichen Sinne schrieb die Zarin auch Grimm: Janković sei ein Kenner seines Geschäftes, sei orthodoxen Glaubens und spreche Russisch so gut wie sie, ja sogar besser als sie[34].

II

Die Schulreform von 1782. Noch während seines Aufenthaltes in Preßburg begann sich Janković mit den Plänen auseinanderzusetzen, nach denen er das russische Elementarschulwesen organisieren wollte.

Er erarbeitete den „Entwurf des Vorschlages der Normalschulen in Rußland", den er der Wiener Studienhofkommission zur Beurteilung vorlegte. Der Vorsitzende der Kommission war damals van Swieten d. J., der den Entwurf sorgfältig prüfte. In einem Schreiben an Josef II. vom 19. Mai 1782 zeigte er sich damit einverstanden und äußerte die Meinung, daß dieser Plan, „nach welchem er die Normalschulen in Rußland einzuführen gedenket, dem Endzweck angemessen und ein Zeugnis" sei, „daß Jankovics die Verfassung sowohl als auch die Lehrart der Normalschulen gründlich verstehe"[35].

In seinem Entwurf ging Janković auf die Frage ein, welche Aspekte besonders berücksichtigt werden müssen, um die Reform erfolgreich zu gestalten. Er verlangte, daß „bey der Einführung der Normal-Schulen in einem Lande" insbesondere „die didactischen, politischen und ökonomischen Gegenstände" zu beachten sind, was er in weiteren Ausführungen näher erläuterte. Die didaktischen Gegenstände implizierten nach seiner Auffassung die Frage nach dem Lehrstoff einerseits und der Lehrmethode andererseits. Beim Lehrstoff unterschied er zwischen demjenigen, was die Lehrer (Katecheten, Schulmeister, Privatinstruktoren) und demjenigen, was die Schüler zu erlernen hätten.

Zur Ausbildung eines Katecheten gehöre die Unterweisung in der Methodik und in den Grundsätzen des Katechisierens. Diese Grundsätze waren a) die allgemeine und b) die besondere Didaktik des Religionsunterrichtes, c) die Gliederung des Religionsvortrages in der Schule und in der Kirche, d) das Verhalten des Katecheten beim Religionsunterricht und e) „einige Klugheitsregeln für den Katecheten".

Der angehende Schulmeister hatte zu erlernen: Methodik (d. i. Grundsätze des Zusammenunterrichtens und Zusammenlesens, der Buchstaben- und Tabellenmethode[36] und des Prüfens oder Ausfragens), die Lehrgegenstände die in der Schule vorzutragen sind, sowie jene, die in der Schulordnung vorgeschrieben sind, die Handhabung der Schulzucht, alles über den Lehrberuf und wie man sich darin zu verhalten hat, „die Verfertigung der Fleißcathalogen und der Schulmatrikeln", die Durchführungsverordnungen für Abhaltung öffentlicher Prüfungen und alle übrigen Instruktionen, die den Lehrberuf betrafen.

Von den Hauslehrern verlangte Janković die Kenntnis der Normalmethode und der Lehrgegenstände, die sie vorzutragen hatten. Insbesondere forderte er von ihnen die Aneignung all jener Tugenden, die sie für die Ausübung ihres Amtes unbedingt benötigten (Geduld, Ehrbarkeit, Aufrichtigkeit, Fleiß, Bescheidenheit, Mäßigkeit, Keuschheit, Zufriedenheit, Sparsamkeit, Enthaltung vom Spiele, Frömmigkeit, Treue und Klugheit). Auch sollten sie auf das richtige Verhalten gegenüber älteren Personen, Hausangehörigen und gegenüber Untergebenen (im Unterricht und bei der Erziehung) Wert legen.

Bei der Behandlung der Frage des Unterrichtsstoffes für die Schüler traf Janković eine Einteilung der zu organisierenden Schulen in drei Typen. „Auf dem glatten Lande" sah er die Errichtung von zweiklassigen Dorfschulen vor. Die Lehrgegenstände dieses untersten Typus der Elementarschule sollten sein: die ABC-Lehre und das Buchstabieren, das Lesen (des Namen- oder ABC-Büchleins, des Katechismus, des vorgeschriebenen Lesebuches und der Schülergesetze), das Schreiben, das Rechnen und die Rechtschreibung.

Der nächst höhere Schultypus war seinem Entwurf nach die dreiklassige Hauptschule in größeren Ortschaften. Die Unterrichtsgegenstände der beiden unteren Klassen entsprachen jenen der Dorfschule, in der dritten Klasse kamen noch hinzu: der erweiterte Katechismus, die biblische Geschichte, die christliche Sittenlehre, die Erklärung der Evangelien, die Fortsetzung des vorgeschriebenen Lesebuches, Kalligraphie, Diktatschreiben, Einführung in die lateinische Sprache und dazugehörige Übungen, Rechnen und Fortsetzung der Sprachlehre.

Die höchste Stufe der Elementarschule war nach Janković die vierklassige Stadtschule, deren Besuch fünf Jahre dauern sollte, da die vierte Klasse als zweijähriger Kurs gedacht war. Der Lehrstoff der drei unteren Klassen glich demjenigen der Dorfschulen oder Hauptschulen. In der vierten Klasse sollte gelehrt werden: „das Schönschreiben mit Fraktur und verzogenen Buchstaben", schriftliche Aufsatzübungen, Rechnen, Meßkunst, Baukunst, Staatengeschichte und Zeichnen.

Der zweite Teil der didaktischen Gegenstände bestand in dem Entwurf der Methodik (Normalmethode). Diese setzte sich aus den Elementen des Zusammenunterrichtens und Zusammenlesens, der Buchstaben- und Tabellenmethode sowie des Ausfragens zusammen. Die Methode des Zusammenunterrichtens habe den Vorteil, daß „die ganze Unterweisungszeit zum Nuzen eines jeden Kindes angewendet, die Verbesserung der Fehler von allen Kindern benuzet, die Aufmerksamkeit der Schüler erhalten, und das Lernen der Kinder erleichteret, und angenehm gemacht wird." Das Zusammenlesen fördere die Aufmerksamkeit und übe das richtige Lesen und Sprechen. Durch die Buchstabenmethode werden ebenfalls das Gedächtnis („da ein Satz in einem kurzen Innbegrif unter Zeichen der Buchstaben zusammengebracht und das Ganze auf eine leichte Art gleichsam spielend dem Gedächtnisse einverleibet wird") und die Aufmerksamkeit gefördert („denn es ist ein sinnlicher Vortrag, der durch den Beystand der Sinne unterstüzet die Aufmerksamkeit der Schüler auf eine angenehme Art anziehet und festhält"). Das gleiche könne auch vom Tabellarisieren gesagt werden, welches eine gute Gedächtnisstütze sei, „denn es wird die Verbindung der Theile ... in einem Zusammenhang sinnlich gemachet, und auf diese Art dem Gedächtnisse eingepräget". Dazu erreiche man mit dem Tabellarisieren eine größere Ordnung, da der Lehrer hierdurch „bey dem Vortrage in Schrancken gehalten" wird, indem er „von einer Abtheilung zur anderen gehörig fortschreite". Durch das Tabellarisieren lerne man ordentlich und systematisch denken, „und man kann den Ideen mit der Hülfe der gesunden Vernunft selbst nachgehen, wenn man die ordentliche tabellarische Abtheilung eines Gegenstandes vor Augen hat, ohne welche sonst der Verstand sich in einer Masse von einzelnen vielfältigen ... Ideen ganz gewiß verlieren muß". Das Ausfragen habe den Vorteil, daß das Denken und der Wille geschult werden, denn „ignoti nulla est cupido".

Zur Frage nach den politischen Gegenständen übergehend, wies Janković darauf hin, daß es sich hierbei um die Verwaltung und Kontrolle des Schulwesens handele. Die Verfassung der Normalschulen gründe einerseits in ihrer Unterordnung unter die vorgesetzten Gremien (oberste Schulbehörde am Hofe, Bezirksschulkommissionen, Bezirksinspektoren oder Oberaufseher, Schuldirektoren, Ortsaufseher und Visitatoren), andererseits aber beruhe sie auf einzelnen Vorschriften, die etwa in Form von Instruktionen existieren, die für das Schulpersonal erlassen werden. Das alles bedürfe einer eigenen Organisation.

Mit der Erörterung der ökonomischen Gegenstände schloß Janković seinen Entwurf. Dazu zählte er die Bestimmungen über die Besoldung der Lehrer und des übrigen Personals in Geld und Naturalien, ferner die Errichtung der Schulgebäude (wobei der Standort sowie die

Größe der Schule und die Anschaffung der Schulrequisiten mit Bedacht auszuwählen seien) und die Verordnungen über den Druck von Schulbüchern, die möglichst billig sein müßten.[37]

Aus dem Entwurf des Schuldirektors Janković geht hervor, daß ihm bei der Planung der russischen Schulreform keine neuen Ideen vorschwebten. In allen Detailfragen stützte er sich auf die Erfahrungen der österreichischen Schulgesetzgebung, die er, getreu den Lehren seines Vorbildes Felbiger, unverfälscht auf Rußland zu übertragen trachtete. Die Übereinstimmung ist besonders augenscheinlich in der Schultypenteilung, in der Bestimmung der Unterrichtsgegenstände und in der Übernahme der Normalmethode. Janković schickte sich an, die österreichische Normalschule Johann Ignaz Felbigers nach Rußland zu verpflanzen.

Gleich nach Ankunft von Janković in Petersburg erließ Katharina II. am 7. September 1782 ein Dekret, in dem sie die Bestellung einer Kommission zur Einrichtung von Lehranstalten (Komissija ob učreždenii učilišč) bekanntgab. Am 16. Oktober berichtete Janković dem ungarischen Hofkanzler Esterházy über deren Zusammensetzung: Ihre Mitglieder waren Senator Petr Vasilevič Zavadovskij, der den Vorsitz führte, Staatsrat Aepinus und Geheimrat Petr Ivanovič Pastuchov.[38] Janković wurde nicht zum Mitglied der Kommission ernannt, sondern ihr als Berater beigestellt. Erst 1797 erfolgte die offizielle Ernennung zum Beisitzer derselben.[39] Seine Aufgabe war, die Kommission in allen theoretischen und praktischen Fragen der Reform zu beraten, während diese dafür sorgen mußte, daß die von ihr ausgearbeiteten und von der Zarin bestätigten Verordnungen verwirklicht wurden. Die erste Sitzung fand in Anwesenheit von Janković am 13. September 1782 statt[40]; in der Folge traf man sich an jedem Dienstag und Samstag zu Arbeitsbesprechungen.[41] Während der ersten Sessionen ging es vornehmlich um vier Aufgaben: 1. Übersetzung und Umarbeitung österreichischer Schulbücher weltlichen Inhaltes, 2. Prüfung österreichischer Religionsbücher auf Anwendbarkeit in russischen Schulen sowie deren Vorlage beim Erzbischof von Novgorod zur Billigung, 3. Prüfung des Reformentwurfes von Janković und 4. Errichtung der ersten Versuchslehranstalten im Petersburger Gouvernement unter der Leitung von Janković.

Da von den drei Kommissionsmitgliedern nur Staatsrat Aepinus einige Kenntnisse von der österreichischen Schulreform besaß, fiel die

Hauptlast der Reformarbeit auf Janković. Er blickte als einziger auf eine bereits zehnjährige Berufserfahrung zurück. Sein Entwurf zur Reformorganisation wurde von der Kommission am 17. September geprüft, gebilligt und zur Gänze in das Arbeitsprotokoll der Kommission übernommen.[42] Die drei von ihm vorgeschlagenen Schultypen benannte man „malye" (kleine), „srednie" (mittlere) und „glavnye učilišča" (Haupt-Lehranstalten . . .).[43]

Als die Schuleinrichtungskommission zu Ende des Jahres 1782 ihre Tätigkeit aufnahm, stellte sie sich der Öffentlichkeit mit einem Bericht vor, in dem unter anderem Sinn und Zweck der angestrebten Reform dargelegt werden: „Glücklich zu werden, ist der Endzweck eines jeden Menschen", heißt es in diesem Bericht. „Dazu ist aber Erziehung und Unterricht nöthig. Nun hat zwar unsere Allhuldreichste Landesmutter schon durch mancherlei Anstalten für Erziehung und Unterricht gesorgt; da sie aber diese Wohlthat auf alle Stände ohne Ausnahme ausbreiten will; so hat sie nunmehr befohlen, Volksschulen zu errichten, die diesen Namen deswegen erhalten, weil darin ein jeder von den Unterthanen zu dem, was seinem Stande angemessen ist, angeführet wird".[44]

Unter Katharina II. entwickelte die Schuleinrichtungskommission eine sehr rege Reformtätigkeit und hatte auch beachtliche Erfolge. Im Laufe von etwa fünfzehn Jahren gelang es ihr, das gesteckte Ziel, die Grundlegung eines staatlichen Elementarschulwesens, zu erreichen. Gegen Ende der Regierungszeit Katharinas nahm die Aktivität der Kommission immer mehr ab und sie beschränkte sich in zunehmendem Maße auf eine rein administrativ-organisatorische Arbeit. Im Jahre 1799 legte der Vorsitzende der Kommission, Zavadovskij, sein Amt nieder und an seine Stelle trat Senator P. S. Svistunov, der diese Funktion bis 1802 innehatte. Während dieser ganzen Zeitspanne von etwa zwanzig Jahren blieb Janković (Mitglied der Kommission bis 1803) die einzige fachliche Autorität in diesem Gremium. Aepinus schied 1797, Pastuchov 1799 aus der Kommission aus. An ihre Stelle traten Männer, die alle mehr oder minder zufällig berufen wurden und nicht die erforderlichen Qualifikationen besaßen.[45]

Die Schuleinrichtungskommission ist im Laufe ihres Bestehens zur Keimzelle des am 8. September 1802 gegründeten ersten russischen Ministeriums für Volksaufklärung geworden. Der erste Minister, der ihm vorstand, war Petr Vasilevič Zavadovskij, der zwanzig Jahre zuvor den Vorsitz in der Schuleinrichtungskommission übernommen hatte. Mit der Gründung des Ministeriums wurde die Tätigkeit der Kommission nicht sofort eingestellt. Sie wurde wiederholt zu Beratungen über die anfallenden Probleme herangezogen, und auch Janković spielte beim Aufbau des Ministeriums eine nicht unbedeutende Rolle.[46]

Noch von seiner Banater Tätigkeit her wußte Janković, daß eine Reform ohne eine genügende Anzahl ausreichend vorgebildeter Lehrer unmöglich sei. Es lag ihm vor allem daran, rasch Schulmeister auszubilden, was er auch die Schuleinrichtungskommission wissen ließ. Bereits im November 1782 schrieb Katharina II. an Grimm: „Die von mir eingeleiteten Normalschulen haben einen so guten Anfang genommen, daß hier bereits zwanzig Lehrer herangebildet werden, dank meinem lieben Bruder Josef, der mich mit einem Faktotum versorgt hat, das bereits hundert Schulen begründet hat ..." [47]

Ist auch diese Mitteilung der Zarin in bezug auf die Zahl der Schulen mit Skepsis aufzunehmen, so steht doch außer Zweifel, daß Janković schon gegen Ende des Jahres 1782 die ersten Normallehranstalten einrichtete. Die zwanzig Kandidaten hatte er tatsächlich gleich nach seiner Ankunft in Petersburg zu unterweisen begonnen. Doch das war nur ein Provisorium; es galt, eine feste Lehrerbildungsanstalt zu schaffen, die zum Ausgangspunkt der angestrebten Volksaufklärung werden sollte.

Staatsrat Aepinus schrieb am 22. Juni 1783 in einem Brief, der von Bacmeister veröffentlicht wurde[48]: „Seitdem Hr. Jankowitsch angekommen und die Schulcommission ernannt worden, haben wir uns mit alle dem beschäftigt, was zur Gründung der ersten Normal-Schule, die von Ihro Kaiserlichen Majestät Absicht, die Mutter vieler 1000 anderer in Rußland werden soll, nöthig ist ... Schon vor 3 Jahren hatten Ihro Kaiserliche Majestät in Petersburg 7 öffentliche kleine Trivial Schulen errichten lassen. Da wir eine zureichende Zahl von Leuten ausgefunden, so zu Lehrern in denselben, auf den Normalischen Fuß, vorbereitet werden konnten; hat sich Hr. J ... bemüht, sie in den Methoden zu üben und sie geschickt zu machen nützliche Lehrer dieser Schulen abzugeben ... Unterdeß gehen wir immer auf dem geraden Wege fort, zur Errichtung einer guten, ihrem Endzweck Genüge leistenden, Mutterschule ... zu gelangen".

Janković wies zu wiederholten Malen die Schuleinrichtungskommission auf die Notwendigkeit einer Lehrerbildungsanstalt hin, bis diese bei der Zarin vorstellig wurde. In den Satzungen der Kommission vom 23. Mai 1783 hieß es, daß eine solche Anstalt zum Maßstab aller anderen Schulen werden müsse, ihre Hauptaufgabe aber die Ausbildung geeigneter Schulmeister für die neuen Schulen sein solle.[49] Am 1. Juli 1783 legte Janković der Kommission einen Entwurf für die Organisation der Anstalt vor, worin er vor allem eine Anleitung zur Unterrichtsgestaltung in der dritten und vierten Klasse ausgearbeitet hatte. Die Kommission billigte den Entwurf.[50] Aus einem Petersburger Priesterseminar wählte man 16 Kandidaten, denen noch 20 Zöglinge der Moskauer slawisch-griechisch-lateinischen Akademie und je zehn Kandidaten aus den Priesterseminaren in Smolensk und Kazan folgten. Diese jungen Leute sollten der Grundstock der neuen Lehrerbildungsanstalt sein. Zur Erhaltung der Schule und ihrer Zöglinge wurden 10.000 Rubel bereitgestellt[51], worauf am 13. Dezember 1783 die offizielle Gründungsfeier stattfand. Die Anstalt wurde in Petersburg errichtet und erhielt die Bezeichnung „Hauptnationalschule“[52] („Glavnoe narodnoe učilišče“). Erster Direktor der Anstalt und Leiter aller Schulen des Petersburger Gouvernements wurde Theodor Janković.[53]

Er war bestrebt, in dieser ersten Lehrerbildungsanstalt Rußlands[54] ein neues und ungewöhnliches Regime einzuführen. Von den Professoren verlangte er echte Zuneigung zu ihrem Beruf, den sie mit Pflicht und Hingabe zu erfüllen hatten. Von jedem Lehrer forderte er Liebe zum Schüler, der nur durch gütige Hinweise auf die Nützlichkeit der Lehre angeleitet werden durfte. Janković bemühte sich auch, den Anschauungsunterricht zu fördern. Zu diesem Zwecke beschaffte er die notwendigsten Modelle und Instrumente für den Mathematik- und Physikunterricht. Für Gegenstände wie Mechanik und Architektur wurden Modelle sogar aus dem Ausland herbeigeschafft. Im Naturgeschichtskabinett gab es u. a. zoologische Kollektionen und ein Herbarium. Auch richtete er eine Bibliothek von geographischen, historischen u. a. Büchern ein.

Die siebzig Kandidaten teilte Janković in Lerngruppen („tovariščestva“), bestehend aus jeweils zwanzig Schülern, ein. Der älteste jeder Gruppe hatte die Verantwortung für die Führung seiner Kameraden. Für die Unbotmäßigen unter ihnen legte Janković Strafen fest, die jedoch äußerst selten physischer Natur waren. Bestraft wurden die Schüler etwa durch Ausschluß von den gemeinsamen Spielen, durch die Aufforderung sich zu rechtfertigen usw. Für gröbere Vergehen gab es Einzelhaft bei Brot und Wasser. Körperliche Strafen verbot Janković kategorisch. Er bewies pädagogisches Einfühlungsvermögen, indem er verordnete, daß keine Strafen verhängt werden dürfen, wenn der Lernerfolg wegen mangelnder Intelligenz, zu geringen Gedächtnisvermögens oder geistiger Unfähigkeit ungenügend war. Der Lehrer hatte Rücksicht auf psychische Schwierigkeiten wie Schüchternheit, Zerstreutheit usw. zu nehmen.[55]

Im Hinblick auf die Unterrichtsfächer stufte Janković die Kandidaten nach ihren Fähigkeiten und Begabungen ein. Die besseren wurden für den Unterricht der höheren Klassen in den Hauptschulen, die schwächeren zur Arbeit in den unteren Klassen bestimmt, die ersteren „Mathematiker", die letzteren „Historiker" genannt. Die „Mathematiker" sollten vor allem Arithmetik, Geometrie, Mechanik, Physik und Architektur, die „Historiker" dagegen Geschichte, Geographie, Sprachen und Naturkunde vortragen. Alle mußten während ihrer Ausbildung praktischen Unterricht erteilen. Janković verlangte auch von ihnen, daß sie in der Akademie der Wissenschaften öffentliche Vorträge über Mathematik, Naturgeschichte, Chemie usw. hörten.[56]

Seinem Lehrerseminar kommt auch das Verdienst zu, zum ersten Mal in der Geschichte des russischen Schulwesens und der russischen Pädagogik eine pädagogische Zeitschrift herausgegeben zu haben. Sie begann am 1. April 1784 zu erscheinen und trug den Titel „Rastuščij vertograd" („Der wachsende Garten"). Der Inhalt war pädagogisch belehrenden und kulturhistorischen Charakters. Der erste Redakteur der Zeitschrift war der Professor für russische Sprache E. B. Syrejščikov; auf ihn folgte der Professor der Naturgeschichte V. F. Zuev.[57]

Janković war sowohl den Schülern als auch den Lehrern der Anstalt gegenüber sehr streng. Da er selbst fleißig und pflichtbewußt war, duldete er keinen Müßiggang und keine Unordnung. Wer gegen die Hausregeln verstieß, mußte mit einer Strafe rechnen. So wurde z. B. im Jahre 1784 der Lehrer für Geschichte, Geographie und russische Sprache Beljaev seines Postens enthoben, weil er einige Lehrstunden unentschuldigt versäumt hatte. Im folgenden Jahr hatte der schon erwähnte Syrejščikov wegen Trunkenheit im Dienste dasselbe

Schicksal. Er erhielt zwar die Stelle eines Übersetzers bei der Schuleinrichtungskommission, das Lehramt wurde ihm aber für alle Zeiten aberkannt.[58]

Mit dem dreisten Wesen seiner Schüler kam Janković nur schwer zurecht. Einmal mußten sogar fünf Kandidaten wegen Ungezogenheiten ihm gegenüber für einen Monat auf Brot und Wasser gesetzt und zur Abschreckung zum Tragen schäbiger Bauernkleidung verurteilt werden.[59] Die Einhaltung der Disziplin machte Janković schwer zu schaffen, besonders weil er noch viele Pflichten außerhalb der Schule zu erfüllen hatte. Er bat daher um vorzeitige Entlassung aus dem Amte eines Leiters der Lehrerbildungsanstalt. Im Mai 1785 wurde die Bitte erfüllt und sein engster Mitarbeiter Osip Petrovič Kozodavlev zu seinem Nachfolger ernannt. Dieser übernahm auch das Schuldirektorat im ganzen Petersburger Gouvernement.[60] Von nun an widmete sich Janković hauptsächlich den Arbeiten der Schuleinrichtungskommission.

Bis 1786 bildete die Lehrerbildungsanstalt eine Einheit mit der Petersburger Hauptnationalschule und war daher nicht nur den Lehramtskandidaten zugänglich, sondern auch anderen Schülern. Darin glich sie der Wiener Normalschule Felbigers. 1786 wurde aber das Petersburger Lehrerseminar zu einer selbständigen Anstalt und diente von nun an allein der Ausbildung von Schulmeistern. Während seines achtzehnjährigen Bestehens (es wurde 1801 geschlossen) gingen aus ihm über 400 Lehrer hervor. Einige der Zöglinge wurden bedeutende russische Pädagogen und Gelehrte wie z. B. Il'ja Fedorovič Jakovkin (geb. 1763), der eine Reihe ausgezeichneter Lehrbücher verfaßte und 1805 zum Ordinarius der Universität Kazan ernannt wurde. „Das ist kein einzelnes Beispiel“, schrieb der bekannte Kulturhistoriker Konstantinov. „Das Seminar des F. I. Janković hat unserer Heimat viele Kulturpersönlichkeiten gegeben. Es hat die Grundlage zu einer ernsten pädagogischen Lehrerausbildung gelegt, verbunden mit einer breiten Allgemeinbildung.“[61]

III

Janković als Begründer des russischen pädagogischen Schrifttums. Ebenso schlecht wie es bis dahin um die russische Elementarbildung bestellt war, stand es auch um jene Bücher, die der Unterweisung der Jugend in den Schulen dienen sollten. Was Janković in Rußland als

Schulliteratur vorfand, hatte kaum den Anspruch auf diese Bezeichnung. Die wenigen der Jugend gewidmeten Bücher waren vornehmlich religiösen Inhaltes, oder es handelte sich, namentlich seit der Gründung der Petersburger Akademie und ihres Gymnasiums, um wissenschaftliche Literatur, die auch zum Unterricht der Gymnasiasten verwendet wurde.

Von den Lehrbüchern der russischen Kirche verdienen nur zwei erwähnt zu werden. 1701 erschien der „Bukvar' slovenskimi, grečeskimi, rimskimi pis'meny učitisja chotjaščim i ljubomudrie v pol'zu dušespasitel'nuju obresti tščaščimsja", eine ABC-Lehre, enthaltend das slawische, griechische und lateinische Alphabet, verfaßt vom Leiter der Moskauer Typographie Fedor Polikarp. Obwohl sich dieses Büchlein einer großen Beliebtheit erfreute, wurde es durch eine neue Fibel verdrängt, die 1720 erschien und bis zur Schulreform Katharinas II. zum populärsten Lehrbuch in den russischen Schulen werden sollte. Sie hatte den Titel: „Pervoe učenie otrokom v nem že bukvy i slogi. To že: kratkoe tolkovanie Zakonnogo Desjatoslovija, Molitvy Gospodnej, Simvola Very i devjati Blaženstv" und war eine ABC-Lehre, enthaltend Buchstaben und Silben nebst einer kurzen Erklärung der zehn Gebote, der Gebete, des Glaubenssymbols und der neun Seligkeiten von Feofan Prokopovič[62], einem der wichtigsten Mitarbeiter Peters des Großen. Bereits 1725 erlebte dieses Buch seine zwölfte Auflage.[63]

Das einzige vor der Ära Janković erschienene Buch, das als echtes Schulbuch angesehen werden kann, war die 1703 gedruckte „Arithmetik" von Leontij Magnickij, die sich über ein halbes Jahrhundert in den russischen Lehranstalten behaupten konnte. Im übrigen aber bildeten die beiden Kirchenbücher „Časoslov" („Horologium") und „Psalter" den wichtigsten Lehrstoff.

Von den Büchern, die nach der Gründung des akademischen Gymnasiums (1725) in dieser Anstalt benutzt wurden, sollen hier nur die 1738 in deutscher Sprache erschienene und erst 1750 ins Russische übersetzte „Anleitung zur Arithmetik" des berühmten Mathematikers Leonhard Euler sowie zwei Lehrbücher — eines für mathematische Geographie und ein anderes für Geometrie — von Georg W. Krafft erwähnt werden. Krafft war Mitglied der Russischen Akademie der Wissenschaften und Inspektor des Akademiegymnasiums von 1738 bis 1743[64].

Zu erinnern ist noch an den ersten Versuch, eine in russischer Sprache verfaßte didaktisch-methodische Anleitung für Lehrer herauszugeben. Es war der 1771 erschienene „Sposob učenija podgotovljajuščegosja k universitetu“ des Moskauer Universitätskurators I. I. Melissino. Das Buch war in vier Sprachen (Russisch, Lateinisch, Deutsch, Französisch) abgefaßt, hatte aber für die Geschichte der russischen Pädagogik keine Bedeutung[65].

Unter diesen Voraussetzungen blieb es Janković vorbehalten, die Grundlagen des russischen pädagogischen Schrifttums zu schaffen. Die Zahl der Schulbücher, die unter seiner Redaktion oder von ihm selbst geschrieben wurden, und ihr Erfolg lassen mit Recht die Feststellung zu, daß er als Begründer der russischen Pädagogik im weitesten Sinne des Wortes zu gelten habe. Innerhalb der ersten fünf Jahre nach seiner Ankunft wurden über zwanzig Schulbücher herausgegeben, und bis zur Jahrhundertwende wuchs diese Zahl auf über dreißig an. Fast die Hälfte davon hatte Janković zum Autor. Die übrigen Bücher verfaßten seine Mitarbeiter, doch gab es wohl keines, an dem er nicht in irgendeiner Weise mitgearbeitet hätte: Er legte die methodisch-didaktischen Grundsätze fest, nach denen sie geschrieben werden sollten, fertigte die nach der Normalmethode vorgesehenen Tabellen an, korrigierte die Manuskripte und verfaßte die Einleitungen.

Geeignete Mitarbeiter zu finden, war für Janković nicht einfach, da es in Rußland keine Kenner des österreichischen Schulwesens und der Normalmethode gab und es überhaupt an Pädagogen fehlte, wenn man von den wenigen Fachleuten (wie z. B. Beckij) absieht. Dennoch gelang es Janković, einige fähige Männer um sich zu sammeln. Es ist bemerkenswert, daß er dabei Russen bevorzugte, von denen die wichtigsten hier genannt werden sollen. Sein nächster Mitarbeiter war der Mitverfasser der ersten russischen Methodiklehre Kovalevskij[66]. Dazu kam der Lehrer des akademischen Gymnasiums Vasilij Prokof'evič Svetlov, der eine ganze Reihe von Tabellen aus den österreichischen Schulbüchern übersetzte, ferner der bereits erwähnte Kozodavlev und der Lehrer Syrejščikov. Zu erwähnen sind noch der Inspektor der Volksschulen Strugovščikov, dann Vasilij Fedorovič Zuev, Professor der Moskauer Universität, Anton Alekseevič Barsov, gleichfalls Professor in Moskau, und Michail E. Golovin, Adjunkt der Akademie und Professor am Lehrerseminar. Eine große

Stütze für Janković war die Akademie der Wissenschaften, die, ebenso wie die Moskauer Universität, viel zur Entstehung der neuen Schulliteratur beitrug.

Um ein Bild der Leistung von Janković und seiner Mitarbeiter für das pädagogische Schrifttum in Rußland zu entwerfen, folgt nun eine Liste von Werken, die zwischen 1782 und 1802 erschienen sind[67].

1. „Tablicy azbučnye i dlja skladov cerkovnoj i graždanskoj pečaty." St. Petersburg 1782, von Theodor Janković.

Schon in der ersten Sitzung der Schuleinrichtungskommission hatte Janković den Entwurf dieses ABC-Büchleins vorgelegt, worüber er am 16. Oktober 1782 auch dem ungarischen Hofkanzler Esterházy berichtete. Die Kommission billigte den Entwurf und legte ihn der Zarin zur Freigabe vor[68]. Der Titel des Büchleins, die Schnelligkeit, mit der Janković es verfaßte, deuten u. a. darauf hin, daß es sich hier um die russische Variante des „Serbisch-rumänischen ABC-Täfleins" handelt, das Janković im Banat 1777 als Auszug aus seinem „Handbuch für die serbischen Lehrer" verfaßt hatte. Bestärkt wird diese Annahme durch die Tatsache, daß Janković hier die gleiche Methode des ABC-Unterrichts anwendet. Er führt in die russischen Schulen die „bürgerliche Schrift" (graždanka) Peters I. ein, wobei die Schriftzeichen nicht in alphabetischer Reihenfolge, sondern nach dem Grade ihrer Ähnlichkeit in vier Klassen geordnet erscheinen[69].

2. „Rossijskij bukvar dlja obučenija junošestva čteniju, izdannyj pri učreždenii narodnych učilišč v Rossijskoj imperii, po Vysočajšemu povelěniju carstvujuščija Imperatricy Ekateriny vtoryja." St. Petersburg 1782 (19. Auflage 1822), von Theodor Janković. Preis: 6 Kopeken, 36 Seiten.

Das Buch enthält[70] 1. Schriftmuster für verschiedene Arten von Buchstaben (kyrillische, große, kleine und Kursivbuchstaben), 2. Silbenkombinationen, 3. einzelne Wörter und Abkürzungen, 4. weitere Einzelwörter, 5. vier Alltagsgebete, 6. einige kurze Moralgeschichten und Beispiele für die Silbentrennung, 7. einige kurze Erzählungen als Schriftmuster, 8. die Zahlen 1 — 9, 20 — 100 usw., Kirchenzahlen, arabische und römische Zahlen, 9. das kleine Einmaleins.

Schon diese Inhaltsangabe genügt, um in diesem Büchlein, das sich vierzig Jahre lang in neunzehn Auflagen behaupten konnte, die russische Variante des „Serbisch-rumänischen Namenbüchleins" von Janković aus dem Jahre 1777 zu erkennen. Die Abweichungen sind nur gering und lokal bedingt.

3. „Rukovodstvo k čistopisaniju dlja junošestva v narodnych učiliščach Rossijskoj imperii, izdannoe po Vysočajšemu povelěniju carstvujuščija Imperatricy Ekateriny vtoryja." St. Petersburg 1782 (10. Auflage 1812), von Theodor Janković. Preis: 5 Kopeken, 16 Seiten.

Dieses Buch verfaßte Janković, nachdem er eine von der Akademie der Wissenschaften entworfene Kalligraphie als unbrauchbar abgelehnt hatte. Es zählte zu den besten Schulbüchern der Epoche und wurde von D. A. Tolstoj noch 1886 als geeignet für den Unterricht in den Schulen seiner Zeit angesehen[71]. Es hat fünf Teile[72]: 1. Beschreibung der Stellung des Körpers, der Haltung der Hände und der Feder beim Schreiben, 2. über den Nutzen und die Entstehung der Buchstaben, 3. über die Größe der Buchstaben, 4. über die Reinlichkeit und Geschwindigkeit beim Schreiben, 5. vom Zuschneiden der Feder und der Zubereitung der Tinte.

Die Vorlagen dieses Buches sind zweifellos österreichische Anleitungen zum Schönschreiben, in erster Linie die beiden Kalligraphien des Serben Zacharias Orfelin, sowie jener Teil des „Handbuchs für die serbischen Lehrer" von Janković, der dem Schreibunterricht gewidmet war.

4. „Sokraščennij katechizis dlja obučenija junošestva pravoslavnomu zakonu christianskomu, izdannyj pri učreždenii narodnych učilišč v Rossijskoj imperii v carstvovanie blagočestivějšej gosudaryni Imperatricy Ekateriny II". St. Petersburg 1782, von Theodor Janković. Preis: 10 Kopeken, 50 Seiten.

Dieses Büchlein, gebilligt durch den Erzbischof von Novgorod, war nicht in der herkömmlichen Frage-Antwort-Form abgefaßt, sondern in fortlaufendem Text[73]. In der Einleitung wird eine Definition für den Begriff Katechismus gegeben: „Katechismus ist ein kurz gefaßter Unterricht, wie man Gott erkennen und sich seinen Geboten gemäß verhalten könne. Hiezu führet uns die Natur selbst und die göttliche Offenbarung." Daran schließt sich 1. der Gottesbeweis aus der Existenz der Welt heraus, 2. über das Wesen Gottes, 3. von der Gottesverehrung (bis hierher reicht der erste Teil), 4. vom evangelischen Glaubensbekenntnis, 5. über die Zehn Gebote, 6. Gebet zu Gott.

Rückschlüsse auf die Vorlage dieses Buches sind schwierig. Es könnte ein Auszug aus dem serbischen Synodalkatechismus sein, aber auch eine Bearbeitung älterer russischer Texte, etwa des Mogilin-Katechismus. Einiges scheint darauf hinzudeuten, daß Janković sich einer deutschen Vorlage, vielleicht des katholischen Katechismus von Felbiger, bedient habe. Die deutsche protestantische Gemeinde in Petersburg protestierte nämlich heftig im Jahre 1786 gegen die Absicht der Schuleinrichtungskommission, die den Janković-Katechismus auch in den deutschen Schulen Rußlands einführen wollte, vor allem, weil dieser von einem Katholiken, für den man Janković hielt, verfaßt worden sei[74]. Für eine deutsche Vorlage würde auch sprechen, daß in der Arbeitsanweisung für die Petersburger Schuleinrichtungskommission von der Prüfung österreichischer, d. h. katholischer Religionsbücher die Rede ist.

5. „Pravila dlja učaščichsja v narodnych učiliščach, izdannyja po Vysočajšemu povelěniju carstvujuščija Imperatricy Ekateriny vtoryja." St. Petersburg 1782, von Theodor Janković. Preis: 4 Kopeken, 24 Seiten.

Der Inhalt ist in drei Teile gegliedert[75]: 1. Wie die Schüler sich zu betragen haben a. vor Gott und b. in der Kirche, 2. wie sie sich zu betragen haben a. auf dem Schulweg, b. in der Schule (gegenüber den Lehrern, Mitschülern und fremden Schulbesuchern) und c. auf dem Heimweg, 3. wie sie sich im Alltag verhalten sollen.

Diese Schülergesetze haben sich in den russischen Schulen bis ins folgende Jahrhundert hinein erhalten. Janković forderte vom Schüler, er solle sich allmorgendlich vor dem Schulbesuch Hände und Gesicht waschen, das Haar kämmen und, wenn nötig, die Nägel schneiden. Nach einem Gebet und nachdem er alles Erforderliche für den Unterricht vorbereitet habe, solle er sich pünktlich auf den Weg machen. Wenn vor Beginn des Unterrichts der Lehrer die Schüler namentlich aufrufe, habe sich der Genannte sofort zu erheben und mit „hier" zu melden. Der Schüler müsse ohne Widerspruch und ohne Säumnis jeden Auftrag des Schulmeisters erfüllen. Wenn er auf eine Frage keine Antwort wisse, habe sich ein anderer, der sie kennt, durch Aufheben der linken Hand zu melden. Es dürfe aber niemand sprechen, bevor er nicht die Erlaubnis dazu erhalten habe.

Verehrung und Gehorsam gegenüber dem Lehrer sei die Grundlage der Erziehung, schrieb Janković, denn wer schon in seiner Jugend dem Schulmeister nicht gehorchen könne, der werde sich auch als Erwachsener in der Subordination schwer tun. Beende der Schüler die Schule, so habe er in Gegenwart seiner Eltern dem Schulmeister für seine Mühe zu danken und ein Zeugnis zu erbitten. Gegenüber den Klassenkameraden habe er sich freundlich und entgegenkommend zu verhalten. Die Schüler sollten sich nicht zanken, gegenseitig verhöhnen und prügeln. Besonders verwerflich sei es, Mitschüler wegen ihrer körperlichen Gebrechen zu verspotten, oder zuhause darüber zu sprechen. Man solle sie in brüderlicher Liebe behandeln.

Nach Unterrichtsschluß sollten die Schüler geschlossen paarweise die Schule verlassen, wobei jede Unart zu vermeiden sei. Auf der Straße dürften sie nicht spielen und lärmen, sondern müßten den kürzesten Weg nach Hause wählen. Die Entgegenkommenden seien zu grüßen, den Eltern zu Hause die Hände zu küssen. Nicht nur in der Kirche und in der Schule müsse man sich wohlgesittet aufführen, sondern auch daheim und an jedem anderen Orte. Die Kinder hätten sich ohne Widerrede den Anordnungen der Eltern und Vorgesetzten zu fügen. Nicht gestattet ist es ihnen, sich vor älteren Personen zu Tisch zu setzen. Man müsse höflich sprechen, sich des Weines und jeden anderen alkoholischen Getränks enthalten. Wenn der Schüler schlafen gehe, müsse er beten, den Eltern eine gute Nacht wünschen und seine Kleider geordnet weglegen. Stets solle er üble Gesellschaft und liederliches Gerede meiden sowie seine Pflicht erfüllen. Zu spielen sei erlaubt, doch immer unter Bedacht, keinen Ärger zu bereiten.

Diese Inhaltsangabe läßt die Quellen erkennen, deren sich Janković bei der Abfassung des Büchleins bediente. Es waren einerseits das erste Hauptstück des Anhangs des „Handbuches für die serbischen Lehrer" und andererseits die von Janković 1777/78 ins Serbische und Rumänische übersetzten Schülergesetze Felbigers.

6. „Prostrannyj katechizis s dokazatel'stvami iz svjaščennago pisanija." St. Petersburg 1783, von Theodor Janković.

Der Unterschied zwischen diesem und dem in Punkt 4 erwähnten Katechismus besteht darin, daß jener für Schüler, dieser für Lehrer bestimmt ist. Dieser erweiterte Katechismus enthält nämlich Erklärungen einzelner Dogmen sowie eine Zusammenfassung der in Punkt 8 geschilderten biblischen Geschichte. Er war für den Gebrauch beim Unterricht in den beiden höheren Klassen der Volksschule gedacht[76].

7. „Rukovodstvo učiteljam pervago i vtorago klassa narodnych učilišč Rossijskoj imperii, izdannoe po Vysočajšemu povelěniju carstvujuščija Imperatricy Ekateriny vtoryja." St. Petersburg 1783, von Theodor Janković und seinem Mitarbeiter Kovalevskij. Preis: 20 Kopeken. Das Buch hatte 114 Seiten, die Tabellen für den Lehrer 34 Seiten.

Der Inhalt[77] ist in vier Teile gegliedert: 1. über die Normalmethode (Erklärung des Zusammenunterrichtens, des Zusammenlesens, der Buchstaben- und Tabellenmethode, des Abfragens und des Unterrichts ohne Bücher), 2. über die Unterrichtsgegenstände, 3. über das Amt und die Eigenschaften eines Lehrers, 4. über die Schulordnung (Instruktionen für die Lehrer, Schulzucht, Stundenpläne, Schulvisitation, öffentliche Prüfungen). Jedes Kapitel dieser vier Abschnitte verfügt über tabellarisch angeordnete Unterabteilungen. Angeschlossen sind vier Tabellen über a. Kenntnis der Buchstaben, b. Silben, c. Lesen und d. Rechtschreiben; ferner ein Verzeichnis ähnlich lautender und leicht zu verwechselnder Wörter sowie zwei Gebete zum Anfang und Abschluß des Unterrichts. Im Anhang befinden sich zwei Stundenpläne in Tabellenform und ein Muster für Bewertungszeugnisse bei den öffentlichen Prüfungen.

Die Vorlage für diese erste russische Methodenlehre war wieder das „Handbuch für die serbischen Lehrer" von Janković. Diese russische Variante tritt uns freilich in einer modifizierten Form entgegen, ohne jedoch entscheidende Abweichungen aufzuweisen. Die einzige interessante Neuerung besteht darin, daß Janković nicht mehr die alten Buchstabennamen des kyrillischen Alphabets benutzt, sondern als erster die Aussprache der Buchstaben in Verbindung mit einem Vokal (i ge pe en ...) einführt.

8. „Kratkaja svjaščennaja istorija Vetchago i Novago Zavěta, izdannaja dlja narodnych učilišč Rossijskoj imperii, po Vysočajšemu povelěniju carstvujuščija Imperatricy Ekateriny vtoryja." St. Petersburg 1783, von Theodor Janković, gedruckt mit Genehmigung des Novgoroder Metropoliten.

Eine Beschreibung dieses Buches gibt es nicht. Es ist möglich, ja sogar wahrscheinlich, daß Janković auch hier auf österreichische (katholische) Vorlagen zurückgriff, denn das Buch erschien kaum ein Jahr nach seiner Ankunft in Petersburg.

9. „O dolžnostjach čelověka i graždanina. Kniga k čteniju opredělennaja v narodnych učiliščach, izdannaja po Vysočajšemu povelěniju carstvujuščija Imperatricy Ekateriny vtoryja." St. Petersburg 1783, von Theodor Janković.

Dieses Buch erschien in zwei Varianten. Die eine war für die Lehrer bestimmt und enthielt die zum Lesebuch gehörenden Prüfungsfragen (Preis: 45 Kopeken, 250 Seiten), die andere war für die Schüler bestimmt, enthielt keine Prüfungsaufgaben, war aber sonst mit der ersten Ausgabe identisch (Preis: 25 Kopeken, 180 Seiten)[78]. In der Einleitung heißt es, nur ein zufriedener, gewissenhafter und vernünftiger Mensch könne glücklich sein. Um die Glückseligkeit zu erlangen, müsse man a. die Seele mit der Tugend vereinigen, b. für den eigenen Körper sorgen, c. die gesellschaftlichen Pflichten erfüllen und d. die Regeln guter Haushaltungskunst beherrschen.

An die Einleitung schließen sich vier Teile: 1. wie man die eigene Seele bilden kann (über die menschlichen Tugenden, über die Pflichten gegenüber Gott, über die Pflichten gegenüber den Mitmenschen und sich selbst), 2. über die Sorge um den eigenen Körper (also über die Gesundheit und den Wohlstand), 3. über die gesellschaftlichen Pflichten (Allgemeines, Pflichten in der Ehe, Beziehungen zwischen Eltern und Kindern, zwischen Herren und Dienern, über die bürgerlichen Bindungen), 4. über die Hauswirtschaft (was Hauswirtschaft überhaupt ist, was zu einer guten Hauswirtschaft gehört, Fehler, die man in der Hauswirtschaft begehen kann, und gute Ratschläge an die Hauswirte). Angeschlossen ist eine Tabelle, verfaßt nach der Buchstabenmethode. Auch die Vorlage dieses Buches ist unverkennbar, nämlich die „Anleitung zur Rechtschaffenheit" von J. I. Felbiger.

10. „Izjasnenyja voskresnych i prazdničnych evangelij, dlja upotreblenija v narodnych učiliščach Rossijskoj imperii, izdannyja po Vysočajšemu povelěniju carstvujuščija Imperatricy Ekateriny vtoryja." St. Petersburg 1784. Der Verfasser ist unbekannt, höchst wahrscheinlich war es aber Janković, da er allein für die Abfassung der Religionsbücher verantwortlich war. Auch dieses Buch hat wie die oben genannte Biblische Geschichte seine Parallele in österreichischen Schulbüchern, doch kann das nicht nachgewiesen werden, weil eine genaue Inhaltsbeschreibung fehlt.

11. „Vsemirnaja Istorija." St. Petersburg 1784. Der Autor und der Inhalt sind unbekannt.

12. „Sokraščennaja russkaja istorija." St. Petersburg 1784. Der Autor und der Inhalt sind unbekannt.

13. „Rukovodstvo k arifmetikě, dlja upotreblěnija v narodnych učiliščach Rossijskoj imperii, izdannoje po Vysočajšemu povelěniju carstvujuščija Imperatricy Ekateriny vtoryja." 1. Teil St. Petersburg 1783, 2. Teil St. Petersburg 1784, von Theodor Janković. Preis: 15 Kopeken, 102 Seiten[79].
In der Einleitung gibt Janković Definitionen für die Begriffe Zahl, Einheit usw., desgleichen die allgemeine Zahlenlehre. Die drei Kapitel behandeln 1. die vier Grundrechnungsarten (mit praktischen Beispielen), 2. alles über die „genannten Zahlen" (Münzen, Maße und Gewichte) und wie man diese in kleinere und größere Einheiten umwandelt, 3. die Erklärung und Bedeutung der mathematischen Zeichen sowie die Regeldetri. Angeschlossen ist eine Buchstabentabelle.
Dieses Lehrbuch der Mathematik hatte seine Entsprechung in der „Anleitung zur Rechenkunst" für die serbische Jugend von Athanasius Sekereš.

14. „Rukovodstvo k mechanikě." St. Petersburg 1786. Autor und Inhalt sind nicht bekannt.

15. „Načertanie estestvennoj istorii, izdannoe dlja narodnych učilišč." St. Petersburg 1786, von V. F. Zuev. Der Inhalt ist unbekannt.

16. „Kratkoe zemleopisanie Rossijskago gosudarstva, izdannoe dlja narodnych učilišč Rossijskoj imperii, po Vysočajšemu povelěniju carstvujuščija Imperatricy Ekateriny vtoryja." St. Petersburg 1787, von Theodor Janković. Dieses Buch wurde auf Grund der „Prostrannoe zemleopisanie ..." von Hackmann (vgl. Nr. 17) verfaßt.

17. „Prostrannoe zemleopisanie Rossijskago gosudarstva." St. Petersburg 1787, von Johann Friedrich Hackmann.[80]

18. „Kratkoe rukovodstvo k matematičeskoj geografii i k poznaniju nebesnogo šara." St. Petersburg 1787. Autor und Inhalt sind unbekannt.

19. „Kratkoe rukovodstvo k geometrii." St. Petersburg 1787, von Golovin.

20. „Kratkoe rukovodstvo k fizikě." St. Petersburg 1787, von Tolmačev und Zubkov, Studenten des Petersburger Lehrerseminars.

21. „Vsemirnaja istorija, izdannaja dlja narodnych učilišč Rossijskoj imperii." St. Petersburg 1787—1800.
Dieses Buch soll eine Übersetzung eines Werkes des Historikers Johann Matthias Schröckh sein (Hilmar Curas: Einleitung der Universalhistorie zum Gebrauch bei dem ersten Unterrichte der Jugend, ganz neu umgearbeitet ... von J. M. Schröckh. Berlin und Stettin 1774, dritte Auflage 1777).

1782 hatte Janković bei der Schuleinrichtungskommission die Übersetzung beantragt, ob sie auch von ihm stammt, ist ungewiß.

22. „Kratkaja rossijskaja grammatika." St. Petersburg 1787 (5. Auflage 1805) von Evgenij Syrejščikov.

23. „Zrěliščе vselennyja na latinskom, rossijskom i německom jazykach, izdannoe dlja narodnych učilišč Rossijskoj imperii, po Vysočajšemu povelěniju carstvujuščija Imperatricy Ekateriny vtoryja." St. Petersburg 1788, von Theodor Janković.

Das Werk ist in zwei Ausgaben vorhanden, die beide von Janković stammen. Die eine hier zitierte war in lateinischer, russischer und deutscher Sprache abgefaßt, die andere in deutscher, russischer und französischer. Es handelt sich dabei um einen Auszug aus dem „Orbis pictus" des Comenius, dessen Werk 300 Absätze umfaßt, von denen Janković 80 für die russischen Schulen auswählte. Die für die Jugend zu abstrakt oder unzulänglich behandelten Kapitel ließ er fort. Janković bediente sich allerdings nicht des lateinischen Originals sondern einer russischen Vorlage aus dem Jahr 1768, die der Rektor der Moskauer Universität Schaden in lateinischer, russischer, deutscher, italienischer und französischer Sprache herausgegeben hatte.

24. „Grečeskij slovar'." St. Petersburg 1787, von Boris Filonov.

25. „Kratkoe rukovodstvo k graždanskoj architekturě." St. Petersburg 1789, von Golovin.

26. „Kratkaja grammatika drevnjago grečeskago jazyka." St. Petersburg 1789. Autor und Inhalt sind unbekannt.

27. „Atlas, izdannyj ko vseobščemu zemleopisaniju, dlja narodnych učilišč." St. Petersburg 1790. Die Verfasser sind unbekannt, wahrscheinlich handelt es sich um ein Autorenkollektiv der Akademie der Wissenschaften.

28. „Novoe rukovodstvo k fizikě." St. Petersburg 1795, von Giljarovskij.

29. „Vseobščee zemleopisanie, izdannoe dlja narodnych učilišč Rossijskoj imperii, po Vysočajšemu povelěniju carstvujuščija Imperatricy Ekateriny vtoryja." St. Petersburg.

Dieses Buch erschien in zwei Teilen, der erste (1788) war von Johann Friedrich Hackmann verfaßt, der zweite (1795) von Janković. Hackmann behandelte die Geographie Europas, Janković die der übrigen Welt.

30. „Kratkoe razsuždenie o mineralogii voobšče." St. Petersburg 1796, von Terjaev.

31. „Kratkaja rossijskaja istorija, izdannaja v pol'zu narodnych učilišč Rossijskoj imperii." St. Petersburg 1799, von Janković. 191 Seiten.

Es handelt sich um das erste Handbuch der russischen Geschichte, wenn man von der kurzen Chronik Lomonosovs aus dem Jahr 1760 absieht, die nur ein Datengerüst und ein Namensregister lieferte. Das Handbuch von Janković gliedert sich in fünf Teile: 1. alte Geschichte bis zur Gründung des russischen Staates durch Rurik, 2. von der Gründung des Staates bis zur Tatareninvasion (862—1224), 3. von der Invasion der Tataren bis zu ihrer Vertreibung (1224—1462), 4. von der Tatarenvertreibung bis zur Machtergreifung durch das Haus Romanov (1462—1613), 5. von Michail Feodorovič bis 1797. Diese kurze russische Geschichte wurde von August Ludwig Schlözer ins Deutsche übersetzt und erschien 1802 in Göttingen unter dem Titel: „Handbuch der Geschichte des Kaiserthums Rußland, vom Anfang des Staats bis zum Tode Katharina II." Janković verfaßte das Buch nach Quellenmaterial, das Stritter (vgl. Nr. 32) für seine Geschichte des russischen Staates gesammelt hatte.

32. „Istorija rossijskago gosudarstva." St. Petersburg 1800—1802, von Johann Stritter. Die Pläne zu diesem Werk hatte Janković entworfen, doch wurde die Ausführung dann dem Staatsrat Stritter übertragen.[81]

Etwa zwei Monate, nachdem die Schuleinrichtungskommission zu ihrer ersten Sitzung zusammentrat, am 11. November 1782, schrieb Katharina II. an Grimm: „Und das Lesebuch der künftigen Normalschulen wird aus der Alexandrinischen Bibliothek zusammengeflickt, die Naturalhistorie von Professor Pallas; die Mathematik von Professor Aepinus; die russische Historie vom Professor der Historie bei der Akademie, und so flicken wir jetzt die Schulbücher zusammen: großes Vornehmen, welches wie ein Blitz zustande kommen wird, denn alles dieses ist seit dem ersten September auf dem Tapet."[82]

Obgleich diese Bücher in der Folge nicht entstanden, so wurde der hier entwickelte Plan doch ausgeführt. Janković gewann andere Mitarbeiter und vollbrachte gemeinsam mit ihnen ein Werk, das sich sehen lassen konnte. Die Schwierigkeiten waren groß und oft schlichen sich Fehler ein, die jedoch im Verhältnis zu dem Gesamterfolg unbedeutend, ja aus heutiger Sicht vielleicht sogar erheiternd wirken. So berichtet Sava Tekeli, eine bedeutende Persönlichkeit des serbischen Kulturlebens zu Beginn des 19. Jahrhunderts, in seinen Memoiren von seiner ersten Rußlandreise im Jahr 1787, daß ihm Janković eine neu erschienene Karte Rußlands schenken wollte. Nachdem Tekeli das Blatt genau angesehen hatte, sagte er: „Entweder ist die Karte nicht gut vermessen, oder Rußland erstreckt sich nicht über so viele Breitengrade, denn die Verteilung der Meridiane ist so, daß 227 Grade auf die eine Hälfte des Kreises kommen würden, ein Halbkreis hat aber nicht mehr als 180 Grad."

Der verdutzte Janković wollte den Worten Tekelis nicht glauben, bis dieser ein Stück Papier auf die Karte legte und danach die Meridiane zog. Sofort eilte Janković in die Akademie der Wissenschaften, um den Sachverhalt zu klären und kehrte mit der Antwort zurück, daß es die „Projektion so ergeben habe". Er mußte sich aber von Tekeli belehren lassen, daß eine Projektion niemals mehr als 180 Grad auf einem Halbkreis bewirken könne, vielmehr müsse sich die Projektion nach der Gradeinteilung richten.[83]

Janković leistete auf dem Gebiet des Schulwesens und der Pädagogik in Rußland im wahrsten Sinne des Wortes Pionierarbeit. Seine pädagogischen Ideen und sein pädagogisches Schrifttum waren freilich nicht originell. Das meiste brachte er aus der Schule Felbigers mit. Spätestens in Rußland machte er sich auch mit den Lehren des Comenius vertraut, von dem er vor allem die Idee von der Anschaulichkeit des Unterrichts übernahm. Eng verwandt waren seine Vorstellungen mit denen der Philantropinisten, von denen er den Gedanken von der Liebe zum Schüler und Lehrberuf übernahm. Trotz dieser Abhängigkeiten ist Janković der Begründer der russischen Pädagogik und des russischen pädagogischen Schrifttums, und was noch wichtiger ist, er verwirklichte die Aufklärungsideen im Schulwesen.

IV

Janković als Reformer adeliger und anderer Lehranstalten. Die Ausbildung der ersten Lehrer nach der Normalmethode sowie der Druck von Schulbüchern waren die Voraussetzung dafür, daß die Zahl der Elementarschulen in Rußland zwar langsam aber doch deutlich zunahm. Katharina II. schrieb 1784 an Grimm: „Wißt Ihr, oder wißt Ihr nicht, daß nach Gottesgnaden, im Laufe eines Jahres bei uns, in St. Petersburg, zehn Normallehranstalten errichtet worden und daß in diesen mehr als 1000 Schüler seien."[84]

Dieser Erfolg von Janković und der Schuleinrichtungskommission bewog sie, die Reform auch auf alle anderen Lehranstalten des Landes auszudehnen. Schon im März 1783 wurde Janković beauftragt, das Smolnyj-Institut[85] nach den Prinzipien der Felbigerschen Reform (Normalmethode usw.) umzugestalten. „Die Kaiserliche Erziehungssozietät adeliger Jungfrauen" („Imperatorskoe vospitatel'noe obščestvo blagorodnych devic"), bekannt unter der Bezeichnung Smolnyj-Institut, wurde am 5. Mai 1764 gegründet. Seit Peter I. gab es unter dem russischen Adel ein immer stärker werdendes Streben, sich von der moskowitischen Tradition auch im Hinblick auf die gesellschaftliche Stellung der Frau zu lösen und dem Vorbild Westeuropas anzunähern: Auch in dieser Beziehung sollte also dem alten nationalen Prinzip ein neues, weltbürgerliches entgegengesetzt werden.

Peter I. ging mit gutem Beispiel voran und engagierte für seine Töchter deutsche und französische Lehrer; der Adel folgte ihm, und bald waren ausländische Gouvernanten in den großen Bojarenhäusern keine Seltenheit mehr. Schon 1717 trug sich der Zar mit dem Gedanken, eine Erziehungsanstalt für adelige Töchter zu errichten. In diesem Jahr besichtigte er auch das berühmte Saint-Cyr-Internat[86], doch wurde sein Vorhaben erst durch Katharina II. verwirklicht. Auch ihr schwebte diese französische Schule als Muster vor. Da jedoch die innere Organisation dieser Anstalt damals geheim gehalten wurde, wandte sich die Zarin mit der Bitte um die Organisationsstatuten direkt an den französischen Hof. Sie erhielt eine entgegenkommende Antwort, worauf sie I. I. Beckij mit der Gründung einer entsprechenden russischen Erziehungsanstalt beauftragte. Er sollte unter strenger Berücksichtigung des französischen Vorbildes eine Internatsschule ins Leben rufen, in die 200 adelige Mädchen aufgenommen werden konnten.

Vier Altersklassen — für Sechs- bis Neunjährige, Neun- bis Zwölfjährige, Zwölf- bis Fünfzehnjährige und Fünfzehn- bis Achtzehnjährige — wurden gebildet. Seinem Erziehungsgrundsatz entsprechend, daß die Kinder dem elterlichen Einfluß entzogen werden müssen, verbot Beckij den Austritt aus der Schule, bevor ein dreijähriger Kursus beendet sei. Die Mädchen lernten in der ersten Klasse Russisch und fremde Sprachen sowie Arithmetik, in der zweiten Klasse Geographie und Geschichte, in der dritten Klasse Literatur, Architektur und Heraldik. Die vierte Klasse diente praktischen Übungen. So wurden z. B. jüngere Schülerinnen durch die älteren unterrichtet, damit die letzteren sich auf die künftigen Aufgaben einer Mutter vorbereiten konnten. In der Anstalt unterwiesen zwölf Lehrerinnen, deren Mehrzahl aus dem Ausland stammte. Ihre Hauptaufgabe war, die Mädchen an die gesellschaftlichen Umgangsformen und an jede Art von Konversation zu gewöhnen — daher auch der universelle

Charakter des Lehrplans. Zu diesem Zweck dienten die oft veranstalteten Konzerte und Theateraufführungen.

Am 31. Jänner 1765 erhielt das Smolnyj-Institut die sogenannte bürgerliche Abteilung (měščanskoe otdelenie). In sie wurden 240 Mädchen bürgerlicher Herkunft aufgenommen. Die Klasseneinteilung war die gleiche, der Lehrplan jedoch einfacher. Er umfaßte nur Russisch, Fremdsprachen und Arithmetik, wobei das Ausbildungsziel dasselbe blieb.[87]

Im Zuge der Reform des Elementarschulwesens beauftragte Katharina II. die Schuleinrichtungskommission und Janković, die Tätigkeit des Smolnyj-Instituts zu prüfen und nötigenfalls zu reorganisieren. Vor allem wünschte sie, daß auch die Normalmethode eingeführt werde. Die Kommission erarbeitete ein Gutachten, in dem vor allem der in Fremdsprachen (Französisch und Deutsch) gehaltene Unterricht der Lehrer gerügt wurde. Theodor Janković kritisierte auch, daß der Aufstieg von einer in die andere Klasse nicht nach dem Leistungs- und Prüfungsprinzip, sondern mit Erreichen des erforderlichen Alters erfolgte. 1783 entwarf er für das Smolnyj-Institut Reformvorschläge. Nach ihnen sollte an jedem Samstag bei Anwesenheit aller Lehrer und Schüler eine allgemeine Wiederholung des in der abgelaufenen Woche gelernten Stoffes stattfinden. Das sollte nicht durch Abfragen, sondern in Form einer zwanglosen Konversation geschehen. Ein solches Gespräch habe den Vorteil, keine Prüfungsangst zu erzeugen und die Kinder den Zusammenhang der Lehrgegenstände erkennen zu lassen. Ferner sah Janković vor, daß alle Lehrer sich die Normalmethode aneignen sollten. Er entwarf auch ein Lesebuch für das Institut, das die Aufgabe hatte, eine Art Anleitung oder Handbuch für die künftigen Ehefrauen und Mütter zu sein.[88] In drei Abschnitten sollte es die Regeln enthalten 1. für die Beziehungen zum Ehemann, 2. für die Kindererziehung, 3. für die Haushaltungskunst.

Die Vorschläge von Janković wurden angenommen. Innerhalb eines Jahres reorganisierte er das Institut. Von nun an wurde der Unterricht in russischer Sprache und nach russischen Büchern abgehalten, unfähige Lehrer durch qualifizierte ersetzt, d. h. durch solche, die die Normalmethode beherrschten. Janković selbst überwachte diese Reorganisation. Die Verdienste, die er sich dabei erwarb, wurden von Katharina durch den Orden des Hl. Vladimir IV. Klasse belohnt.[89]

Als die Reformarbeit fast abgeschlossen war, bestellte die Schuleinrichtungskommission einen „Inspektor oder Aufseher des Unterrichtes", für den Janković besondere Instruktionen ausarbeitete.[90]

„Ich halte an der Form der Normalschulen fest", schrieb Katharina in einem Brief an Grimm und fügte hinzu, diese Schulen seien im Begriff, in Rußland einen sehr guten Ruf zu gewinnen.[91] Tatsächlich hatten die Erfolge der Reform ein wachsendes Interesse hervorgerufen. So bemühten sich auch solche Lehranstalten, die nicht der direkten staatlichen Kontrolle unterstanden, zuweilen wohl auch unter einem gewissen Druck der Zarin das neue Unterrichtssystem anzunehmen. Am 25. Dezember 1785 wurde ein Synodaldekret erlassen, wonach die Normalmethode in allen Priesterseminaren einzuführen sei. Ebenso sollten in ihnen die gleichen Lehrbücher wie in den Volksschulen verwendet werden.[92]

Unter Peter I. waren in Petersburg und Moskau Artillerie- und Ingenieurschulen entstanden, in denen vor allem Arithmetik, Geometrie, Trigonometrie, Zeichnen, Fortifikation und Artilleriekunde gelehrt wurden. Alle diese Schulen waren kurzlebig, wurden aber in der einen oder anderen Form später wiedererrichtet. Zum Beispiel gründete Münnich 1730 in Petersburg die artilleristische Arithmetikschule. Sein Nachfolger, der Generalfeldzeugmeister Ludwig Wilhelm von Hessen-Homburg, vereinigte diese Anstalt mit der von ihm ins Leben gerufenen Artillerie-Zeichenschule. Diese aber wurde 1756 vom Generalfeldzeugmeister Petr Ivanovič Šuvalov der Ingenieurschule eingegliedert, die er gegründet hatte. Die so entstandene Anstalt, in die 150 Söhne von Adeligen aufgenommen wurden, erhielt 1762 von Katharina II. den Namen „Adeliges Artillerie- und Ingenieur-Kadettenkorps" („Artillerijskij i inženernyj šlachetnyj korpus").

Die Aufnahme in diese Anstalt hing vom Alter, nicht von der Vorbildung der Schüler ab, so daß die Zöglinge nicht selten erst im Lesen und Schreiben unterrichtet werden mußten. Auch der Aufstieg von einer Klasse in die andere war nicht abhängig von der Leistung, sondern nur vom Alter. Großen Wert legte man auf die Ausbildung in Nebensächlichkeiten wie Tanzen, Gesellschaftsspiele usw., so daß der eigentliche Ausbildungszweck nur selten erfüllt wurde. Am 15. Juli 1783 beauftragte die Kaiserin die Schuleinrichtungskommission, ein Gutachten über die Reorganisation des Lehrplanes anzufertigen. Auch diese Aufgabe wurde in allen wichtigen Punkten von Janković gelöst. Auf seine Anregung hin wurden 1784 im „Artillerie- und Ingenieur-Kadettenkorps“ folgende Neuerungen durchgeführt: Für die ersten beiden Jahrgänge war der Lehrstoff der Hauptvolksschulen obligatorisch. Daran schloß sich die Ausbildung im Kriegshandwerk. Dadurch sollte erreicht werden, daß die angehenden jungen Offiziere zunächst ein allgemeines Elementarwissen vermittelt bekamen, auf dem die weitere Ausbildung beruhen konnte. Ferner schlug Janković vor, die Kadetten in drei Altersklassen einzuteilen, von denen die beiden jüngeren Jahrgänge zuerst die zwei Einführungsklassen (Volksschule) besuchen mußten. Nach der Einführung des Elementarschulwesens im ganzen Reich sollten diese Klassen geschlossen werden, die Anwärter für das Kadettenkorps aber hatten den Besuch der öffentlichen Grundschulen nachzuweisen. Dadurch sollte das Kadettenkorps zu einer Fachschule werden. Auch in diesem Gutachten vertrat Janković den Standpunkt, daß der Aufstieg von einer Klasse in die andere nicht nach dem Alter, sondern auf Grund der Leistung erfolgen müsse.

Die Zarin billigte diese Vorschläge am 21. Februar 1784. Die Erwartungen aber wurden nicht erfüllt, weil die Reform des öffentlichen Elementarschulwesens nur langsam voranschritt, so daß vorerst nicht an eine Umwandlung der Anstalt in eine Fachschule gedacht werden konnte. Auch weiterhin mußten zehn- bis zwölfjährige Kinder, die noch nicht lesen und schreiben konnten, als Kadetten aufgenommen werden.[93]

Im Rahmen seiner Tätigkeit bei der Schuleinrichtungskommission wirkte Janković auch an einem Reformentwurf der Zarin zur Reorganisation des „Adeligen Kadettenkorps“ („Šlachetskij kadetskij korpus“) mit, das am 29. Juli 1731 gegründet worden war. Ursprünglich sollte es der Ausbildung von Offizieren für die russische Armee dienen, zugleich aber auch von Zivilbeamten, sofern sich die Zöglinge nicht für den Kriegsdienst eigneten. Durch diese Doppelfunktion verlor aber diese Anstalt die Eigenart einer Fachschule. Der militärische Charakter wurde allmählich aufgegeben, die Zahl der Lehrfächer wuchs an, doch wurden bloß einige davon tatsächlich vorgetragen. 1733 waren nur Religion, Arithmetik und militärische Übung obligatorisch. Russisch, Französisch, Latein, Deutsch, Geometrie, Geschichte und Recht lehrte man, obwohl diese Fächer im Unterrichtsprogramm vorgesehen waren, nach Gutdünken. Im Stundenplan waren auch die sogenannten Künste (Malerei, Kupferstechen usw.)

enthalten. Unter A. P. Sumarokov wurde das Korps sogar zur Wiege des russischen Theaters: Die Kadetten führten Dramen auf und veranstalteten alljährlich „Oden-Wettbewerbe", in denen sie ihre dichterische Begabung auf die Probe stellten. Noch mehr entfernte sich das Korps von seinem ursprünglichen Zweck, als am 7. März 1765 I. I. Beckij seine Leitung übernahm. Als Neuerung führte er ein, daß nur Kinder unter sechs (!) Jahren aufgenommen werden durften. Die Kadetten wurden in fünf Altersklassen aufgeteilt und stiegen ungeachtet ihrer Reife und ihres Lernerfolges nach jeweils drei Jahren in die nächst höhere Klasse auf.

1784 beauftragte Katharina II. die Schuleinrichtungskommission mit der Reorganisation der Anstalt. Unter Mitwirkung von Janković wurden die bestehenden Lehrpläne geprüft. Die Kommission kritisierte vor allem, daß wegen der Fülle von verschiedenen Lehrgegenständen nichts gründlich gelehrt würde. So käme es, daß die Lehrkräfte den Unterricht willkürlich gestalteten. Viele Unterrichtsstunden und -fächer fielen überhaupt aus. Die militärische Ausbildung würde oft erst den Schülern der letzten Altersstufe erteilt. Die Kommission schlug vor, die Zahl der Fächer und Stunden zu verkleinern und die Normalmethode sowie die Lehrbücher der Normalschulen einzuführen.

Es steht nicht fest, wie die Zarin auf die Anregungen der Schuleinrichtungskommission reagierte. Da es sich beim „Adeligen Kadettenkorps" um eine ihrer Lieblingsanstalten handelte, konnte sie sich wohl zu einer derart nüchternen Reform nicht entschließen. Jedenfalls änderte sich weder die Organisation noch der Lehrplan der Schule.[94]

1785 wurde auf Antrag der Schuleinrichtungskommission das 1759 eröffnete Gymnasium von Kazan wieder geschlossen. Rußland besaß damals drei Gymnasien, das Akademiegymnasium in St. Petersburg (gegründet 1725), das Moskauer Universitätsgymnasium (gegr. 1755) und das schon erwähnte Gymnasium zu Kazan. Als dieses eröffnet wurde, hatte es nur 14 Schüler. Unter ihnen war auch der große russische Odendichter G. R. Deržavin, der über den Lehrplan und den Unterricht folgendes schreibt: „Man lehrte uns damals den Glauben ohne Katechismus, Sprachen ohne Grammatik, Arithmetik und Geometrie ohne Beweise, Musik ohne Noten. Bücher, außer geistlichen, wurden fast gar nicht gelesen."

Die Zustände an diesem Gymnasium hatten sich hernach nicht wesentlich gebessert. Deswegen wurde die Schuleinrichtungskommission von Katharina beauftragt, auch an dieser Schule eine Reform durchzuführen. Sie stellte jedoch fest, das Niveau der Anstalt liege unter dem einer Hauptvolksschule, es sei also geraten, das Gymnasium zu schließen und die Schüler in die neue Elementarschule einzuweisen. Die Zarin stimmte diesem Vorschlag zu und veranlaßte 1785 die Schließung der Anstalt.[95]

Im Zuge der Reform des Elementarschulwesens wandte Katharina II. schon 1783 ihre Aufmerksamkeit auch den Schulen der in Rußland ansässigen Deutschen zu. Am 17. September dieses Jahres erließ sie einen Ukas, in dem es u. a. hieß: „Da aber unter den Unserm Scepter unterworfenen Provinzen auch solche sind, deren Einwohner die deutsche Sprache sprechen, so haben Wir für gut befunden, Unsere Fürsorge für die Errichtung öffentlicher Schulen auch über diese Unsere Unterthanen auszubreiten." Es möge daher die in St. Petersburg bestehende protestantische Schule „zur Haupt-Normalschule Unserer die deutsche Sprache sprechenden Unterthanen" werden.

Katharina verlangte, daß in dieser Schule die Normalmethode eingeführt wird. Von hier sei das System der Normalschule auch auf alle übrigen deutschen Lehranstalten des russischen Reichs zu übertragen. Sie befahl allen deutschen Lehrern, sich die neue Lehrart anzueignen. Die alten Klassen der deutschen Schulen durften weitergeführt werden, nach Bedarf seien neue zu errichten.[96]

Die protestantische Schule in St. Petersburg erhielt ein Direktorium, bestehend aus dem Seelsorger der lutherischen St.-Petri-Kirche, aus zwei Predigern derselben, dem Inspektor der Schule und einem gewählten Mitglied der Kirchengemeinde, der die ökonomischen Angelegenheiten regeln sollte. Das Direktorium erhielt seine Weisungen von der Schuleinrichtungskommission, denn die deutschen Schulen durften sich von den russischen hinsichtlich des Lehrstoffes und der Methode nicht unterscheiden. Die Vorstandsmitglieder der Schule mußten sich um Abfassung erforderlicher Lehrbücher kümmern. Zu diesem Zwecke verlangte die Schuleinrichtungskommission, daß die russischen Schulbücher ins Deutsche übersetzt werden. Außerdem sollte in den deutschen Schulen die russische Sprache als obligatorisches Lehrfach eingeführt werden. Für die Beschaffung der Schulbücher stellte die Zarin der deutschen Gemeinde eine einmalige Unterstützung von 3000 Rubeln zur Verfügung; jedes weitere Jahr sollte sie 1800 Rubel erhalten.

Der Versuch, der deutschen Gemeinde die russischen Schulbücher zu oktroyieren, stieß auf heftigen Widerstand. In den nächsten Jahren kam es zwischen dem Direktorium der deutschen Normalschule und der Schuleinrichtungskommission mehrfach zum Streit. 1790 gab es z. B. der Kommission zu verstehen, daß die Deutschen auf allen Gebieten der Wissenschaft über die besten Fachwerke verfügten, sie daher der russischen Vormundschaft in Fragen der Schulliteratur nicht bedürften, die Russen dagegen hätten bisher keine eigene Literatur hervorgebracht, weshalb die Abfassung erforderlicher Schulbücher für sie ebenso unumgänglich sei, wie für die Deutschen überflüssig[97].

Besonders heftig wehrte sich die deutsche Gemeinde gegen die von Theodor Janković verfaßten Religionsbücher, den „Katechismus“ und die „Biblische Geschichte“. Am 20. August 1786 schrieb ein namentlich nicht genannter Korrespondent aus St. Petersburg an Friedrich Nicolai:[98] „Bei den hiesigen deutschen protestantischen Predigern haben seit einiger Zeit zwei Bücher aus der Feder des bekannten Jankovicz nicht wenig Unruhe erregt. Dieser Mann ist ein illyrischer Mönch, welcher aus Wien hierher geschickt worden, um die Normalmethode einzuführen . . . Die beiden Bücher, welche die Unruhe verursachen, sind ein Katechismus und eine Religionsgeschichte, beide für die russische Jugend. Vermutlich haben sie vom ersten schon etwas gehört; man nennt es einen allgemeinen Katechismus, welcher nach einer sehr verbreiteten Sage bei allen im russischen Reich befindlichen christlichen Konfessionen als ein Lehr- und Unterrichtsbuch für die Jugend soll eingeführet werden.“ Es sei möglich, fährt der Verfasser des Briefes fort, daß ein unvoreingenommener und objektiver Mensch ein für alle Christen gültiges, allgemeines Religionslehrbuch entwerfen könnte. Das werde aber nie der Fall sein, wenn eine solche Aufgabe einem Katholiken, wie Janković einer ist (!), übertragen werde. Denn solange er sich nur auf die Dogmen seiner Kirche stütze und alle anderen Gedanken unterdrücke, „. . . so lange ist wohl nicht zu erwarten, daß von [ihm] ein allgemeiner Katechismus, der für die Christen aller Art brauchbar wäre, könnte verfertigt werden. Besonders Protestanten, welche bloß Schrift und Vernunft zur Quelle ihres Glaubens annehmen, müssen eine gerechte Besorgnis äußern, wenn ihnen zugemutet wird, einen von einem Katholiken verfaßten Katechismus als ein Lesebuch in ihren Schulen zu gebrauchen." Wie aus dem Brief des Korrespondenten hervorgeht, bestand die Schuleinrichtungskommission darauf, daß die beiden Bücher von Janković in allen protestantischen Gemeinden und Schulen verteilt würden. Allerdings räumte man den Deutschen das Recht ein, „diejenigen Stellen, welche mit ihrem kirchlichen Lehrsystem nicht übereinstimmen", auszulassen oder zu ändern. Trotz diesem Zugeständnis verweigerten die protestantischen Pastoren die Annahme der Bücher und verlangten die Beibehaltung des lutherischen Katechismus. Sie erkannten die Fähigkeiten von Janković als Schulreformator an, äußerten aber zugleich, daß er in bezug auf die Religion an Männer wie Dietrich, Cramer, Seiler und andere protestantische Theologen nicht herankomme.

Dieser Bedenken wegen schlugen die Mitglieder der protestantischen Schulkommission in St. Petersburg vor, aus dem Janković-Katechismus nur die Einleitung (d. i. den allgemeinen Teil der Lehre von der natürlichen Religion), alles übrige aber aus dem Luther-Katechismus zu übernehmen. Die Biblische Geschichte von Janković lehnten sie zur Gänze ab. Weil in ihr die Gebräuche der katholischen und der orthodoxen Kirche befürwortet würden, liefe sie ihrer Religion allzusehr zuwider.

Die Deutschen stützten sich in ihrem Widerstand vor allem auf die von der Zarin erteilten Privilegien, wonach sie bei der Wahl der Lehrbücher für ihre Schule völlig frei zu entscheiden hätten, und sprachen sogar bei der Zarin deswegen vor.[99] Dennoch dauerten die Streitigkeiten um die russischen Schulbücher in den deutschen Schulen an, man kann aber feststellen, daß sich die deutsche Gemeinde in St. Petersburg sehr erfolgreich wehrte und schließlich doch ihren Standpunkt durchsetzen konnte.

Abschließend ist noch anzumerken, daß Theodor Janković auch das pädagogische Denken Katharinas, die ja selbst philosophische und pädagogische Traktate schrieb, beeinflußte. So hatte sie für den Erzieher der Großfürsten Alexander und Konstantin Unterweisungen verfaßt, die ihre Aufklärungsideen und die Gedanken der Pädagogen und Philosophen, mit denen sie in direkter Verbindung stand, spiegelten. In diesen Unterweisungen machte sie u. a. auch auf den kleinen Katechismus von Janković aufmerksam, den sie als sehr nützlich hinstellte, „denn er ist so abgefaßt, wie für Kinder geeignet sein kann".

Dieses Vertrauen in Janković zeigte sich auch in ihrer 1785 geäußerten Absicht, den Lehrplan des 1759 gegründeten Pagenkorps zu reformieren. Das geschah auf der Grundlage der Normalschullehrart. Zu seinem Leiter wurde das Mitglied der Schuleinrichtungskommission P. V. Zavadovskij ernannt[100].

V

Das Volksschulenstatut von 1786. Janković hatte durch seine erfolgreiche Tätigkeit in Rußland viele Bewunderer gefunden. Besonders beeindruckt zeigte sich das Mitglied der Schuleinrichtungskommission, der Staatsrat Aepinus. In einem Brief an Schlözer nannte er Janković „das Hauptwerkzeug bey diesem Geschäfte", nämlich der Schulreform, und schrieb, er sei ein „Mann von sehr gesunden, richtigen und wohlgeordneten Begriffen; von vieler Erfahrung im Schulwesen; ein Mann, der sein Geschäfte liebt und der endlich, was nicht weniger wesentlich ist, mit allen Personen, so an der Sache Anteil haben, sich in der Denkungsart vereint, daß er Non fumum ex fulgore, sed ex fumo dare lucem, cogitet"[101].

Aber die Fähigkeiten dieses Mannes und die Begeisterung vieler am Reformwerk beteiligten Personen reichten nicht aus. Trotz anfänglicher Erfolge geriet die Schulreform bald in eine Periode der Stagnation. Die Gründe hierfür lagen auf der Hand: Außer dem sehr allgemein gehaltenen Reformentwurf, den Janković aus Österreich mitgebracht hatte, gab es keine Basis für die Organisation des Elementarschulwesens. So waren auch die einzigen konkreten Ergebnisse der ersten vier Jahre die Errichtung einer Lehrerbildungsanstalt und die Begründung der Schulliteratur. Für die Organisation von Volksschulen im ganzen Lande fehlten die gesetzlichen und materiellen Grundlagen. Deswegen nahm auch die Reform in Rußland nicht den geordneten Verlauf wie in Österreich.

Katharina II. beauftragte die Schuleinrichtungskommission mit der Abfassung eines detaillierten Programms für die Ausbreitung des Volksschulsystems über das ganze Land. Janković übernahm diese Aufgabe und legte am 10. Februar 1786 der Kommission das „Statut der Volksschulen" („Ustav narodnych učilišč") zur Begutachtung vor. Diese genehmigte es am 28. Juli[102]. Nachdem es am 5. August desselben Jahres die Zustimmung Katharinas erhalten hatte[103], erlangte es in Rußland eine ähnliche Bedeutung wie die „Allgemeine Schulordnung" in Österreich. Das Statut brachte eine Reihe wichtiger Neuerungen. Es löste sich vom österreichischen Vorbild und berücksichtigte stärker die sozialen Voraussetzungen in Rußland.

Eine rein formale Neuerung war die Umbenennung der Schuleinrichtungskommission in „Hauptschuldirektorium" („Glavnoe učiliščnoe pravlenie"). Es war der Kaiserin unmittelbar unterstellt, behielt aber die alten Funktionen. Auch künftig sollte es die Reform im ganzen Reich überwachen, sich um die Schulgesetzgebung und die Instruktionen für das Schulpersonal kümmern, die Herausgabe der Schulbücher besorgen usw. Die Leitung der Schulen eines Gouvernements übertrug der „Ustav" den betreffenden Gouverneuren, die den Generalgouverneuren verantwortlich waren. Der Gouverneur war das Aufsichtsorgan aller Schulen seines Gouvernements und mußte vor allem dafür sorgen, daß Schulen im ganzen Gouvernement vorhanden sind. Die unmittelbare Kontrolle und Leitung des Unterrichts oblag dem Direktor der Volksschulen, der vom Generalgouverneur zu ernennen war. Der Direktor hatte seinen Sitz im „Amt für die allgemeine Wohlfahrt", wo er die das Lehrwesen betreffenden Angelegenheiten verwaltete und dafür sorgte, daß Mängel behoben und nur ordnungsgemäß geprüfte Lehrkräfte angestellt wurden. Er mußte einmal wöchentlich die Hauptvolksschule des Gouvernements, mindestens einmal im Jahr aber auch die Schulen in den Bezirksstädten visitieren. Jede einzelne Schule bekam einen örtlichen Inspektor („smotritel'"), der vom Gouverneur ernannt wurde und dem die Lehrer allmonatlich Bericht erstatten mußten. Der Inspektor aber hatte dem Volksschuldirektor zu berichten[104].

Die wichtigste Neuerung im Volksschulenstatut von 1786 war die Beschränkung auf nur zwei Schultypen. Die in seinem Reformentwurf von 1782 vorgesehenen mittleren Lehranstalten (srednie učilišča) übernahmen nach dem „Ustav" von 1786 sowohl die Bezeichnung als auch die Funktion der „kleinen Schulen". Demnach sollte es von nun an nur noch zwei Arten der Grundschule geben (1. Hauptvolksschule und 2. kleine Schule), die einen in den Zentren der Gouvernements, die anderen in den Zentren einzelner Bezirke.

Durch diese Entscheidung wurde die Landbevölkerung, also die Masse des russischen Volkes, von der Schulreform ausgeschlossen, denn die Dorfschule hatte keine gesetzliche Grundlage mehr. Es wurde zwar laut „Ustav" allen Untertanen des Russischen Reiches ohne Unterschied des Standes freigestellt, ihre Kinder in die Bezirksschulen zu schicken, doch entsprach das nicht den gesellschaftlichen Gegebenheiten. Weder bestand in breiten Schichten des russischen Volkes damals ein ausgesprochenes Bildungsbedürfnis, noch fühlte sich der Landadel verpflichtet, die Bildung der Leibeigenen zu fördern. Deswegen dürfte sich auch Janković entschlossen haben, den Gedanken einer allgemeinen Volksaufklärung fürs erste auf die Städte und die größeren Ortschaften zu beschränken. Der „Ustav" sah keinen obligatorischen Unterricht vor, wie er in Österreich nahezu lückenlos eingeführt wurde. Rußland erhielt nicht die Schulpflicht.

Der Lehrplan nach dem Volksschulenstatut sah vor, daß die Hauptvolksschulen vierklassig (die vierte Klasse zweijährig), die kleinen Schulen aber zweiklassig sein sollten. Der Unterrichtsstoff der kleinen Schulen entsprach jenem der beiden ersten Klassen der Hauptschulen. Demnach sollte in den russischen Schulen folgender Lehrstoff vorgetragen werden:

1. Klasse: das ABC, Lesen, Schreiben, kleiner Katechismus, Biblische Geschichte und Zahlenlehre.

2. Klasse: Religions- und Sittenlehre, das Buch von den Pflichten des Menschen und des Staatsbürgers, Einführung in die Arithmetik, Grammatik der russischen Sprache, Schreibübungen, Kalligraphie und Zeichnen.

3. Klasse: Evangelium, der große Katechismus, zweiter Teil der Arithmetik, Einführung in die Universalgeschichte, Geographie Rußlands, russische Grammatik und Orthographie, Zeichnen.

4. Klasse: Wiederholung der russischen Grammatik aus der dritten Klasse, Alltagsaufsätze (Briefe usw.), russische Geschichte, allgemeine und mathematische Geographie, Geometrie, Mechanik, Physik, Naturgeschichte und Architektur.

Wer die Absicht hatte, von der Hauptvolksschule in ein Gymnasium überzugehen, mußte zusätzlich die lateinische und eine lebende Fremdsprache lernen. Die vier Klassen der Hauptvolksschulen hatten insgesamt 120 Wochenstunden (davon 12 für Latein und 18 für die Fremdsprache), die kleinen Schulen 54 Wochenstunden[105].

Im Zusammenhang mit den Lehrplänen ist noch jene Verfügung der Zarin erwähnenswert, wonach die französische Sprache als eine „gefährliche Sprache des Freidenkertums" aus den Unterrichtsprogrammen gestrichen werden mußte. Man sollte nach dem Willen Katharinas weniger gefährliche, dafür aber nützlichere Sprachen lernen, wie z. B. in Sibirien das Chinesische, im Süden des Imperiums das Griechische. Ihrem Willen nach sollte in den Hauptvolksschulen des ganzen Reiches das Russische als Staatssprache Priorität vor allen anderen Sprachen genießen; doch auch das Tatarische, so meinte Katharina, sollte in verstärktem Maße gelehrt werden, da es das Verständigungsmittel eines großen Teiles des Reiches wäre. Schließlich sei auch dem Lateinischen, als einem internationalen Kommunikationsmittel und dem Altgriechischen als der Sprache der Kirche und der Wissenschaft, Aufmerksamkeit zu schenken[106].

Um die finanziellen Mittel für die Erhaltung der Schulen, die Verwaltung dieser Mittel, die Lehrerbesoldung und den Kauf der erforderlichen Schulbücher und Schulrequisiten hatten sich nach dem Volksschulenstatut die „Ämter für die allgemeine Wohlfahrt" („Prikaz obščestvennago prizrěnija") zu sorgen. Für eine Hauptvolksschule sollten jährlich 2500 Rubel, für eine kleine Schule 500 Rubel bereitgestellt werden[107].

Nach einer weiteren Bestimmung des Volksschulenstatuts wurde der Religionsunterricht weltlichen Lehrern anvertraut, die Geistlichkeit also vom Lehramt völlig ausgeschlossen[108]. Jede Einflußnahme auf die Schulreform wurde ihr entzogen und selbst die Abfassung der Religionsbücher für den Schulunterricht nicht den Geistlichen überlassen[109], diese Bücher wurden von Janković verfaßt.

Schon während seiner Tätigkeit in Österreich hatte Janković erfahren, welche Vorteile eine gute methodisch-didaktische Schulliteratur und gut ausgebildete Lehrer haben. Deshalb verfaßte er bereits 1783 „Instruktionen für alle im Schuldienst stehenden Personen" („Ustav, po kotoromu vsě činy, k glavnomu narodnomu učilišču prinadležaščie, postupat dolžny"). Sie stellten eine Art Dienstvorschrift dar, wurden in das Volksschulenstatut von 1786 aufgenommen und entsprachen in ihrem Inhalt ähnlichen in Österreich geltenden Instruktionen. Janković stellte in ihnen fest, der Lehrer werde das angestrebte Erziehungsziel nur dann erreichen, wenn er sich uneigennützig, ohne Erwartung einer Belohnung seiner Arbeit widme, wenn er die ärmeren Kinder nicht benachteilige, sondern sich immer vor Augen halte, daß er ein künftiges Mitglied der Gesellschaft erziehe. Deswegen müsse der Lehrer auch ein Vorbild sein und er habe das Interesse des Schülers an der Sache zu wecken.[110] Der Schulbesuch war nach dem „Ustav" von 1786 kostenlos. Die Schüler sollten zweimal im Jahr öffentlich geprüft werden, um den Leistungsstand der Schule zu präsentieren.[111]

Das Volksschulenstatut berücksichtigte auch die privaten Lehranstalten. Bereits 1784 ging man an ihre Revision: E. B. Syrejščikov sollte die Lehrpläne und die Organisation der russischen Privatschulen überprüfen; die Mitglieder der deutschen Schulkommission waren für die nichtrussischen Lehranstalten zuständig. Alle Besitzer privater Internate hatten sich einer Prüfung zu unterziehen; wer dies verweigerte, lief Gefahr, mit dem 1. Jänner 1785 das Recht auf Führung einer Privatschule und Erteilung des Unterrichtes zu verlieren.

Das Resultat war die Schließung aller russischen und eines nichtrussischen Internats in St. Petersburg. Den Zöglingen der russischen Internate wurde nahegelegt, in die öffentlichen Grundschulen zu gehen, wo sie für die gleiche Ausbildung nichts zu bezahlen brauchten. Dreißig Privatschulen für Ausländer wurde das Weiterbestehen unter der Bedingung erlaubt, daß dort die Normalmethode und die staatlichen Schulbücher eingeführt würden. Janković verfaßte besondere Instruktionen für private Schulen, durch die sie hinsichtlich des Unterrichtsprogramms und der gesamten Unterrichtsgestaltung der Schuleinrichtungskommision unterstellt wurden.[112]

Nach dem „Ustav" von 1786 wurde der Status der privaten Schulen in ähnlicher Weise festgesetzt wie 1784. Sie hatten sich nach den staatlichen Volksschulen zu richten und ihr Personal einer ordentlichen Ausbildung zu unterziehen. Allerdings wurde den Leitern dieser Schulen nun die Auswahl der Unterrichtsgegenstände freigestellt. Bindend blieb nur der Unterricht in Religion und russischer Sprache. Auch sie mußten Semesterprüfungen in Anwesenheit des Volksschuldirektors abhalten. Janković trat dafür ein, auch in privaten Schulen Kinder beiderlei Geschlechtes zu unterweisen, was ihm noch zweiundsiebzig Jahre später die Kritik von A. Voronov einbrachte.[113]

VI

Die Erfolge der russischen Schulreform. 1783 nahm August Ludwig Schlözer zur Schulfrage in Rußland folgendermaßen Stellung: „Das wahre ist — man staune nicht, und halte es nicht für ein Paradoxon, oder gar für eine Verleumdung: — seit dem Z. Iwan Wasiljewitsch ist die russische Nation (man bemerke den Begriff: Gros der Nation!)

um keinen Schritt in der Cultur weiter gekommen. Daß Peter I. seiner Nation weiter nichts als die Bärte genommen, ist weit mehr als Bonmot, ist statistisches Factum. Es gehört unter die Unbegreiflichkeiten der Schicksale Rußlands, daß dieser große Fürst eine Akademie der Wissenschaften entwarf, aber an keine Schulen dachte." [114] In der Tat hatte es, abgesehen von dem mißglückten Experiment mit den Ziffernschulen im Jahre 1714, bis zum Regierungsantritt Katharinas II. keine ernsten Bestrebungen in dieser Hinsicht gegeben. Die Ziffernschulen hatten in der kurzen Zeit ihres Bestehens keine Bedeutung für die breiteren Volksmassen gehabt. Erst die Schulreform Katharinas II. in den Jahren 1782—1786 gelangte zu einer gewissen Breitenwirkung und kann als erster Schritt zur Aufklärung des russischen Volkes angesehen werden.

Die Schulgesetze von 1782 und 1786, die von Janković auf Grund österreichischer Vorlagen entworfen worden waren, bewirkten trotz aller Schwierigkeiten, denen die Reform in Rußland begegnete, eine verhältnismäßig günstige Entwicklung der Grundschule. „Hat die Sache den gewünschten Fortgang", schrieb Staatsrat Aepinus am 22. Juni 1783 an Schlözer, „so wird die Nachwelt künftig in den Weltannalen die wichtige Epoche von der Aufklärung des russischen Nationalkörpers von derjenigen Stelle wegrücken, wohin sie jetzt manche aus Unkündigkeit der wahren Umstände setzen, und sie um mehr als ein halbes Jahrhundert, unter die Regierung Katharinens, ins Jahr 1782 ziehen. Es ist ein schwacher aber guter Anfang, der den gehörigen Grad der Vollkommenheit in der Folge voraussehen läßt." [115] Ein Blick auf die Schülerzahlen in den russischen Volksschulen bis zum Jahr 1800 unterstreicht diese Prognose.[116]

Jahr	Zahl der Schulen	Zahl der Lehrer	Zahl der männl. Schüler	Zahl der weibl. Schüler
1782	8	26	474	44
1783	9	28	654	77
1784	11	33	1082	152
1785	12	38	1282	209
1786	165	394	10230	858
1787	218	525	11968	1571
1788	227	520	13635	924
1789	225	516	13187	1202
1790	269	629	15604	921

Jahr	Zahl der Schulen	Zahl der Lehrer	Zahl der männl. Schüler	Zahl der weibl. Schüler
1791	288	700	16723	1064
1792	302	718	16322	1178
1793	311	738	16165	1132
1794	302	767	15540	1080
1795	307	716	16035	1062
1796	316	744	16220	1121
1797	285	664	14457	1171
1798	284	752	15396	1405
1799	277	705	15754	1561
1800	315	790	18128	1787

Diese Zahlen haben wir übrigens indirekt auch Theodor Janković zu verdanken. Im Volksschulenstatut von 1786 verlangte er nämlich von den Lehrern und Volksschuldirektoren, daß sie in ihren Tätigkeitsberichten auch geographische und statistische Angaben machen. Nach § 46 des „Ustav“ mußten die Schulmeister der höheren Klassen mit Hilfe des zuständigen Direktors Kataloge anfertigen, in denen alle Schulen der Gouvernements mit Angabe der Schülerzahl, des Lehrpersonals und der Unterrichtspläne erfaßt wurden. Diese Verzeichnisse sollten das Material für die Geschichte der russischen Volksaufklärung liefern.[117]

Wie aus obiger Tabelle hervorgeht, kam die russische Schulreform erst 1786 voll zur Wirkung. Das ist einerseits auf die nun vorhandene gesetzliche Grundlage durch Proklamation des Volksschulenstatuts zurückzuführen, hängt andererseits aber auch mit der Tatsache zusammen, daß nun die Reform über die Grenzen des Petersburger Gouvernements hinausgriff. 1786 erließ nämlich Katharina II. die Order, in 25 weiteren Gouvernements Hauptvolksschulen zu errichten. Sie sollten der Ausgangspunkt für die Erweiterung des Schulsystems in den Gouvernements sein. Diesem Zweck diente die Ausbildung von 100 Schulmeistern, von denen jeweils vier einem jeden Gouvernement zugeteilt wurden. Die Generalgouverneure der von der Zarin selbst ausgesuchten 25 Gouvernements[118] mußten die erforderlichen Gebäude bereitstellen, die Lehrer aber den vollen Unterrichtsbetrieb aufbauen und weitere Schulmeister, allerdings nur für die kleinen Schulen, ausbilden. Alle Schulen hatten am gleichen Tag, am 22. September, dem Krönungstag Katharinas, zu beginnen.[119]

Die durch die Statistik erfaßte Entwicklung des russischen Elementarschulwesens kann am besten an Hand eines Vergleichs mit den Zahlen über das österreichische Schulwesen im gleichen Zeitraum beurteilt werden. Schon 1780 gab es in der österreichischen Monarchie 15 Normalschulen (Volksschulen mit angeschlossenem Lehrerseminar) mit 3526 Schülern, 83 Hauptschulen mit 10176 Schülern, 47 Mädchenschulen und 3848 Trivialschulen mit 193 666 Schülern, zusammen also fast 4000 Schulen mit weit über 200000 Schülern.[120]

Freilich darf nicht vergessen werden, daß Österreich eine weit günstigere Ausgangsposition als Rußland hatte, vor allem weil es hier eine alte Tradition katholischer Schulorden gab. Trotzdem hat diese unterschiedliche Entwicklung auch noch andere Ursachen.

Zieht man das Temesvarer Banat vergleichend heran, so stellt man fest, daß es hier um die Jahrhundertwende (1801/02) 520 Schulen aller Nationalitäten und Konfessionen und 549 Lehrer gab. Davon waren 406 Schulen und 413 Lehrer orthodoxen Bekenntnisses. Die Gesamtzahl aller eingeschriebenen Schüler beiderlei Geschlechts betrug um dieselbe Zeit im Banat 25181, davon waren 12 811 orthodoxen Bekenntnisses.[121] Nun hatte zwar die Reform im Temesvarer Banat schon zehn Jahre früher begonnen als in Rußland, doch handelte es sich auch hier um ein kulturelles Notstandsgebiet. Daß sich das Elementarschulwesen im Banat unvergleichlich rascher ausbreitete als in dem so viel größeren Rußland, kann nicht auf eine alte Schultradition in dieser österreichischen Provinz zurückgeführt werden. Es hatte vor allem drei Gründe: 1. In Österreich herrschte die allgemeine Schulpflicht, 2. Deswegen war die Landbevölkerung von der Schulreform nicht ausgeschlossen, 3. Die staatliche Organisation mit ihrem guten Beamtenapparat funktionierte weit besser als in Rußland.

Daß im Volksschulenstatut von 1786 Dorfschulen nicht vorgesehen waren, die Landbevölkerung also praktisch von der Schulreform ausgeschlossen wurde, hängt nicht etwa damit zusammen, daß Janković Standesvorurteile gehabt hätte, sondern mit den damaligen sozialen Verhältnissen in Rußland. Der Zarin fehlten die Mittel, diese Reform dem bildungsfeindlichen Landadel aufzuzwingen. Solange sich die Bojaren gegen die Normalschule und den obligatorischen Unterricht sträubten, war es illusorisch, die breite Masse der Bauern aufklären zu wollen. Trotzdem ließ Janković in dem „Ustav" jedem russischen Untertan ausdrücklich die Freiheit, nach eigenem Willen eine staatliche Grundschule zu besuchen. Freilich kam es nur verhältnismäßig selten vor, daß diese Möglichkeit von Angehörigen der niederen Stände genutzt wurde. Eine statistische Übersicht über die Herkunft der Schüler der Petersburger Hauptvolksschule aus dem Jahr 1801 ergibt folgende Zusammensetzung:[122]

33%	Adelige	8%	Beamte und nichtadelige Bedienstete (raznočincy)
14%	Bürger	5%	Einhöfer und Bauern
12%	Kaufleute	4%	Kosaken, Ausländer u. a.
11%	Militär	2%	Klerus
11%	Leibeigene und unfreie Hofangehörige		

Da anzunehmen ist, daß sich diese Zahlen in den ländlichen Gebieten noch stärker zugunsten der niederen Stände verschoben, kann trotz Vorherrschen der privilegierten Stände wenigstens von dem Beginn einer Volksaufklärung in Rußland gesprochen werden.

Vergleich der österreichischen mit der russischen Schulreform. Über den Zustand der russischen Elementarschulen um die Jahrhundertwende berichtete das Hauptschuldirektorium: „Alle ... Schulen befinden sich überall im Zustand vollkommener Einheitlichkeit. Alle Schüler, in welcher Schule sie auch sein mögen, lesen die gleichen Lehrbücher, die Lehrer aber bedienen sich der gleichen Lehrmethode und achten auf die gleiche Einteilung der Lehrstunden ..., so daß in diesen Schulen die Wissenschaften im entferntesten Teil Rußlands zu ein und derselben Zeit und auf einheitlicher Grundlage vorgetragen werden, wie dies in der Hauptstadt der Fall ist."[123]

Mehrfach wurde schon darauf hingewiesen, daß Theodor Janković die russische Reform möglichst getreu dem österreichischen Vorbild gestalten wollte. So spiegelt sich in dieser Mitteilung des Hauptschuldirektoriums auch einer der wichtigsten Grundsätze von J. I. Felbiger für die Schulreform in Österreich, nämlich die Forderung nach der Gleichförmigkeit des Lehr- und Lernsystems, der Methode, der Schulbücher und des Unterrichtsstoffes. Nahezu jeder Satz des Volksschulenstatuts von 1786 zeigt die Übereinstimmung der beiden Schulsysteme. Dasselbe trifft auch auf die Schulliteratur und die Lehrerausbildung zu. Die im § 57 des Volksschulenstatuts enthaltenen und noch 1807 in ihrer achten Auflage erschienenen Schülergesetze („Pravila dlja učaščichsja") sind ihrem Inhalt nach z. B. ein unverfälschter Auszug aus dem „Handbuch für die serbischen Lehrer" von Janković oder der „Anleitung zur Rechtschaffenheit" von Felbiger. Durch diese Schulreform wurden also die Ideen der modernen österreichischen und mitteleuropäischen Aufklärungspädagogik nach Rußland getragen und dort zu einem Bestandteil einer staatlich geförderten Erziehung. Zu einer Zeit, als in Rußland die körperliche Strafe noch das übliche Zucht- und Erziehungsmittel war, bedeutete die philantropische Idee (Liebe zum Schüler, Verbot von Körperstrafen u. a.), die Janković in die russische Pädagogik einführen wollte, den Beginn einer neuen Epoche. Seine Erziehungsregeln blieben über ein halbes Jahrhundert im Gebrauch und prägten Generationen von russischen Schulmeistern.

Janković führte in die russische Volksschule die österreichische Normalmethode ohne Abweichungen ein; ja, er ging sogar so weit, daß er die Buchstabenmethode, gegen deren Anwendung er sich in den serbischen Schulen so heftig gewehrt hatte, in das Ausbildungsprogramm für die russischen Lehrer aufnahm, was einen gewissen Widerspruch darstellt. Andererseits erleichterte er den Schülern das Lernen, indem er die althergebrachte Methode des ABC-Unterrichtes, d. h. das Einpauken der kyrillischen Lautzeichen nach deren Namen (az, buki, vedi usw.) abschaffte und als erster die heute übliche Aussprache der Buchstaben in den Unterricht der russischen Schulen einführte.

Wie er es von Felbiger kannte, baute er die russische Grundschule auf dem Prinzip des Utilitarismus auf. Der Unterricht sollte immer seine praktische Anwendung im Alltagsleben finden. Der Zweck des Geometrieunterrichtes sollte also z. B. nicht allein in der Lösung von Aufgaben liegen, sondern auch darin, daß der Schüler in der Lage ist, etwa ein Feld oder einen Wald zu vermessen, Pläne zu zeichnen usw. Ebenso wie Felbiger sah Janković die Aufgabe der Schule darin, lebenstüchtige und für den Staat und die Gesellschaft nützliche Menschen zu erziehen.

Was Janković an Ideen aus Österreich mitbrachte, war für die russischen Zeitgenossen pädagogisches Neuland, so z. B. wenn er feststellte, daß Geschichte und Geographie an Hand von Anschauungsmaterial und Atlanten zu lehren seien, da die Kinder die Schauplätze der Ereignisse kennen lernen müßten, wenn sie den Lehrstoff behalten sollten. Janković führte auch als erster synchrone Geschichtstabellen in den Unterricht der russischen Schulen ein, um in prägnanter Form den Zusammenhang der Ereignisse vor Augen zu führen.

Wichtiger als die weitgehende Übereinstimmung zwischen der österreichischen und russischen Schulreform, auf die immer wieder hingewiesen wurde, sind die Unterschiede, weil durch sie wenigstens zum Teil die nicht sehr guten Erfolge der russischen Reform erklärt werden können. Eine der wichtigsten Abweichungen wurde bereits im vorherigen Abschnitt dargestellt: Die Beschränkung der Reform auf die Städte und größeren Ortschaften sowie in Verbindung damit das Fehlen eines obligatorischen Unterrichts. Die österreichische Reform wurde in Stadt und Land nahezu lückenlos durchgeführt, obgleich das nicht ohne Schwierigkeiten zu erreichen war. Auch in Österreich sträubten sich die Großgrundbesitzer gegen den staatlichen Schulzwang. Daß die Reform dennoch so große Erfolge hatte, ist ein Verdienst der guten Organisation und der gewissenhaften Beamtenschaft, auf die sich die österreichischen Monarchen stützen konnten.

Der Organisationsmodus der Reformleitung und der Reformkontrolle in beiden Staaten war in den oberen Gremien der gleiche, in den unteren aber traten entscheidende Abweichungen auf. Sowohl in Rußland als auch in Österreich wurde die Reform im ganzen Staat von einer Reichsschulkommission überwacht, die praktisch von einer einzigen Person (hier Janković, dort Felbiger) geleitet wurde. Wiewohl Janković in Rußland nicht mit den gleichen Kompetenzen ausgestattet war (erst 15 Jahre nach Reformbeginn wurde er offiziell zum Mitglied der Schuleinrichtungskommission ernannt), wie Felbiger in Wien, so war er doch nicht minder als jener die Seele und der Motor der beginnenden Volksaufklärung. Alles, was getan wurde, trug den Stempel seines Wissens und seiner aus dem Banat mitgebrachten Erfahrung. So wie Felbiger verlegte auch Janković das Schwergewicht der Reform auf die Lehrerausbildung nach der Normalmethode und auf die Herausgabe erforderlicher Schulbücher.

Bei der Aufgliederung des Organisationssystems nach unten ergaben sich aber ganz wesentliche Unterschiede, von denen die Erfolge der Reformen abhängig waren. Während in Österreich der Reichsschulkommission Provinzialschulkommissionen untergeordnet waren, die die besonderen Interessen der Provinzen wahrzunehmen hatten, fehlte in Rußland diese Einrichtung. Die Provinzialschulkommissionen hatten gemeinsam mit den politischen Landesbehörden den Aufbau und die Erfolge der Reform zu überwachen und waren damit die treibende Kraft. Sie hatten auf die politischen Behörden einzuwirken, wodurch ein gegenseitiges Kontrollverhältnis entstand. Das aber fehlte in Rußland. Hier war die alleinige Kompetenz für die Reform den Gouverneuren und Generalgouverneuren übertragen, die sich zwar an die Richtlinien der Reichsschulkommission zu halten hatten, trotzdem aber weitgehend unabhängig waren. Aus den Mängeln des damaligen russischen Verwaltungsapparates (Korruption, Desinteresse, schlechte Organisation usw.) ergaben sich bei diesen organisatorischen Voraussetzungen die meisten Nachteile des russischen Schulwesens gegenüber dem österreichischen.

Die nächste darunter stehende Instanz waren die Volksschuldirektoren. Sie hatten sowohl in Österreich als auch in Rußland die Reform in den einzelnen Schuldistrikten praktisch durchzuführen. In Österreich wurde jedoch der Schuldirektor von der Schulkommission nur auf Grund seiner Qualifikation ernannt, während er in Rußland von den Generalgouverneuren bestellt wurde. Dabei kam es oft zu willkürlichen Entscheidungen. Es wurden Leute zu Direktoren ernannt, die diesen Posten nur aus Prestigegründen einnahmen und keine Fachkenntnisse mitbrachten. Es gab Schuldirektoren, die während eines Schuljahres kein einziges Mal in einer Lehranstalt gesehen wurden.

Die Betrauung der politischen Behörden mit der Durchführung der Reform in Rußland war also ein verhängnisvoller Organisationsfehler. Wahrscheinlich wurde er aus Sparsamkeit begangen, unter der die Schulreform auch sonst zu leiden hatte. So fehlte es an Geld, um das Schulpersonal regelmäßig zu entlohnen. Das hängt mit der verschiedenen Form der Finanzierung beider Reformen zusammen. In Österreich stand ein ansehnliches Anfangskapital zur Verfügung, das aus dem Vermögen des 1773 aufgehobenen Jesuitenordens stammte. Hierdurch wurden die finanziellen Bedürfnisse der Reform in den ersten Jahren gedeckt, während in der folgenden Zeit die einzelnen Ortsschulen von den betreffenden Gemeinden unterhalten wurden. Nicht so in Rußland! Dort verfügte die Schuleinrichtungskommission über keinen Fonds und war auf die jährlichen Zuweisungen des Staatsärars oder auf außerordentliche Subventionen der Kaiserin angewiesen. In den einzelnen Gouvernements hatten die politischen Behörden (die Ämter für die allgemeine Wohlfahrt) für die wirtschaftlichen Belange aller Schulen der betreffenden Distrikte zu sorgen. Aber nur selten verfügte ein Gouvernement über genügend Mittel und die zuständigen Beamten über ausreichendes Interesse.

Ein wichtiger Hemmschuh für die russische Schulreform war auch die vom österreichischen Beispiel abweichende Lehrerausbildung. In Österreich erhielt nahezu jede Provinzhauptstadt mindestens eine Normalschule[124], in welcher Lehrerausbildungskurse abgehalten wurden. Die hier „abgerichteten" Schulmeister unterrichteten dann in den Trivial-, aber auch bisweilen in den Hauptschulen. Dagegen gab es in Rußland bis 1786 nur eine Normalschule, die „Hauptvolksschule" in St. Petersburg. Erst danach begannen allmählich Normalschulen mit pädagogischen Kursen in anderen Gouvernements zu entstehen. Die hier ausgebildeten Lehrer durften jedoch nur in den beiden unteren Klassen der Grundschule unterrichten. Die Lehrer für die Normalschulen wurden auch weiterhin nur in St. Petersburg ausgebildet.

Ein weiteres wichtiges Merkmal der russischen Schulreform war der völlige Ausschluß des Klerus aus der Organisation des Schulwesens. Während in Österreich der oberste Leiter der Reform, Felbiger, katholischer Geistlicher war und Angehörige des Klerus, wenn auch in beschränktem Maße, zum Unterricht herangezogen wurden, verfuhr man in Rußland anders. Die einzige Konzession, die der orthodoxen Kirche gemacht wurde, bestand darin, daß Religionsbücher durch den Novgoroder Metropoliten genehmigt werden mußten. Abgefaßt wurden aber selbst sie von einem Mann weltlichen Standes, nämlich Janković.

Dieser summarische Vergleich kann mit folgender Feststellung abgeschlossen werden: Das österreichische Schulwesen war besser organisiert. Die Reform hatte eine sicherere gesetzliche und finanzielle Grundlage und entwickelte sich unter weit günstigeren gesellschaftlichen Bedingungen im Zuge einer historischen Kontinuität, die aus der Tradition der katholischen Schulorden kam.

Trotzdem muß die Schulreform in Rußland als wichtiger Abschnitt der Kulturgeschichte dieses Landes gewürdigt werden. Der russische Staat überwand auf dem Gebiet der Elementarbildung das alte moskowitische Erbe und fand Anschluß an Westeuropa. Auch die Zeitgenossen von Theodor Janković, der ein großes Verdienst daran hatte, erfaßten die Bedeutung dieser Reform und würdigten die Leistung, die trotz allen Widerständen hier vollbracht worden war. „... Jeder, der die Welt so etwas aus der Geschichte kennt," schrieb Schlözer, „und ex analogia eventum similium zu weissagen sich getrauet, wird einstimmen, daß von allen Taten, die die Regierung Catharinä II. auszeichnen, keine auf die Nachwelt bleibenderen Einfluß haben, keine sorgfältiger in den Welt-Annalen protocolliert wird, als 1. Rumanzovs Siege über die Türken, und 2. Einrichtung von Schulen durchs ganze Reich."[125]

Anmerkungen

Dieser Beitrag beruht auf der nicht gedruckten Dissertation von Peter Polz „Theodor Janković Mirjevski und die theresianische Schulreform bei Serben und in Rußland" (Masch.-Schr.) Graz 1970. Sie befindet sich in der Universitäts-Bibliothek Graz (Sign. II 366.038).

In den Anmerkungen benutzte Abkürzungen:

ASANU/MPA	=	*A*rhiv *S*rpske *A*kademije *N*auka i *U*metnosti, Sremski Karlovci, *M*itropolijsko-*P*atriaršijski Arhiv fons *A*.
ÖSA/AVA	=	Österreichisches Staatsarchiv, Allgemeines Verwaltungsarchiv.
SORJIS	=	Sbornik otdělenija russkago jazyka i slovesnosti imperatorskoj akademii nauk.
UHK	=	Akten der Ungarischen Hofkanzlei. Hrsg. Aleksa Ivić: Arhivska gradja. Bd. 5, Beograd 1956.
ZIFF	=	Zapiski istoriko filologičeskago fakul'teta imperatorskago S. Peterburgskago universiteta.

1 Der Name erscheint in der Literatur auch in der Form Beckoj.

2 D. A. Tolstoj: Gorodskija učilišča v carstvovanie imperatricy Ekateriny II. In: SORJIS, Bd. 41, Nr. 2. St. Petersburg 1886, S. 1.

3 N. A. Konstantinov, V. J. Struminskij: Očerki po istorii načal'nogo obrazovanija v Rossii. Moskva [2]1953, S. 58 ff.

4 Ebenda S. 56.

5 Näheres über diese Pläne vgl. S. V. Roždestvenskij: Proekty učebnych reform v carstvovanie imp. Ekateriny II do učreždenija komissii o narodnych učiliščach. In: Žurnal ministerstva narodnago prosveščenija. St. Petersburg 1906—1908.

6 Friedrich Andreae: Beiträge zur Geschichte Katharinas II. Die Instruktionen vom Jahre 1767 für die Kommission zur Abfassung eines neuen Gesetzbuches. Berlin 1912, S. 9 ff.

7 D. A. Tolstoj: Vzgljad na učebnuju čast' v Rossii v XVIII stoletii. St. Petersburg 1884. S. 77.

[8] Andreae, a. a. O., S. 71.

[9] Ebenda, S. 61.

[10] Tolstoj: Vzgljad, a. a. O., S. 77 ff.

[11] Nähere Einzelheiten vgl. Roždestvenskij: Proekty, a. a. O., S. 194 f.

[12] Tolstoj: Vzgljad, a. a. O., S. 82 ff; Konstantinov, Struminskij, a. a. O., S. 57.

[13] „Universität" wird hier im französischen Sinne als ein ganzes Unterrichtssystem von der Grundschule bis zur Hochschule gebraucht.

[14] Tolstoj: Vzgljad, a. a. O., S. 94.

[15] Ebenda, S. 2 f.

[16] Tolstoj: Gorodskija učiliščа, a. a. O., S. 3.

[17] J. K. Grot: Ekaterina II v perepiske s Grimmom. In: SORJIS, Bd. 21, Nr. 4. St. Petersburg 1881, S. 32.

[18] Tolstoj: Gorodskija učilišča, a. a. O., S. 147.

[19] Anekdoten zur Geschichte des Angriffes und der Vertheidigung der Normalschulen in den k. k. Staaten. Frankfurt, Leipzig 1784, S. 36 ff.

[20] Nach einer Meldung in Schlözers „Staatsanzeigen" soll Pavel Petrovič bei dieser Gelegenheit mit Janković zusammengetroffen sein und ihn angeworben haben. Es stellte sich aber heraus, daß diese Meldung falsch war, was Schlözer in einem Brief auch bestätigt; vgl. Tolstoj: Gorodskija učilišča, a. a. O., S. 132.

[21] J. K. Grot: Zaboty Ekateriny II o narodnom obrazovanii. In: SORJIS, Bd. 20, Nr. 5, St. Petersburg 1880, S. 22.

[22] Tolstoj: Gorodskija učilišča, a. a. O., S. 34.

[23] Samuel Hetzel: Geschichte und Statistik des Volksschulwesens der kön. Freistadt Temeswar. Temeswar 1873, S. 91 f.

[24] Theodor Janković (14. IV. 1741 — 22. V. 1814), geb. in Sremska Kamenica bei Peterwardein, war Sohn eines serbischen Priesters. Die Volksschule absolvierte er im Heimatort, das Gymnasium in Neusatz und Karlowitz. Danach folgten zwei Jahre am protestantischen Lyzeum in Preßburg mit anschließendem Studium der Philosophie und Jurisprudenz an der Universität Wien bei Jos. Sonnenfels (bis 1769). Am 6. II. 1773 wurde er zum Direktor aller serbischen und rumänischen Schulen des Temesvarer Banats ernannt, wo er die erste staatliche Reform des Elementarschulwesens durchzuführen hatte. In dieser Funktion begründete er gegen die allergrößten Widerstände eines bildungsfeindlichen Volkes bis zum Zeitpunkt seiner Abberufung (1782) 293 Schulen und bildete ebensoviele Lehrer heran, verfaßte die erste serbische Methodiklehre und redigierte eine Reihe serbisch-rumänischer Schulbücher. Er galt als einer der besten Schulleute der österr. Monarchie und war eine wichtige Stütze der Wiener Reichsschulkommission.

[25] Anekdoten, a. a. O., S. 31 ff.

[26] Ebenda, S. 34 ff.

[27] ASANU/MPA 1782, 66 (26. März).

[28] Tolstoj: Gorodskija učilišča, a. a. O., S. 35.

[29] UHK 1782, No. 1095, S. 138.

[30] ÖSA/AVA Ungarische Stiftungsangelegenheiten, Faszikel 107, No. 34, 95 ex 1782.

[31] UHK 1782, No. 2732, S. 139.

[32] Tolstoj: Gorodskija učilišča, a. a. O., S. 35.

[33] M. I. Suchomlinov: Istorija Rossijskoj akademii. In: SORJIS, Bd. 19, Nr. 1. St. Petersburg 1878, S. 246.

[34] Tolstoj: Gorodskija učilišča, a. a. O., S. 91.

[35] ÖSA/AVA Ungarische Stiftungsangelegenheiten, Faszikel 107, No. 34, 95 ex 1782.

36 Das Tabellarisieren war ein Bestandteil der Normalmethode, die Johann Ignaz Felbiger zum didaktischen Grundprinzip (norma) seiner Schulreform in Österreich erhoben hatte. Der geistige Vater dieser Methode war der Pastor Johann Friedrich Hähn (von 1753—1759 Inspektor der königlichen Realschule in Berlin). Um seinen Schülern das Auswendiglernen, das damals noch eines der wichtigsten Stützen des Unterrichtes war, zu erleichtern, faßte Hähn den Unterrichtsstoff nach dessen Schwerpunkten in möglichst knapper und prägnanter Form zusammen und gliederte den Text in übersichtlichen Spalten einer Tabelle (d. i. Tabellarisieren); in der letzten Spalte wurde der Text nur mit den Anfangsbuchstaben wiedergegeben (d. i. Buchstabieren). Den Kindern wurde nur die letzte Spalte gezeigt, und der Schulmeister erklärte die Abkürzungen so lange, bis die Kinder sie schließlich auswendig ergänzen konnten.
Beispiel:

Tabelle der christlichen Lehre

Hier	glauben,		H.	g.,	
gehört	hoffen,		g.	h.,	
eine deutliche	lieben,	was Gott	e. d.	l.,	w. G.
Erkenntnis,	sollen,	geoffenbart	E.,	s.,	g.
was Christen		hat.	w. Ch.		h.

Um die Aufmerksamkeit aller Schüler anzusprechen, wurde an Hand solcher Tabellen von der ganzen Klasse zugleich geübt (d. i. Zusammenunterrichten und Zusammenlesen). Auf die Erlernung des Stoffes folgte die Wiederholung in Frage-Antwort-Form (d. i. Katechisieren oder Ausfragen), womit die Normalmethode nach ihren Bestandteilen voll zur Anwendung kam.

37 ÖSA/AVA Ungarische Stiftungsangelegenheiten, Faszikel 107, No. 34, 95 ex 1782.

38 Anekdoten, a. a. O., S. 35.

39 N. A. Konstantinov: Vydajuščijsja russkij pedagog Fedor Ivanovič Jankovič. In: Sovetskaja pedagogika, Bd. 9, Moskva 1945, S. 40.

40 Anekdoten, a. a. O., S. 35.

41 Suchomlinov: Istorija, a. a. O., Bd. 37, 1885, S. 149.

42 Tolstoj: Gorodskija učilišča, a. a. O., S. 202 (Priloženie 4).

43 Am 24. Juli 1797 wurde der Ausdruck učilišča (Lehranstalten) durch školy (Schulen) ersetzt.

44 Russische Bibliothek zur Kenntniß des gegenwärtigen Zustandes der Literatur in Rußland. Hrsg. H. L. Chr. Bacmeister. Bd. 9, St. Petersburg, Riga und Leipzig 1784, S. 178 ff.

45 Außer den schon genannten Namen wurden folgende Mitglieder der Kommission ernannt: A. V. Chrapovickij (1784—1793), Friedrich Wilhelm Creydemann (1784—1795), O. P. Kozodavlev (1793—1797), V. N. Zinovev (1799—1800), E. K. Kromin (1800—?), A. M. Rykov (1800—1803); vgl. Erik Amburger: Geschichte der Behördenorganisation Rußlands von Peter dem Großen bis 1917. Leiden 1966.

46 Die alte Schuleinrichtungskommission von 1782 wurde am 13. September 1802 durch die „Schulkommission" („Komissija ob učiliščach") abgelöst, die am 24. Januar 1803 in „Hauptschuldirektorium" („Glavnoe pravlenie učilišč") umbenannt wurde. Dieses erhielt die Aufgabe, als Keimzelle des neuen Ministeriums die Agenden der alten Kommission weiterzuführen und eine umfassende Reform des gesamten russischen Bildungssystems von der Elementar- bis zur Hochschule einzuleiten. Theodor Janković hatte die Organisation des Direktoriums aufzubauen, dessen Mitglied er war. Er richtete die „Verwaltungskanzlei" („kance-

larija pravlenija") als das Exekutivorgan des Hauptschuldirektoriums ein, die er in zwei Expeditionen (eine für das Lehrwesen und eine für die wirtschaftlichen Angelegenheiten) und ein Kontor (kontora) gliederte, das die Einkünfte der Verwaltung kontrollierte. Außerdem wirkte Janković auch an der Ausarbeitung der Pläne für die Reform der Volksschulen und Universitäten mit, mußte aber krankheitshalber noch vor dem Einsetzen der Reform (1804) aus dem Staatsdienst ausscheiden. Vgl. S. V. Roždestvenskij: Istoričeskij obzor dejatel'nosti ministerstva narodnago prosveščenija 1802—1902. St. Petersburg 1902, S. 43 ff, 49 ff.

47 Grot: Ekaterina II., a. a. O., S. 44.

48 Russische Bibliothek, a. a. O., Bd. 9, S. 182 ff.

49 Konstantinov: Vydajuščijsja, a. a. O., S. 41.

50 Tolstoj: Gorodskija učilišča, a. a. O., S. 43.

51 Roždestvenskij: Istoričeskij obzor, a. a. O., S. 18.

52 Der Terminus glavnoe narodnoe učilišče wurde analog der zeitgenössischen österreichischen Terminologie übersetzt. Dem heutigen Sprachgebrauch nach wäre „Hauptvolksschule" treffender.

53 UHK 1782, No. 8175, S. 139.

54 Zwar wurde schon 1779 an der Moskauer Universität ein Lehrerseminar gegründet, doch ohne Erfolg, weil sich keine Studenten einfanden; vgl. Konstantinov, Struminskij, a. a. O., S. 69.

55 A. Voronov: Fedor Ivanovič Jankovič de Mirievo ili narodnyja učilišča v Rossii pri imperatricě Ekaterině II. St. Petersburg 1858, S. 104.

56 S. V. Roždestvenskij: Očerki po istorii sistem narodnago prosveščenija v Rossii v XVIII—XIX vekach. In: ZIFF, Bd. 54, St. Petersburg 1912, S. 579.

57 Konstantinov: Vydajuščijsja, a. a. O., S. 43 f.

58 Voronov: Fedor Ivanovič Jankovič, a. a. O., S. 107.

59 Tolstoj: Gorodskija učilišča, a. a. O., S. 45.

60 Konstantinov: Vydajuščijsja, a. a. O., S. 40.

61 Konstantinov, Struminskij, a. a. O., S. 71.

62 Dieses Buch war auch bei den Serben sehr verbreitet.

63 Konstantinov, Struminskij, a. a. O., S. 43 f.

64 Vgl. Tolstoj: Vzgljad, a. a. O.

65 Konstantinov, Struminskij, a. a. O., S. 63.

66 Ebenda.

67 Von allen genannten Werken lag mir nur „Zrelišče vselenyja" vor, das sich im Besitz von E. Amburger befindet. Die Liste wurde nach folgenden Quellen zusammengestellt: Russische Bibliothek, a. a. O., Bd. 9; L. L. Dodon: Učebnaja literatura russkoj narodnoj školy XVIII veka i rol' F. I. Jankoviča v ee sozdanii. In: Učebnye zapiski Leningradskogo pedagogičeskogo instituta. Bd. 118, Leningrad 1955, S. 185—207; Tolstoj: Gorodskija učilišča, a. a. O.; Konstantinov: Vydajuščijsja, a. a. O.; Voronov: Fedor Ivanovič Jankovič.
Die Übersetzung der Kurztitel ins Deutsche erfolgt in Anm. 79.

68 UHK 1782, No. 8175, S. 139 f.

69 Konstantinov, Struminskij, a. a. O., S. 60 ff.

70 Die Inhaltswiedergabe erfolgt nach der Russischen Bibliothek, a. a. O., Bd. 9, S. 15 ff.

71 Tolstoj: Gorodskija učilišča, a. a. O., S. 87 ff.

72 Inhaltswiedergabe nach der Russischen Bibliothek, a. a. O., Bd. 9, S. 15 ff.

73 Ebenda, S. 30 ff.

[74] Allgemeine deutsche Bibliothek. Hrsg. Nicolai. Bd. 70, Berlin/Stettin 1786, S. 609 ff.
[75] Inhaltsangabe nach der Russischen Bibliothek, Bd. 9, S. 16 ff.; Konstantinov, Struminskij, a. a. O., S. 66 f.
[76] Tolstoj: Gorodskija učiliščа, a. a. O., S. 48.
[77] Inhaltsangabe nach der Russischen Bibliothek, a. a. O., Bd. 9, S. 6 ff.
[78] Ebenda, S. 19 ff., 26. Hier auch die Inhaltsangabe.
[79] Ebenda, S. 28 f.
[80] Transliteration des Namens laut Angabe von E. Amburger.
[81] Die Übersetzungen der Kurztitel lauten:
1. ABC-Täflein zur Bildung der Kirchen- und der bürgerlichen Schrift;
2. Russisches ABC-Büchlein zur Unterweisung der Jugend im Lesen;
3. Anleitung zum Schönschreiben für die Jugend in den Volksschulen des Russischen Reiches;
4. Der gekürzte Katechismus zur Unterweisung der Jugend im rechtgläubigen christlichen Gesetz;
5. Die Verhaltensregeln für Schüler in den Volksschulen;
6. Der erweiterte Katechismus mit Beweisen aus der Hl. Schrift;
7. Anleitung für Lehrer der ersten und der zweiten Klasse der Volksschulen des Russischen Reiches;
8. Eine kurze Geschichte des Alten und des Neuen Testamentes;
9. Über die Pflichten des Menschen und des Staatsbürgers. Ein Lesebuch für die Volksschulen;
10. Eine Erklärung der Oster- und der Feiertagsevangelien, zum Gebrauch in den Volksschulen des Russischen Reiches;
11. Weltgeschichte;
12. Kurze russische Geschichte;
13. Anleitung zur Arithmetik;
14. Anleitung zur Mechanik;
15. Abriß der Naturgeschichte;
16. Kurze Beschreibung des Russischen Staates;
17. Erweiterte Beschreibung des Russischen Staates;
18. Kurze Anleitung zur mathematischen Geographie und zur Kenntnis der Himmelskugel;
19. Kurze Anleitung zur Geometrie;
20. Kurze Anleitung zur Physik;
21. Weltgeschichte;
22. Kurze russische Grammatik;
23. Orbis pictus in lateinischer, russischer und deutscher Sprache;
24. Griechisches Wörterbuch;
25. Kurze Anleitung zur Zivilarchitektur;
26. Kurze Grammatik des Altgriechischen;
27. Atlas für die allgemeine Erdkunde;
28. Neue Anleitung zur Physik;
29. Allgemeine Erdbeschreibung;
30. Kurze Betrachtungen über die Mineralogie im Allgemeinen;
31. Kurze russische Geschichte;
32. Geschichte des Russischen Staates.

[82] Tolstoj: Gorodskija učiliščа, a. a. O., S. 91 f.
[83] Sava Tekeli: Opisovanije života. Beograd 1966.
[84] Tolstoj: Gorodskija učiliščа, a. a. O., S. 92 f.

[85] Das Smolnyj-Institut erhielt seinen Namen nach dem Auferstehungskloster, in dem es untergebracht war. Dieses Kloster wurde nach dem Dorf Smol'naja, das zu Beginn des 18. Jahrhunderts dort bestanden hatte, benannt.

[86] Das Saint-Cyr-Internat wurde 1686 in der Nähe von Versailles für französische Adelstöchter gegründet.

[87] Tolstoj: Vzgljad, a. a. O., S. 59 ff.

[88] Dieses Buch ist wahrscheinlich nicht gedruckt worden, weil sein Titel nicht nachgewiesen werden kann.

[89] Voronov: Fedor Ivanovič Jankovič, a. a. O., S. 40 ff.

[90] Tolstoj: Vzgljad, a. a. O., S. 66.

[91] Grot: Zaboty Ekateriny, a. a. O., S. 27.

[92] Voronov: Fedor Ivanovič Jankovič, a. a. O., S. 16.

[93] Ebenda, S. 27 f.; Tolstoj: Vzgljad, a. a. O., S. 31 ff.

[94] Tolstoj: Vzgljad, a. a. O., S. 34.

[95] Ebenda, S. 53 ff.

[96] Russische Bibliothek, a. a. O., Bd. 9, S. 185 ff.

[97] Tolstoj: Gorodskija učilišča, a. a. O., S. 119 f.

[98] Allgemeine deutsche Bibliothek, a. a. O., Bd. 70, S. 609 ff.

[99] Ebenda.

[100] Suchomlinov: Istorija, a. a. O., Bd. 37, S. 145.

[101] Anekdoten, a. a. O., S.72.

[102] Tolstoj: Gorodskija učilišča, a. a. O., S. 96 f.

[103] Roždestvenskij: Očerki, a. a. O., S. 557.

[104] Tolstoj: Gorodskija učilišča, a. a. O., S. 96; Roždestvenskij: Istoričeskij obzor, a. a. O., S. 19 f.

[105] Tolstoj: Gorodskija učilišča, a. a. O., S. 96 f.

[106] Konstantinov, Struminskij, a. a. O., S. 65.

[107] Roždestvenskij: Istoričeskij obzor, a. a. O., S. 20.

[108] Konstantinov: Vydajuščijsja, a. a. O., S. 41.

[109] Tolstoj: Gorodskija učilišča, a. a. O., S. 102; Roždestvenskij: Očerki, a. a. O., S. 66.

[110] Konstantinov, Struminskij, a. a. O., S. 66.

[111] Tolstoj: Gorodskija učilišča, a. a. O., S. 99.

[112] Roždestvenskij: Istoričeskij obzor, a. a. O., S. 22 f.

[113] Voronov: Fedor Ivanovič Jankovič, a. a. O., S. 76 ff.

[114] Tolstoj: Gorodskija učilišča, a. a. O., S. 133.

[115] Anekdoten, a. a. O., S. 68 ff.

[116] Roždestvenskij: Očerki, a. a. O., S. 605.

[117] Konstantinov: Vydajuščijsja, a. a. O., S. 42 ff.

[118] Die Namen der Gouvernements sind genannt bei Tolstoj: Gorodskija učilišča, a. a. O., S. 93 (Fußnote).

[119] Ebenda, S. 92 f.

[120] H. Wolf: Das Schulwesen des Temeswarer Banats im 18. Jahrhundert. Baden bei Wien 1935, S. 52.

[121] Ebenda, S. 184 f.

[122] Roždestvenskij: Očerki, a. a. O., S. 605 ff.

[123] Roždestvenskij: Istoričeskij obzor, a. a. O., S. 22.

[124] Das war z. B. in Temesvar in der Zeit von 1777—1780 der Fall, als hier eine katholische und eine griechisch-orthodoxe Normalschule bestanden.

[125] Tolstoj: Gorodskija učilišča, a. a. O., S. 133 f.

AUSSTRAHLUNGEN DEUTSCHER LITERARISCH-VOLKSTÜMLICHER AUFKLÄRUNG IM SÜDSLAWISCHEN RAUM UNTER BESONDERER BERÜCKSICHTIGUNG DES SCHULWESENS

Von Strahinja K. Kostić

Wenn über die Ausstrahlung der deutschen Aufklärung im südosteuropäischen Raum bzw. im südslawischen Bereich gesprochen werden soll, so müssen einige Vorbemerkungen gemacht werden, denn der südslawische Bereich sieht heute natürlich ganz anders aus als im 18. Jahrhundert, das eigentlich mit dem Frieden von Karlowitz (Sremski Karlovci) 1699 beginnt. Mit ihm ändert sich die ganze Situation im südosteuropäischen Raum, denn bis zur zweiten Belagerung Wiens verlief die Grenze — sagen wir — zwischen Kultur und Unkultur, zwischen Kreuz und Halbmond bei Raab. Anderthalb Jahrhunderte flatterte die türkische Flagge über Budapest. Budapest war „weit hinten in der Türkei". Nach wechselhaftem Kriegsglück verschob sich die Grenze zur Theiß: Teile von Syrmien und ganz Slawonien werden frei, aber an der dalmatinischen Küste ist nur ein schmaler Streifen unter christlicher Oberhoheit. Man sollte nicht vergessen, daß noch 1908 nördlich von Hercegnovi offiziell die türkische Flagge wehte und bis 1912 Skopje türkisch war.

Aber bleiben wir in dem Raum, der uns interessiert. Mit dem Frieden von Passarowitz (1718) wurde das Banat frei, und abgesehen von den Kriegen zwischen der Türkei und Österreich im 18. Jahrhundert bildeten Save und Donau die Grenze. Die Südslawen, die während der türkischen Okkupation sowie vor dem türkischen Einmarsch und während der großen Kämpfe, die im Raum zwischen Wien und Skopje geführt wurden, hier gelebt hatten, diejenigen, die 1690 in die pannonische Ebene eingewandert waren, und die Serben und Kroaten in Slawonien teilten im 18. Jahrhundert das Schicksal des Habsburger Staates. Sie waren an allen Kriegen, die Österreich führte, am Siebenjährigen Kriege wie an den Kriegen gegen die Französische Revolution und gegen die Türkei (1788/90) beteiligt, sowie an allen anderen Erschütterungen[1]. Sie teilten das politische, aber auch das kulturelle Schicksal mit Österreich.

So kann man sagen, daß keiner einzigen Generation der südslawischen Ahnen im 18. Jahrhundert eine poetische Muße gegönnt wurde. Keine einzige Generation konnte ihr Leben in Frieden verbringen. Unter diesen Voraussetzungen sollen hier zwei Fragen näher behandelt werden: die literarischen Beziehungen und das Schulwesen.

Bei Erörterung der literarischen Beziehungen in der Vojvodina und in Slawonien ist zu berücksichtigen, daß die in diesen Gebieten ansässigen Serben und Kroaten entweder als Bewohner der Militärgrenze in militärischen Einrichtungen, oder auf Kameralgütern oder unter Grundherrschaften lebten. In der Militärgrenze herrschten ganz andere Verhältnisse als bei der „Paorija“ in denjenigen Gebieten, wo die Bauern Untertanen der Grundherrschaften waren. Das Banat war bis zur Inkorporierung in Ungarn, d. h. bis zum Ende der siebziger Jahre unmittelbares Kameralgut, also dem Wiener Hofe direkt unterstellt. Dort herrschten, anders als in Slawonien, keine Grundherrschaften. Außerdem gab es seit der Mitte des 18. Jahrhunderts einige freie kgl. Städte, so Sombor, Maria-Theresiopel (Subotica) und Neusatz (Novi Sad). In ihnen lebte ein starkes und selbstbewußtes Bürgertum, das sich - voller Stolz auf eine inhaltsreiche Vergangenheit berufend - eine Gegenwart zur Kenntnis nahm, in der es doch einigermaßen sein eigener Herr sein konnte, und auf die Zukunft hoffte.

Im Rahmen der ihnen verliehenen Privilegien entwickelten sich bei den orthodoxen Serben sehr rasch gesellschaftliche Kräfte, die eine führende Rolle spielten. Durch die der Kirche zugesicherte Autonomie, in die große Teile der orthodoxen Bewohner der alten Monarchie - auch die orthodoxen Rumänen - wenngleich nicht alle Gebiete, in denen es Orthodoxe gab, eingeschlossen waren, entwickelte sich eine Art gesellschaftlicher Ordnung: die Bischöfe zählten zu den Privilegierten des Feudalstaates, die Popen hatten einen großen Einfluß auf die ungebildeten Massen. Die eigentliche ökonomische Kraft dieser Gesellschaft bildeten die serbischen Kaufleute und Handwerker, die fast den gesamten Handel zwischen der Türkei und Österreich und in großen Teilen Ungarns in ihren Händen hatten. Charakteristisch für alle Schichten ist der Patriotismus, das nationale Bewußtsein; die Ausnahme bilden die höheren Offiziere, die geadelt wurden und in der 2. Generation nicht mehr zu ihrem Volke gezählt werden können.

In der Vojvodina war also die Stadtbevölkerung (und nicht nur diese) größtenteils serbisch orthodox. In Slawonien und Kroatien aber herrschten andere Verhältnisse. Hier war die Landbevölkerung kroatisch, die Stadtbevölkerung aber bis vor etwa einem Jahrhundert noch nicht oder eben erst kroatisiert worden. In dem von den Türken befreiten Slawonien wurde eine dünne Schicht von Intellektuellen an katholischen österreichischen Schulen ausgebildet. Die lateinische Sprache war dort die Sprache des öffentlichen Verkehrs, der Wissenschaft, der staatlichen Administration; und die wenigen Personen mit einer höheren Schulbildung kümmerten sich so gut wie gar nicht um die Bedürfnisse der breiten Bauernmassen, die unter dem starken Einfluß ihrer katholischen Priester standen, ebenso wie die orthodoxe Bevölkerung unter dem Einfluß ihrer Geistlichen. Freilich war auch in Kroatien das nationale Bewußtsein entwickelt, wie es u. a. aus dem Werk eines kroatisierten Deutschen, Pavle Ritter Vitezović (1652—1713) hervorgeht; den Zustand Kroatiens im 16. und 17. Jh. stellt er glänzend in seiner Dichtung „Plorantis Croatiae saecula duo" dar.

Natürlich waren die ersten Jahrzehnte des 18. Jahrhunderts für die orthodoxen Serben, die unter der Türkenherrschaft lebten, schwerer als für die, welche das „Glück" der österreichischen Herrschaft hatten. Im 18. Jahrhundert bestanden viele mittelalterliche Traditionen weiter, und im Gefühl der religiosen und nationalen Bedrohung wandten sich die orthodoxen Serben um Hilfe an Rußland, an den orthodoxen Zaren, um aus Moskau die notwendige kirchliche Literatur und die ersten gebildeten Lehrer zu erhalten. Sie lehnten sich an Rußland vorbehaltlos an und übernahmen sogar die russische Kirchen- und Literatursprache. Durch russische Vermittlung erhielten sie Errungenschaften der westeuropäischen Zivilisation, die oft durch deutsche Vermittlung nach Rußland gelangt waren. Die gelehrtesten serbischen Theologen erhielten in der ersten Hälfte des 18. Jahrhunderts ihre Ausbildung in Rußland und studierten, wie aus den Nachrufen hervorgeht, meist in Kiew und manchmal in Moskau.

Die meisten Theologen wurden also in Rußland ausgebildet; aber eine beschränkte Zahl von serbischen Studenten finden wir auch an deutschen Hochschulen, übrigens öfter an evangelischen als an katholischen. Die Gründe dafür sind vor allem auch darin zu suchen, daß die evangelische Kirche ihren Einfluß nicht in demselben Maße auszubreiten trachtete wie die katholische. Zunächst wurden diese Studenten in Szeged und Preßburg ausgebildet, wo sie evangelische Mittelschulen besuchten; dann gingen sie nach Leipzig, Göttingen und vor allem nach Halle.[2] Das mag Wirkungen gehabt haben, aber im großen und ganzen bestanden in der ersten Hälfte des 18. Jahrhunderts bis etwa zum Siebenjährigen Krieg nicht die Bedingungen für eine Aufnahme der deutschen literarischen Aufklärung im südslawischen Donaubereich. Deren erste Phase (Gottsched — Bodmer — Breitinger) und die Aufklärungsphilosophie fanden wenig Anklang, da die damalige südslawische Gesellschaft für diese Literatur nicht aufnahmefähig war. Nach dem Siebenjährigen Krieg, als sich Wien der Lösung vieler Probleme annahm, als die aufklärerische schöngeistige Literatur zur vollen Blüte gelangt war und die südslawische Gesellschaft, besonders in der heutigen Vojvodina, schon sicherer auf ihren Füßen stand, war die Situation günstiger.

Die Wirkungen der deutschen Aufklärungsliteratur sind unverkennbar. Entsprechend unserem Thema sollen sie in bezug auf die schöngeistige Literatur und auf das Volksschulwesen skizziert werden. Wir werden den Spuren der deutschen aufklärerischen Literatur bei den wichtigsten Vertretern der südslawischen Aufklärung und bei den Übersetzungen im südslawischen Donaubereich nachgehen. Dabei werden wir nur Gipfelleistungen und wichtigste Namen berücksichtigen. Viele Wege und Umwege, über welche die Aufklärungsideen zu den Südslawen gelangten, können wir nicht einmal erwähnen. Die Situation wurde dadurch besonders kompliziert, daß die in Frage kommenden Südslawen Untertanen der Herrscher des Heiligen Römischen Reiches Deutscher Nation waren und nicht selten in die Zwistigkeiten innerhalb dieses Reiches hineingezogen wurden. Bekannt ist die Tatsache, daß Wien die Schulung der österreichischen Staatsbürger in der zweiten Hälfte des 18. Jahrhunderts an fremden Universitäten auch innerhalb des deutschsprachigen Bereiches, wobei besonders die bekannten evangelischen Universitäten in Frage kamen, ungern sah. So mußten sich auch orthodoxe Bischöfe vor höheren Staatsstellen rechtfertigen, weil sie ihre Zöglinge nach Halle, Göttingen oder Leipzig geschickt hatten. Das ist ein Widerhall der sichtbaren und unsichtbaren Kämpfe zwischen Österreich und Preußen um den Vorrang in der deutschen Welt, worauf Eduard Winter in seiner Studie „Die Pflege der südslawischen Sprachen im 18. Jahrhundert“ (Berlin 1954) hingewiesen hat.

In direktem Zusammenhang mit dieser Auseinandersetzung, deren sichtbarer Ausdruck der Siebenjährige Krieg war, erhielt die Aufklärungsliteratur in Slawonien ihren größten Vertreter und ihren höchsten Aufschwung. Schon in der Schlacht bei Breslau (1757) geriet der junge Leutnant Matija Antun Reljković (1732—1798) mit einer Schar von Grenzlern aus der Kompagnie von Slavonski Brod in preußische Kriegsgefangenschaft, die er großenteils in Frankfurt an der Oder verbrachte. Er stammte aus einem entlegenen slawonischen Dorfe und kam direkt vom Lande in eine Großstadt. Der fünfundzwanzigjährige Leutnant kannte bis zum Siebenjährigen Krieg nichts von der Welt und war mit dem Leben in seiner eigenen Heimat völlig zufrieden gewesen, wie er einmal sagt.

Charakteristisch für seine Wandlung sind die zwei Jahrzehnte später in der zweiten Auflage von „Satir“ (Osijek 1779) niedergeschriebenen Worte: „Ich beteiligte mich mit anderen am letzten Feldzug gegen Preußen. Ich war weder der erste, noch der letzte, weder der beste noch der schlechteste, sondern so in der Mitte. Und weil ich wegen meines eigenen Gewinns nicht in den Krieg ging, so war ich auf Gewinn nicht erpicht, sondern tat meine Pflicht, soweit es meinerseits möglich war. Ich war also mit dem, was ich hatte, zufrieden. Ich fand mein Vergnügen in der Betrachtung von schöner eingerichteten Gegenden, als meine Heimat Slawonien ist, und es tat mir sehr leid, daß ich mich in meiner früheren Überzeugung, nämlich daß es keine sauberere Gegend gibt, betrogen fand, da ich bis dahin noch keine andere Gegend gesehen hatte.“

Diese Beichte entstand, nachdem der kroatische Dichter und tüchtige kaiserliche Offizier Reljković die Kriegsgefangenschaft in Frankfurt/O. verbracht und sich in der dortigen großen Bibliothek von der Kluft zwischen dem Leben in Slawonien und dem im damaligen zivilisierten Europa überzeugt hatte. Ihm wurde klar, wie seine Heimat durch die lange Türkenherrschaft zurückgeblieben, wie sie, um einen modernen Ausdruck zu gebrauchen, zum „Entwicklungsland“ geworden war.

Schon während des Siebenjährigen Krieges 1762 erscheint in Dresden sein volkstümliches Epos im Versmaß der serbokroatischen Volkslieder unter dem Titel „Satir iliti divji čovik“ (Satyr oder der wilde Mensch). Den Kern dieses Epos bildet eine Satire auf das unzivilisierte Leben der Slawonier um die Mitte des 18. Jahrhunderts, also der zweiten Generation nach der Vertreibung der Türken. Überall, besonders aber im Familienleben und im Haushalt der Slawonier sieht er das schlechte Erbe der türkischen Zeit. Er geißelt es in einer

Weise, die seine Landsleute verstehen konnten, und sie haben ihn tatsächlich sehr gut verstanden. Von 1500 Exemplaren blieb binnen sehr kurzer Zeit dem Verfasser kein einziges übrig, so daß er, wie er klagte, nicht einmal seinen nächsten Freunden das Buch schenken konnte. Bald nachdem die zweite Ausgabe (Osijek 1779) erschienen war, gab der Esseger Lehrer Stefan Rajić die Satire in der von seinen orthodoxen Landsleuten gebrauchten kyrillischen Schrift heraus. Dieses Werk entstand also großenteils auf Grund der deutschen Aufklärungsliteratur und wurde, geschrieben von einem kroatischen Dichter, ein allgemein südslawisches Epos. Reljković wollte belehren, nicht die Gefühle ansprechen. Weil er sich an den Verstand seiner Leser wendet, sind seine poetischen Bilder phantasielos und arm. Er hält sich an das Losungswort der Aufklärung „Prodesse et delectare", und sowohl in diesem wie auch in seinen anderen Werken kommt weit mehr die Lehre als die Unterhaltung zu Worte.

Für dieses Werk, das sich bei allen, die lesen und die verstehen konnten, einer großen Beliebtheit erfreute, fand Reljković also während seiner Kriegsgefangenschaft in Frankfurt an der Oder Anregungen und Vorbilder. In den sechziger Jahren des 18. Jahrhunderts wurde in Deutschland Gottlieb Wilhelm Rabener (1714—1771) durch seine Satire sehr bekannt, und der Slawonier erfuhr, welche Macht die Satire in der Gesellschaft haben kann[3]. Möglicherweise hat Reljković auch das Epos des polnischen Dichters Jan Kochanowski (1530—1584) mit demselben Titel (Der Satyr) gekannt, das dieser als Kritik am polnischen Adel verfaßt hatte. Der Inhalt der gleichnamigen Werke ist ähnlich. Unverkennbar spiegelt sich aber bei Reljković die Lektüre des Werkes „Wunderbare und wahrhaftige Gesichte Philanders von Sittewald" des Dichters Hans Michael Moscherosch (1601—1669), der am „Alamodewesen" Gesellschaftskritik übt und sich gegen den französischen Einfluß wendet. Moscherosch klagt über den Gebrauch vieler französischer Wörter und Redewendungen. Die schlechten Sitten bei den Deutschen nennt er „französische Schulen". In derselben Art und Weise unterzieht Reljković den Gebrauch von türkischen Wörtern in der Sprache seiner Landsleute einer Kritik und nennt die eingebürgerten schlechten Sitten und Gepflogenheiten „türkische Schulen". Reljković übernahm aber von Moscherosch nur einige Grundideen, sonst blieb er bei den konkreten Gewohnheiten seiner Slawonier, den Verhältnissen in der slawonischen

Landbevölkerung. Er war ein Aufklärer, wie ihn seine Heimat in diesem Augenblick brauchte; und das gilt nicht nur für dieses Werk.

1767 erschien in Zagreb seine „Neue slawonische und deutsche Grammatik“, die er in der festen Überzeugung verfaßt hatte, daß durch dieses Werk die Grundlagen für eine weitere kulturelle Entwicklung in Slawonien gelegt werden würde. Es ist die Grammatik der slawonischen Volkssprache, der er ein Verzeichnis der türkischen Wörter im Slawonischen beifügt. Für die deutsche Sprache wird eine Lautlehre gegeben. Daß es ein notwendiges Buch war, geht schon daraus hervor, daß es in drei Auflagen erschien.

1776 übersetzte er im Auftrage der zuständigen Staatsbehörden aus dem Deutschen eine Schrift über die Schafzucht (Osijek 1776), wieder ein notwendiges Buch. Aber auch aus dem Französischen und Lateinischen — Sprachen, die er während seiner Kriegsgefangenschaft in Frankfurt gelernt hatte — übersetzte er, und zwar Erzählungen und Fabeln mit aufklärerischen und moralischen Tendenzen. Fast alle seine Arbeiten tragen den Stempel der theresianischen Reformen, die allem Radikalismus abhold waren und die Menschen zu guten, rechtschaffenen und folgsamen Staatsbürgern erziehen sollten. Obgleich er ein Aufklärer war, stützte er sich nicht allein auf die Vernunft: „illuminatus“, „aufgeklärt“, war für ihn nicht alles. Und gegen Ende seines Lebens schreibt er in seinem Buch „Nek je svašta“ (Allerlei. Osijek 1795): es gebe keine Aufklärung, „als die Aufklärung, die uns die Religion gibt.“

Nun einen Sprung über die Drau, über die Donau und über die Theiß! Einer ebenso großen und dauernden Beliebtheit erfreuten sich die Schriften des um 1740 in dem heutigen rumänischen Banat, im Dorfe Čakovo, nicht weit von Temesvar, geborenen Dositej Obradović, dessen Leben den Weg des serbischen Volkes vom Mittelalter in die neue Zeit, ins aufgeklärte 18. Jahrhundert, versinnbildlicht. Vom Klosterschüler im orthodoxen Monasterium Hopovo in der Fruška Gora, der sein Ideal im Heiligwerden sah, also im Ideal des Mittelalters, wird er in erster Linie durch die deutsche Aufklärung nicht nur zu einem der gelehrtesten Männer seiner Zeit, sondern auch zum bedeutendsten Aufklärer seines Volkes, der gegen Ende seines Lebens die Früchte seiner Arbeit noch erlebte. In dem von den Türken 1804 befreiten Serbien — darunter soll hier nur der alte serbische Norden verstanden werden — ist er der erste Kultusminister. Noch im Amt stirbt er 1811 und wird vor der orthodoxen Kathedrale in Beograd begraben. Etwa 22 Jahre lang lebte er im deutschsprachigen Bereich, die längste Zeit während der theresianisch-josephinischen Reformen in Wien, wo noch heute in der Rotenturmstraße eine Gedenktafel für ihn zu sehen ist. Aber er war auch an anderen Orten, so im Schuljahr 1782/83 in Halle an der Universität, wo er u. a., wie er selbst schreibt, Prof. Johann August Eberhardt kennenlernte. Aus dessen Schriften sowie aus denen anderer Gelehrter und Schriftsteller zitiert er oft. Er verherrlicht Joseph II. als den Repräsentanten des aufgeklärten Zeitalters und seine „glänzende Krone" („svjetla kruno, Josife veliki"); und etwa zwei Wochen vor seinem Tode schreibt er, der Kaiser habe ihn zu seiner Tätigkeit angespornt; ohne ihn wären viele Dinge niemandem eingefallen, und alles, was er, Obradović, geschaffen habe, „ist einzig und allein auf die Anregungen des großen Kaisers zurückzuführen". Durch seine Schriften — „Život i priključenija" (eine Selbstbiographie), „Basne" (Fabeln), „Sovjeti zdravago razuma" (Ratschläge der gesunden Vernunft) usw. — trat er auch für die Volkssprache ein. Auch das geschah unter dem Vorbild der josephinischen Reformen. Bis zum Regierungsantritt von Joseph II. gab es im deutschsprachigen Bereich nur einen einzigen Hof, an dem deutsch gesprochen wurde: das war der Hof in Weimar. Unter Joseph II. beginnt man aber auch in Wien der deutschen Sprache größere Aufmerksamkeit zu widmen. Und das überträgt Obradović auf die serbischen Verhältnisse. Er schreibt: „Welchen Nutzen haben wir von einer Sprache, welche kaum einer von zehntausend Menschen richtig versteht, und die unseren Müttern und Schwestern fremd ist!" Dabei dachte er an die kirchenslawische Sprache, die keine Volkssprache, sondern die serbische Version der russischen Rezension der altkirchenslawischen Sprache ist. So wie man in Wien anstelle der lateinischen Sprache die deutsche einführen wollte, nahm sich Obradović der Volkssprache an und wandte sich gegen das Kirchenslawische. Diese Volkssprache wollte er zur Literatursprache erheben. Aber erst seinem Schüler — er war es im eigentlichen, nicht im übertragenen Sinne — Vuk Stefanović Karadžić sollte das gelingen.

Obradović, der ehemalige Mönch, verlangt auch ganz im Sinne der Aufklärung und der josephinischen Reformen den Ausbau des Schulwesens auf Kosten der Kirchengüter. So ruft er seinen Landsleuten zu: „Bücher, Bücher, liebe Brüder, und keine Kirchenglocken! Unsere

Kinder werden nicht gescheiter, auch wenn Kirchenglocken den ganzen Tag schlagen würden." Die Nation habe keinen Nutzen von den faulen Mönchen, die über große Güter verfügen; diese Güter könnten aber nützliche Schulanstalten unterhalten. Und mit Hilfe ihrer Einkünfte könnten nützliche Bücher gedruckt werden. Obradović betont die Notwendigkeit von Schulen für Mädchen, denn „wehe der Nation, deren Kinder von ungebildeten Frauen erzogen werden!"

Man könnte viele Beispiele dafür nennen, wie Obradović die Ideen der deutschen Aufklärung in Wiener Prägung seinen Landsleuten beibrachte und auf diese Weise auf die breiten Volksmassen wirkte. Genau so wie Reljković sah Obradović, der ja viele Länder, so Österreich, Deutschland, Frankreich, England, Rußland, Albanien, Griechenland, die Türkei, Italien usw. gesehen hatte, die tiefe Kluft, die zwischen der zivilisierten Welt und seinem Heimatlande gähnte. Sein Losungswort, man solle Europa erreichen, war verständlich und fortschrittlich. Der Weg zur europäischen Zivilisation und europäischen Kultur führte aber für ihn, was historisch begründet ist, über Wien. Ich verzichte auf die weitere Aufzählung von Beispielen für die Wirkung der deutschen Aufklärung bei Obradović und anderen serbischen und kroatischen Schriftstellern jener Zeit und verweise auf das umfangreiche, serbokroatisch geschriebene Werk von Mita Kostić[4].

Im südslawischen Bereich wurden schon im 18. Jahrhundert deutsche Werke, nicht nur von österreichischen höheren Beamten oder Offizieren im Original gelesen. Wir haben zahlreiche Beweise, daß sich in Bibliotheken wohlhabender südslawischer Bürger im 18. Jahrhundert auch deutsche Bücher befanden, darunter Erstausgaben von Vertretern der Aufklärung, des Sturmes und Dranges und der Klassik. Der repräsentativste deutsche Dichter der Aufklärungszeit ist ohne Zweifel Gotthold Ephraim Lessing. Der erste unter den bedeutenden südslawischen Aufklärern, der auf Lessing hinwies, war Obradović. An vielen Stellen seiner zahlreichen Schriften erwähnt er den großen deutschen Dichter, und zwar in einer Art, die keinen Zweifel daran läßt, wie er ihn schätzte. Für Obradović ist Lessing „des aufgeklärten Deutschland großer Aufklärer", „der Gescheiteste in seiner Nation", der „scharfsinnige Lessing" usw. Er liest ihn viel, weiß aber auch, was er seinen Landsleuten bieten kann. Deswegen übersetzt er nur ein paar Dutzend Fabeln von Lessing[5] und eine Jugendkomödie „Damon, oder über die wahre Freundschaft".

Obradović will immer zeitgemäß sein und das bieten, was das Volk braucht und sucht, vor allem „naravoučenija" (die Lehren, Nutzanwendungen). Und es war für ihn klar, daß es sinnlos war in einer Zeit, als es kein serbisches Theaterleben gab, Lessings „Miß Sara Sampson", „Minna von Barnhelm", „Emilia Galotti", „Nathan der Weise" usw. zu übersetzen; dasselbe gilt auch für die „Hamburgische Dramaturgie".

Einen bedeutenden Einfluß übte auch Christoph Martin Wieland aus. Gottfried Heinrich Bretschneider, der Vizekreishauptmann von Vršac (im jugoslawischen Banat) schrieb an seinen Berliner Freund Nicolai (1777): „Hier in Werschetz ist Konzert und Ball, in Temesvar Schauspiel. An letzterem Ort kommen Wochenzeitschriften heraus[6]. Und es gibt schöne Geister, die sich in Fraktionen teilen, teils Goetheaner, teils Wielandianer." Allem Anschein nach war Obradović auch der erste, der (schon 1786) auf den Nutzen der Übersetzung von Werken Wielands hinwies. Aber erst siebzehn Jahre später erschienen die ersten drei Bücher seiner „Abderiten" unter dem Titel „Povjest drevnih Abderitov" (Buda 1803) in serbischer Sprache. Der Übersetzer des Romans war Nikolaj Lazarević, emeritierter Lehrer der „illyrischen Nation", von dem wir heute wissen, daß er 1806 gestorben ist; er war ein Schüler von Avram Mrazović (1756—1826); und ich habe festgestellt, daß er in Sombor und Buda jahrelang als Lehrer tätig war und sich später „linguae illyricae et germanicae Professor" nannte.

Soweit ich weiß, war er der erste, der bei den Serben diesen Titel trug oder sich zulegte. Lazarević wendet sich in einem Brief vom 16. Juli 1800 an Wieland und schreibt: er habe „die von dero kraftvollen Feder verfaßte Geschichte der alten trotzigsten Abderiten gelesen und dieselbe in [seine] Muttersprache, ihrem Originale vollkommen gemäß", übersetzt. Da Wielands Briefwechsel noch nicht veröffentlicht ist, wissen wir nicht, ob und was er geantwortet hat. Aber Lazarević dürfte der erste Südslawe überhaupt gewesen sein, der einen Brief an Wieland oder an einen der großen deutschen bedeutenden Dichter dieser Epoche geschrieben hat.

Wielands „Abderiten" erfreuten sich auch bei einfachen Leuten, Kaufleuten und Handwerkern einer großen Beliebtheit. Mit „Abderit" wurden schon im ersten Jahrzehnt des 19. Jahrhunderts bestimmte und allgemein bekannte Vorstellungen verbunden; so nannte z. B. schon im Jahrzehnt vor dem Tode Wielands in der Vojvodina ein Zechmeister im Streite seinen Mitmeister einen Abderiten, was als Beleidigung galt[7]. Lazarevićs Übersetzung war rasch vergriffen und wurde zwei Jahrzehnte später erneut verlegt.

Aber nicht nur Werke Lessings und Wielands, sondern auch die anderer berühmter deutscher Dichter dieser Epoche wurden übersetzt. Vor allem Geßner und Christian Fürchtegott Gellert erfreuten sich im südslawischen Raum einer großen Beliebtheit. Geßners Idylle „Palemon" z. B. dichtete Gligorije Trlajić (1766—1810) unter dem Titel „Zabavlenije jedinago letnago utra" (Ergötzung eines Sommermorgens) nach, allerdings so frei, daß diese Nachdichtung mehr als dreimal so lang wie das Original ist. Trlajić, der als Universitätsprofessor in Charkow in Rußland starb, war übrigens mit Ludwig Heinrich Nicolai, der zu seiner Zeit als bedeutender Dichter galt, befreundet. Beide waren einige Zeit im Dienste des Fürsten Golizyn in Wien, und so konnte es geschehen, daß sowohl Nicolais „Idäa oder männliche und weibliche Tugend" als auch Trlajićs Übersetzung dieses Werkes im selben Jahre, also 1793, in Wien erschienen. Solche persönlichen Kontakte waren übrigens keine Seltenheit.

Obgleich sich also die Südslawen im 18. Jahrhundert im Bereich der unmittelbaren Ausstrahlung der deutschen Kultur befanden, kamen deutsche Einflüsse vor allem zu den Serben, aber auch über Rußland. Diese Wege sind bisher noch nicht bis in alle Einzelheiten erforscht. Sie lassen sich dadurch erklären, daß das Vertrauen zu Rußland bei den orthodoxen Serben groß war und daß man glaubte, beruhigt übernehmen zu können, was in russischer Sprache schon vorlag. So habe ich z. B. festgestellt, daß Wielands und Lessings Werke bereits ins Russische übertragen worden waren, als sie in „slaveno-serbischer", d. h. serbischer Übersetzung veröffentlicht wurden, und daß sich diese russischen Übersetzungen z. B. in der Metropolitan-Bibliothek in Sremski Karlovci, die heute in Beograd untergebracht ist, oder auch in Klosterbibliotheken befanden. Sie waren also von frommen Leuten geschenkt worden.

Wenn man noch hinzufügt, daß nicht selten in Kalendern „vernünftige Ratschläge" und „nützliche Gedanken" über Haushalt, Ackerbau usw. als Übersetzungen oder Überarbeitungen deutscher

Quellen dem Leserpublikum geboten wurden, so kann man sagen, daß die deutsche Aufklärung tief wirkte, daß sie bis zu den Bauern drang und neben dem starken nationalen Bewußtsein, welches von einer ruhmreichen Vergangenheit und einem unerschütterlichen Glauben an die Zukunft genährt wurde, vorhanden war.

Die folgenden Ausführungen über die Ausstrahlung der deutschen Aufklärung durch die Schulen beziehen sich auf die serbischen Volksschulen im Donaubereich, und zwar in der Zeitspanne von der Mitte der siebziger Jahre des 18. Jahrhunderts bis etwa 1810. Serbische Schulen gab es auch außerhalb des Donaubereiches, nicht nur in den von den Türken befreiten Gebieten, sondern auch an manchen Punkten, die nicht von ihnen besetzt gewesen waren. Volksschulen waren bei weitem in der Überzahl, aber sie waren nicht die einzigen Unterrichtsstätten. In der genannten Zeitspanne wird das serbische Schulwesen zwar modernisiert und macht gewaltige Fortschritte, serbische Schulen gab es jedoch schon viel früher.

Die Modernisierung des serbischen Schulwesens in Österreich ist ohne theresianische Schulreform nicht denkbar. Nach langen Diskussionen wurde die Schulkommission gegründet und am 2. Januar 1771 die Normalschule in Wien feierlich eröffnet. Trotz anfänglicher Erfolge gab es Schwierigkeiten. Josef Meßmer war als Direktor ungeeignet, die Lehrer erwiesen sich als undiszipliniert. Darauf tat die Kaiserin einen entscheidenden Schritt, und auf ihr Ersuchen erteilte Friedrich II. durch seinen Minister Graf Finckenstein die Erlaubnis, daß sich sein Untertan Johann Felbiger, der das General-Land-Schul-Reglement der Katholischen Schulen Schlesiens (1765) entworfen hatte, in Wien, wie es wörtlich heißt, „solange aufhalten [könne], als Ihro Majestät die Kaiserin zur Erfüllung Ihrer lobwürdigen Absicht es für nützlich erachten würde; und der König wünschte nur mehrere Gelegenheiten zu erhalten, sich Ihro Majestät gefällig zu bezeigen und von seiner wahren Freundschaft überführen zu können.“[8] Felbiger traf am 1. Mai 1774 in Wien ein; am 6. Dezember desselben Jahres unterzeichnete Maria Theresia das bekannte Gesetz „Allgemeine Schulordnung für die deutschen Normal-, Haupt- und Trivialschulen in den sämtlichen kaiserlich-königlichen Erbländern“. Das war eine Tat von großer historischer Bedeutung. Die Schule, vor allem die Volksschule war nicht mehr ausschließlich Sache der Kirche, sondern der Staat sorgte für das Schulwesen, kontrollierte es aber auch. Natürlich war die Wende zur Verweltlichung nicht so radikal; der Religionsunterricht blieb weiter bestehen, Ortspfarrer konnten Volksschulaufseher sein und bleiben, der Staat aber schrieb das Programm, den Inhalt und die Lehrmethode vor.

Im selben Jahr, also 1774, unterzeichnete die Kaiserin die von der illyrischen Hofdeputation ausgearbeiteten „Regulae directivae für die Verbesserung des illyrischen und walachischen nichtunirten Elementar- oder Trivialschulwesens in den k. k. Erbländern". In der Einleitung heißt es: „... Da wir unter anderen Gegenständen unserer landesmütterlichen Sorgfalt für das Wohl unserer lieben getreuen illyrischen Nation den Unterricht der nichtunirten illyrischen Jugend in denen Trivial- oder Landesschulen als einen der vorzüglichsten gnädigst ermessen und dahero beschlossen haben, sothanen Unterricht in denen nichtunirten Trivialschulen da, wo er annoch nicht besteht, einzuführen, wo er dagegen bereits eingeführet sein sollte, zu verbessern, anmit aber zuvorderst in dem Provinzial Bezirke Unseres Temesvarer Bannats den Anfang zu machen, als haben Wir für die nichtunirten Trivialschulen unseres Temesvarer Banats folgendes Schulsystem, das Wir auf das genaueste befolget wissen wollen, gnädigst zu bestimmen geruhet."

Dieses Schulsystem mit seinen 31 Paragraphen, welches in seiner serbischen Fassung „Školski ustav" (Schulverfassung) genannt wird, wurde von der Kaiserin am 2. November 1776 unterzeichnet. Es bezieht sich auf das Banat, und u. a. heißt es da: „Jeder Popp hat mit Zuziehung des Dorf Kneesen monathlich einmahl die Schule seiner Pfarre — jeder Protopopp mit Zuziehung eines Beamten des einschreitenden Verwalter Amts alle drey Monathe einmahl die Schulen seines Protopopiats-Bezircks — endlich jeder Bischof mit einem Unserer Räthen der Temesvarer Landes Administration, dann mit Zuziehung des Schul Directoris jährlichen einmahl die Schulen seiner Diözes visitiren, dergestalten, daß, falls die allgemeine Visitation zu lange fürdauerete, der Diözesan District abgetheilet, die Hälfte von dem Bischofen mit einem Administrations Rath, die andere Hälfte von dem Vikario mit einem anderen Administrations-Mitglied untersuchet werden solle."

Die beiden Schulgesetze betrafen also die Schulen der orthodoxen Bevölkerung der Gebiete östlich von der Theiß, waren aber von kurzer Dauer. Das bedeutet allerdings nicht, daß alle Bestimmungen außer Kraft getreten sind. Im Rahmen der Verhandlungen und Vereinbarungen mit den Ungarn wurde zwar das Banat an Ungarn angeschlossen, „inkorporiert"; es blieb nicht Kameralgebiet, war also nicht mehr direkt dem Kaiser unterstellt, wodurch es auch zu der Revision von Schulgesetzen kam. Die neue Grundlage für die administrative Ordnung des serbischen und rumänischen Volksschulwesens war das von Maria Theresia am 22. August 1777 unterzeichnete Schulgesetz „Ratio educationis totiusque rei literariae per regnum Hungariae et provincias eidem adnexas". Der Bildungsinhalt aber wurde gegenüber der „Allgemeinen Schulordnung" oder anderen vorher genannten Schulgesetzen nicht wesentlich verändert. Alle Länder der Krone des Heiligen Stephan wurden in Schuldistrikte eingeteilt, in jedem eine Schulkommission gebildet, orthodoxe Schulen erhielten orthodoxe Schulaufseher, welche jedoch der katholischen Schulkommission ihre Berichte zu erstatten hatten, die dann an die Königl. ungarische Statthalterei weitergeleitet wurden. Ein entsprechendes Verfahren galt auch für die evangelischen Schulaufseher. Auf diese Weise erstreckten sich die in der „Ratio educationis" vorgesehenen Vorschriften auch auf die serbischen Schulen, die uns hier interessieren. Die administrative Einteilung und die Zuständigkeiten änderten sich zwar, Inhalt und Zweck des Unterrichts blieben sich fast gleich.

Wir können hier nicht näher auf die Bestrebungen, Kämpfe und Meinungsverschiedenheiten in der Staatsführung bezüglich der serbischen und orthodoxen Schulen überhaupt (offiziell hießen sie damals griechisch-nichtunirte Schulen oder illyrische Schulen) eingehen, auf die vielfach erörterte Frage, ob sich der Staat dieser Schulen annehmen, oder sie ihrem Schicksal überlassen solle, auf die zu dieser Zeit aktuellen nationalen oder nationalistischen Bestrebungen der ungarischen Aristokratie um die Einführung der ungarischen Sprache in alle Schulen der Länder der Krone des Hl. Stephan, auf den Horia-Aufstand der achtziger Jahre des 18. Jahrhunderts oder den serbischen Aufstand unter Karageorg (1804) an den Grenzen der Gebiete und der Zeit, die für uns in Betracht kommt. All das blieb natürlich nicht ohne Folgen auf das serbische Schulwesen im Donauraum. Hier wollen wir aber nur von den Persönlichkeiten sprechen, die diese Modernisierung der serbischen Schulen begonnen und größtenteils durchgeführt haben, und von den Ergebnissen, die letzten Endes als Ausstrahlung der deutschen Aufklärung zu betrachten sind und die durch diese Schulreform erzielt wurden.

Zunächst ist Theodor Janković Mirijewski (1741—1814), eine der wichtigsten serbischen Persönlichkeiten des 18. Jahrhunderts, zu nennen. Er stand bis 1782 an der Spitze des serbischen Schulwesens im Banat, wo die theresianische Schulreform zunächst begann. Da über diesen Gegenstand und über Janković umfangreiche Arbeiten in deutscher Sprache vorliegen[9], sei hier nur auf ein Dokument hingewiesen, in dem der Zustand des Bildungswesens in diesem Gebiet eingehend und sachkundig beschrieben wird, auf einen Brief von Janković an Kaiser Josef II. aus dem Jahre 1781 mit einer Denkschrift als Anhang, die den Titel trägt „Entwurf, wie das Illyrische und Wallachische Schulwesen in dem Temescher Districte emporgebracht werden könnte"[10]. Im Brief heißt es u. a., im Banate seien vor zehn Jahren „kaum 30 National-Schulen gewesen, dermalen im Jahre 1781 würcklich 293 Illyrische und Wallachische Lehrer, und 4403 Schüler ..." Aus der beigelegten Tabelle ist zu ersehen, daß es in drei Gespanschaften — der Temescher, der Torontaler und der Braschower — 1781 452 Ortschaften mit 293 Lehrern, 5755 schulpflichtige Kinder, von denen 4403 die Schule besuchten, gab. In seinem sechsunddreißig Seiten langen Entwurf schlägt er folgende Maßnahmen vor:

1. Die orthodoxen Geistlichen sollten eine bessere Ausbildung bekommen, damit sie als aufgeklärte Leute in ihren Pfarreien wirken können; jetzt seien die Bischöfe gezwungen, wenig gebildete Jünglinge zu Priestern zu weihen, die dann kein Verständnis für die Schulen haben.

2. An Plätzen, wo Schulen fehlten, sollten sie gegründet werden, und zwar mit Einrichtungen, die er genau beschrieb. Er sah vor, daß die Lehrer in den Schulgebäuden wohnen, auch wenn schon Lehrerwohnungen vorhanden seien, denn, so schreibt er, sonst kommen sie zum Unterricht zu spät.

3. Etwas eingehender befaßte er sich mit der Bildung der Lehrer und mit ihrer gesellschaftlichen Lage. Er setzte fest, was sie zu tun und zu lassen hätten, was ihrer würdig und was unwürdig sei.

4. Folgende Bücher seien für die Trivial-Schulen notwendig: das ABC-Büchlein, Csaszoszlov, der Psalter, die Anleitung zur Recht-

schaffenheit, das Buch von der Landwirtschaft, die Rechenkunst, die „Anleitung zum Schönschreiben sammt den Vorschriften" und die Schulgesetze für Schüler — alles in der Muttersprache, also in der „illyrischen" (serbischen) und der walachischen (rumänischen) Sprache.

Janković schlägt vor, daß Rindhüter angestellt werden, denn es käme oft im Banat vor, daß ein paar Kühe von fünf, sechs oder acht Kindern gehütet würden. Die Kinder spielten, das Vieh verursache Schaden, und „die Untertanen dero Majestät" seien ständig deswegen vor Gericht. Die Kinder aber könnten die Schule nicht besuchen. Weiter fordert Janković, zu Dorfrichtern solle man nur des Lesens und Schreibens kundige Leute machen; in Temesvar müßte ein Priesterseminar gegründet werden; Bischöfe, Erzpriester sowie Pfarrer müßten jede Gelegenheit, z. B. Taufen, Trauungen und Begräbnisse wahrnehmen, um zum Schulbesuch anzuspornen. Schließlich schlägt Janković vor, daß weltliche Behörden Medaillen prägen, die auf der einen Seite das Bild des Kaisers und auf der anderen die Inschrift: „Za ohotu k naukam" („für dic Lehrbegierde") tragen. Diese Medaillen solle es in verschiedenen Größen geben, denn die Erfolge der Schüler seien auch verschieden.

Das waren allgemeingültige und damals für alle Schulen aktuelle Vorschläge. Aus den Dokumenten in den Archiven geht hervor, daß sowohl Serben, als auch Rumänen und Ungarn sich über die Verhältnisse beklagen, vor allem über die ungenügende Bildung der evangelischen, katholischen und orthodoxen Priester und über die Verständnislosigkeit für das moderne aber auch für das alte Schulwesen. Diese Denkschrift von Janković entwirft also ein klares Bild von den Schwierigkeiten, vor denen die Schulreform stand. Freilich haben die serbischen orthodoxen Kirchenbehörden, wenn auch aus Angst vor Unionsbestrebungen vorsichtig, so doch überhaupt an der Schulreform mitgewirkt. Nicht selten stellten sie Geld zur Verfügung und schlugen Kandidaten für das Schuldirektorenamt vor. Im Einvernehmen mit ihnen erfolgte die Ernennung für einen höheren Posten im Bereich des Schulwesens. Sobald sie Gefahr für ihre Kirche oder Nation witterten, leisteten die orthodoxen Bischöfe aber auch Widerstand. Ob er begründet oder unbegründet war, ist eine andere Frage: auf jeden Fall aber waren sie auf ihre besondere Weise am Schulwesen interessiert.

Neben Janković waren an der Modernisierung des serbischen Schulwesens vor allem noch folgende Männer beteiligt: Avram (Abraham) Mrazović (1756—1826) und Stefan Vujanovski (1736—1829). Auf Vorschlag des Metropoliten Vicenz Jovanović-Vidak wurden beide 1776/77 bei J. I. Felbiger in Wien auf Staatskosten an der Normalschule zu Schuldirektoren „abgerichtet". So wurde damals die Ausbildung offiziell genannt. Avram Mrazović wurde 1756 als Sohn eines orthodoxen Priesters Georgije Mrazović in Sombor geboren[11]. Er besuchte zunächst die serbische Schule in seinem Geburtsort, wurde dann zur weiteren Ausbildung nach Szeged und Budapest geschickt und nachdem er die Normalschule in Wien absolviert hatte, am 29. November 1777 von Maria Theresia zum Direktor der serbischen Schulen in der Bačka ernannt. Sein Gebiet erweiterte sich mit der Zeit bis Sz. Endre. Als Janković nach Rußland ging, vertrat ihn Mrazović fünf Jahre lang im Banat. Der Sitz seiner eigentlichen Schulkommission befand sich in Fünfkirchen; sein Gebiet erstreckte sich auf drei in diesem Schuldistrikt liegende Gespanschaften. Volle dreiunddreißig Jahre blieb er als „Schuldirektor" (Aufseher) tätig. Im öffentlichen Leben spielte er eine bedeutende Rolle; u. a. war er Vertreter seiner Stadt Sombor im serbischen Nationalkongreß in Temesvar (1790). Im Februar 1826 starb er und wurde in seiner Geburtsstadt begraben; eine Straße trägt dort noch heute seinen Namen.

Von Stefan Vujanovski weiß man verhältnismäßig wenig. Er ist in einem Dorfe Brdjani (an der kroatisch-bosnischen Grenze) geboren worden, aber es gibt dort viele Dörfer dieses Namens. In den Sterberegistern der orth. Kirche von Novi Sad konnte ich feststellen, daß er 1829 im Alter von 92 Jahren starb. Also dürfte sein Geburtsjahr 1736 oder 1737 gewesen sein. Ebenso wie Mrazović wurde er an der Normalschule in Wien „abgerichtet" und von der Kaiserin im selben Jahre (1777) zum Schuldirektor in Syrmien, Kroatien und Slawonien mit dem Sitz in Osijek ernannt. Die für ihn zuständige Schulkommission befand sich in Zagreb (Agram).

Zieht man das Ergebnis aus den vielen Nachrichten, die über die Tätigkeit der ersten serbischen Schuldirektoren bekannt sind, so kann man feststellen, daß das Banater Schulwesen am fortschrittlichsten war, da dort die Grundherrschaften während der theresianischen Reformen eine unbedeutende Rolle spielten. Vujanovski hatte hingegen im Zagreber Schuldistrikt bittere Tage, da ihm die Grundherrschaften sehr große Schwierigkeiten bereiteten. Allen Schuldirektoren gemeinsam hingegen waren die Pflichten und deren Befolgung sowie ihre Obliegenheiten:

1. Sie hatten Schulen zu gründen und zu organisieren, so daß in jeder Pfarrei eine Trivialschule vorhanden war.

2. Gemeinsam mit den zuständigen Behörden mußten sie fehlende Schulgebäude bauen und dieselben mit dem nötigen Material versorgen.

3. Für ihre Gebiete hatten sie Lehrer auszubilden. Das war eine schwierige Aufgabe. Sie mußte vor allem an der Normalschule in Temesvar gelöst werden, da die ganze serbische Nation nur diese einzige Ausbildungsstätte im Banat besaß. Hinzu kamen noch die Stadtschule (Hauptschule) in Sombor, wo Avram Mrazović, und die Hauptschule in Osijek, wo Stefan Vujanovski ihre Lehrer „abrichteten". Nur Lehrer mit Zeugnissen dieser Anstalten durften angestellt werden.

4. Die Sorge um die Existenz dieser Schulen war eine schwere Pflicht. Schulen und Lehrer erhielten von den Gemeinden — im serbischen Bereich waren es Kirchengemeinden — meist bis 16 Joch Boden, eine halbe „Ansässigkeit". Jedenfalls war das in der Bačka und in Slawonien der Fall. Außerdem erhielten die Lehrer in barem Geld mindestens 50 Florin, etwas Brennholz, Petroleum, Weizen usw. Seit Mitte der achtziger Jahre des 18. Jahrhunderts wurde das in Verträgen festgelegt, und diese Verträge einerseits von der Schulbehörde und den Direktoren, andererseits von den Vertretern der Gemeinden immer im Beisein von einigen Gespanschaftsbeamten unterzeichnet.

5. Zu den Aufgaben der Direktoren gehörte auch die Abfassung von Schulbüchern in der Muttersprache. Damit wurde ein sehr wichtiger Schritt zur Verweltlichung der serbischen Volksschule getan. Zum erstenmal tauchten auch weltliche Gegenstände im Lehrplan auf: Mathematik, Grammatik der Muttersprache; in den Hauptschulen Geschichte, Geographie, Geometrie, Deutsch. Der Religionsunterricht spielte nicht die Hauptrolle. Jahrelang wurde er sogar vernachlässigt oder von weltlichen Lehrern erteilt. Auf die Anfrage des Kaisers, warum in den Berichten Religionsunterricht nicht angeführt werde, antwortete Mrazović einmal, Priester hätten keinen Normalkurs absolviert und könnten deswegen keinen Religionsunterricht erteilen, das machten die weltlichen Lehrer besser. Viele Priester freuten sich

übrigens, durch diese Regelung ihrer Pflichten enthoben zu sein. Es gibt Zirkularprotokolle, in denen Bischöfe bei den Priestern auf Religionsunterricht drängen.

Im Zusammenhang mit der Abfassung serbischer Lehrbücher sei noch folgendes erwähnt: In Srem (Syrmien), Kroatien und Slawonien war Stefan Vujanovski tätig. Er hatte seit 1770 an der Wiener Universität Rechtswissenschaft studiert[12] und schrieb hier die erste deutsche Grammatik für Serben: „Nemeckaja grammatika iz različnih avtorov, naipačeže Gotšedovih knig sobranna ... — also: Deutsche Grammatik, aus verschiedenen Autoren zusammengestellt, insbesondere aus Gottscheds Schriften ... “, gedruckt in Wien bei Josef Kurzbeck, 1772.

Welche Quellen benutzte der Verfasser? Es gelang mir festzustellen, daß Vujanovski nicht nur die große deutsche Grammatik von Gottsched verwendet, sondern auch seinen „Kern“. Am Rande sei erwähnt, daß in Goedekes „Grundriß“ zwar u. a. die französische (1753) und russische (1762) Umarbeitung der Grammatik von Gottsched angeführt werden, die „illyrische“ von Stefan Vujanovski aber offenbar unbekannt war. Vujanovski benutzte die russische Bearbeitung der Grammatik von Gottsched; das ist aus verschiedenen Einzelheiten zu ersehen. Er übernahm Gottscheds Lautlehre, Wortlehre, Syntax (die mit unserem Begriff der Syntax nicht übereinstimmt); die Tonmessung übernahm er nicht, da dieselbe schon bessere Deutschkenntnisse voraussetzt. Beigefügt ist ein Teil „Gespräche“, und es ist kulturgeschichtlich höchst interessant, worüber sich die Gesprächspartner unterhalten. Schließlich ist auch ein diesem Buch beigefügtes deutsch-serbisches Wörterbuch erwähnenswert, das nur drei Abteilungen enthält: Hauptwörter, Eigenschaftswörter und Zahlwörter. Im Rahmen aller dieser Wortarten wird eine alphabetische Ordnung, so wie er sie verstanden hat, eingehalten. Im Vorwort betont Vujanovski das Glück seiner Landsleute, unter der schönen Regierung der Kaiserin Maria Theresia und ihres Sohnes Josef II. zu leben. Es sei ihre Pflicht, die Sprache der beiden Herrscher zu beherrschen. Also gebe er sich große Mühe, eine Grammatik zu verfassen, damit jeder, der slawisch spricht, das Deutsche erlernen kann.

Der Deutschunterricht war aber zu dieser Zeit keineswegs obligatorisch. Aus Berichten geht hervor, daß zwar ab und zu empfohlen wurde, Lehrer anzustellen, die der deutschen Sprache kundig seien. Das war aber niemals eine wirkliche Voraussetzung. Der deutsche

Sprachunterricht wird nicht in allen Berichten erwähnt, ja, in denjenigen über die Trivialschulen, die Nationalschulen und die Dorfschulen wird im 18. Jahrhundert fast nirgends Deutsch als Lehrgegenstand genannt, hingegen wurden in den Städten, wo ein wohlhabenderes Bürgertum vorhanden war, wo es Handwerker gab, die sich der deutschen Sprache bedienen mußten, schon in den achtziger Jahren von den Stadt- und Hauptschulen einige Sonderverträge mit Lehrern geschlossen, die ausschließlich Deutsch zu unterrichten hatten. Sie bezogen das gleiche Gehalt und hatten dieselben Verträge wie andere Lehrer.

Anmerkungen

1 Vgl. D. J. Popović: Srbi u Vojvodini (Die Serben in der Vojvodina). Bd. 1—3, Novi Sad 1957—1963.

2 M. Kostić: Serbische Studenten an den Universitäten Halle, Leipzig und Göttingen im 18. Jahrhundert. = Südostdeutsche Forschungen, Bd. 3, H. 2, München 1938; vgl. auch H. Peukert: Die Slawen der Donaumonarchie und die Universität Jena 1700—1848. Berlin 1958.

3 M. Kostić: G. V. Rabener i J. St. Popović. In: Delo IX (1904), Bd. 30, H. 3. Hier wird den Spuren des Einflusses von Rabener bei späteren südslawischen Schriftstellern nachgegangen.

4 M. Kostić: Dositej Obradović u istorijskoj perspektivi XVIII i XIX veka (D. O. in der historischen Sicht des 18. und 19. Jahrhunderts). Beograd 1952.

5 A. Schmaus: Lessings Fabeln bei Dosite Obradović. In: Zschr. f. slav. Philologie, 1931, S. 1—47. St. Kostić: Lessingova „Emilija Galoti" kod Srba (Lessings „Emilia Galotti" bei den Serben). In: Godisnjak Filozofskog fakulteta u Novom Sadu, Bd. 5, 1960, S. 301—318. Trotz zahlreicher Forschungen über den Einfluß Lessings auf die Literaturen aller südslawischen Völker im 19. und 20. Jahrhundert, gibt es noch viele ungeklärte Fragen.

6 Vgl. H. Wolf: Das Schulwesen des Temesvarer Banats im 18. Jahrhundert. Baden b. Wien 1935. Wolf konnte für jene Zeit in Temesvar nur eine einzige Zeitschrift feststellen.

7 Vgl. St. Kostić: O Vilandu kod Srba krajem XVIII i početkom XIX veka (Über Wieland bei den Serben Ende des 18. und Anfang des 19. Jahrhunderts). In: Godisnjak Filozofskog fakulteta u Novom Sadu, Bd. 3, 1958, S. 213—228.

9 Vgl. Wolf a. a. O. und den Beitrag von Peter Polz in diesem Band.

10 Magyar kancelária, acta gener. 1781, Nr. 5830. Ungarisches Staatsarchiv, Budapest.

11 Vgl. St. Kostić: Avram Mrazović und die deutsche Literatur. In: Welt der Slaven, 1961, H. 3.

12 Universitätsmatrikel, Bd. 10, Pag. 903.

DER SOGENANNTE AUFGEKLÄRTE ABSOLUTISMUS UND DIE FRÜHE INDUSTRIALISIERUNG

Von Ákoš Paulinyi

Der folgende Beitrag[1] will einen kleinen Ausschnitt aus dem Gebiete wirtschaftspolitischer Reformen in der Habsburger Monarchie zur Zeit des aufgeklärten Absolutismus behandeln. Der Rahmen ist durch die Jahre 1740 und 1790 abgesteckt, umfaßt also die Regierungszeit Maria Theresias und Josephs II., die beide als Repräsentanten des „aufgeklärten Absolutismus" bezeichnet werden. Diese ereignisvolle Epoche ist schon in zahlreichen Darstellungen von verschiedenen Standpunkten aus untersucht worden, und da in jenem Zeitalter der Einfluß des Staates auf die Entwicklung der Wirtschaft, oder zumindest das Bestreben um diesen Einfluß besonders auffällig und unverkennbar ist, fehlt es weder an Untersuchungen der einzelnen handels-, zoll-, gewerbe- und agrarpolitischen Maßnahmen dieser Jahrzehnte, noch an einer Würdigung dieser Maßnahmen in den Gesamtdarstellungen der Geschichte der Habsburger Monarchie. Deshalb erübrigt es sich, eine allgemeine Charakteristik der theresianischen und josephinischen Wirtschaftspolitik zu geben. Es ist hingegen beabsichtigt, zwei Probleme kurz darzustellen und zu konfrontieren.

1. Die Mittel zur Förderung der gewerblichen Produktion in den deutsch-slawischen Erbländern, sowie ihre Ergebnisse in bezug auf Niederösterreich und Böhmen.

2. Die Gewerbeförderung in der östlichen, ungarischen Reichshälfte sowie die Auswirkungen der wirtschaftspolitischen Maßnahmen in den Erbländern auf die gewerbliche bzw. gesamtwirtschaftliche Entwicklung in Ungarn.

Trotz dieser eng begrenzten Fragestellung muß klargestellt werden, in welchem Sinne hier der Begriff des aufgeklärten Absolutismus gebraucht wird. Dieses geschieht allerdings ohne Anspruch auf eine vollständige Wiedergabe der verschiedenen Meinungen.

Als aufgeklärten Absolutismus betrachten wir im konkreten Fall der Habsburger Monarchie jene Regierungsform, die im 18. Jahrhundert mit Hilfe von administrativen, verwaltungsorganisatorischen, wirtschaftlichen, kulturellen und kirchlichen Reformen versuchte, einen absolutistisch regierten, zentral verwalteten, den Partikularismus überwindenden Gesamtstaat zu schaffen und dadurch nicht nur die Macht der eigenen Dynastie, sondern auch die bestehende, feudale Gesellschaftsordnung zu festigen. Diese Politik prägte die Regierungszeit Maria Theresias und Josephs II., und sie wurde durch die von Preußen ausgehende Bedrohung beeinflußt, die die schon bestehenden innenpolitischen, finanziellen, wirtschaftlichen und gesellschaftlichen Schwächen und Widersprüche besonders stark hervortreten ließ. Sie setzte mit den Haugwitzschen Reformen der vierziger und fünfziger Jahre ein, wurde durch die Politik des Staatsrates fortgesetzt und erreichte ihren Höhepunkt in der Regierungszeit Josephs II., als das Streben nach der definitiven Gestaltung eines einheitlichen Gesamtstaates besonders prägnant im Vordergrund stand und letzten Endes in und an Ungarn scheiterte.

Wir neigen also einer Auffassung zu, nach welcher der aufgeklärte Absolutismus im Habsburger Reich infolge gewisser praktischer Notwendigkeiten entstand und nicht nur, ja nicht einmal primär aus einer philosophischen Überzeugung abzuleiten ist.[2] Nur unter diesem Vorbehalt schließen wir uns den Historikern an, die den aufgeklärten Absolutismus zwar „als eine von der Philosophie, insbesondere der Staatslehre der Aufklärung stark beeinflußte Regierungsweise" bezeichnen, jedoch hinzufügen, daß die Untersuchung der Theorie allein nicht genüge, „weil es zum Wesen des aufgeklärten Absolutismus gehört, daß er nicht bei theoretischen Erwägungen stehengeblieben ist, vielmehr den Versuch gemacht hat, die Wirklichkeit aufgrund seiner neuen Erkenntnisse zu verbessern, daß also die Staatspraxis ein untrennbares Stück von ihm ist".[3] Deswegen können wir auch nicht die Meinung teilen, nach der dem aufgeklärten Absolutismus der Mut gefehlt habe, „die vollen Konsequenzen seiner Theorien zu ziehen und die ganze bestehende Gesellschaftsordnung über den Haufen zu werfen."[4] Diese Zielsetzung dürfte ihm fremd gewesen sein, weil er die bestehende Gesellschaftsordnung, also die feudale, oder — wenn man so will — die ständisch gegliederte Gesellschaftsordnung durch Reformen verbessern, festigen, standhafter machen wollte. Daß der aufgeklärte Absolutismus dabei die bisherigen Träger der Macht, auch den Adel, in ihren Vorrechten beschneiden mußte, daß er, um die bestehende Ordnung zu festigen, in erster Linie (aber nicht nur) zur Ankurbelung des wirtschaftlichen Wachstums Gesellschaftsschichten mobilisierte, die schließlich die bestehende Gesellschaftsordnung bedrohten, zeugt nicht davon, daß die Veränderung der bestehenden Ordnung eine Zielsetzung des aufgeklärten Absolutismus gewesen wäre. Andererseits scheint die Tatsache, daß sich potentielle Träger einer neuen, bürgerlichen Gesellschaftsordnung in den Dienst der Festigung der alten Ordnung stellten, von der Schwäche dieser Schichten zu zeugen, davon, daß ihre Kräfte ebenso wenig für eine revolutionäre Veränderung ausreichten, wie jene der alten herrschenden Klasse für die Beibehaltung der überkommenen Regierungsmethoden.

Wie schon erwähnt, bildeten die Mißerfolge und Niederlagen in der Auseinandersetzung mit Preußen nach 1740 den Ausgangspunkt zu den breit angelegten Reformmaßnahmen Maria Theresias. Die katastrophale Lage der Staatsfinanzen (die Staatsschulden waren hauptsächlich wegen der habsburgischen Machtpolitik in den ersten 40 Jahren des 18. Jahrhunderts auf das rund Fünffache gestiegen) und das Versagen der schwerfälligen Verwaltung verlangten in den vierziger Jahren des 18. Jahrhunderts nach einer Reorganisation der habsburgischen Staatsverwaltung, vorerst überwiegend in den österreichischen Erbländern, welche mit der Errichtung neuer Zentralbehörden in den Jahren 1748/49 begannen. Hand in Hand damit ging eine sehr aktive Wirtschaftspolitik, die auf einem Nebeneinander merkantilistischer und physiokratischer Lehren fußend die Förderung der wirtschaftlichen Entwicklung und, im Dienste dieser Zielsetzung, die Schaffung eines einheitlichen Wirtschaftsraumes anstrebte.

In dieser Hinsicht ist es kennzeichnend, daß schon 1746, also noch vor der Reorganisation der obersten Staatsbehörden, der allerdings nicht sehr erfolgreiche Versuch unternommen wurde, durch die Errichtung des „Universal-Kommerz-Direktoriums", dem die in den Erbländern schon bestehenden Kommerz-Kollegien und Kommissionen auf dem Umweg über die politischen Behörden untergeordnet worden wären, eine Zentralstelle für wirtschaftspolitische Fragen der Erbländer und Ungarns geschaffen werden sollte.[5]

Der Verlust Schlesiens, den die Habsburger nach 1742 noch rückgängig zu machen versuchten, der aber nach dem Siebenjährigen Krieg im Jahre 1763 definitiv bestätigt wurde, bedeutete vor allem die Abnahme der gewerblichen Produktivkräfte und einen wesentlichen handelspolitischen Rückschlag. Um das in möglichst kurzer Zeit, wenn nicht wett zu machen, so doch wenigstens zu mildern, genügte es nicht, durch zoll- und handelspolitische Maßnahmen die Entwicklung der preußisch-schlesischen Wirtschaft zu behindern[6], sondern es mußte versucht werden, den Verlust an gewerblichen Produktivkräften durch die Förderung des Gewerbes in der Habsburger Monarchie auszugleichen. Dabei war es notwendig, auch bei der Gewerbeförderung gewisse Präferenzen zu setzen. Angesichts der Tatsache, daß einerseits durch den Verlust Schlesiens insbesondere das wirtschaftliche Gleichgewicht Böhmens gefährdet war, andererseits aber in Böhmen gute Voraussetzungen für die Steigerung der gewerblichen Produktion bestanden, wurde nun die Gewerbeförderung neben Niederösterreich in diesem Land bevorzugt.

Um das Wachstum der gewerblichen Produktion in den deutschslawischen Erbländern der Monarchie und besonders in Böhmen zu beschleunigen, bedienten sich die Zentral- und Landesbehörden, wenn man von den gleichfalls sehr wichtigen Mitteln der Zollpolitik und der Organisation der Behörden absieht, einerseits verschiedener Maßnahmen, welche die negativen Einflüsse der bestehenden, traditionellen Gewerbeordnung ausschalten sollten, und förderten andererseits die gewerbliche Produktion, wobei hier insbesondere großbetriebliche Unternehmungen im Mittelpunkt des staatlichen Interesses standen. Kurz und vereinfacht gesagt, ging es erstens um Maßnahmen gegen die Zünfte und zweitens um Maßnahmen zur Förderung der sogenannten Fabriken und Manufakturen.[7]

Was den ersten Bereich betrifft, bemühte sich die staatliche Wirtschaftspolitik, den Wirkungsbereich der Handwerkerzünfte weitgehend einzuschränken und abzuschwächen. Nachdem man den schon ziemlich früh (1751) aufgetauchten Gedanken einer generellen Auflösung der Zünfte aus näher nicht benannten, aber zu vermutenden Gründen fallengelassen hatte, begnügte man sich im Jahre 1755 mit einem Verbot neuer Zunftgründungen. Nachdem dann in derselben Zeit die auch aus administrativen Gründen wichtige Teilung des Gewerbes in das sogenannte Kommerzialgewerbe und das Polizeigewerbe durchgeführt worden war, sollte den Handwerkerzünften weitgehend nur das letztere, d. h. die handwerkliche Produktion für den lokalen Markt überlassen werden. Ein wichtiger Schritt auf dem Wege der Einschränkung der Zünfte war auch die im Jahre 1769 erfolgte Übertragung der Schlichtung von Zunftstreitigkeiten von den

Justizstellen an die politischen Behörden. Besonders zahlreich waren die Verordnungen gegen jene Zunftbefugnisse, welche die Produktion im Rahmen der Zünfte selbst limitierten, wie z. B. Beschränkungen der Zahl der Arbeitskräfte, Heiratsverbote für Gesellen usw. Dort, wo die bestehenden Zünfte der Verbreitung einzelner Gewerbezweige im Wege standen, wurden diese dem Wirkungsbereich der Zünfte entzogen und zu freien Gewerben erklärt. So wurde z. B. schon im Jahre 1755 für Böhmen verordnet, daß die Weberei auf dem Lande nicht als zünftiges Handwerk betrachtet werden dürfe und dieser Beruf „jedermann, auch Weibspersonen freigelassen werden solle". In der ersten Hälfte der sechziger Jahre wurde die Baumwoll- und Wollwarenerzeugung freigegeben, dem folgte die Freigabe der Seidenwarenerzeugung und in den siebziger Jahren schließlich die Freigabe der Strumpfwirkerei und der Band- und Schnurmacherei. Zwar bewirkten alle diese Maßnahmen keineswegs eine völlige Gewerbefreiheit (Joseph II. ist auch nicht über die Auflösung einiger Zünfte hinausgekommen), sie räumten aber überall dort, wo sich Möglichkeiten einer verlags- oder manufakturmäßigen Produktion zeigten, die in der Zunftverfassung verankerten Hemmnisse aus dem Wege. Wie wichtig das war, können wir uns anhand der Entwicklung in Ungarn vergegenwärtigen, wo diese zielbewußte Politik fehlte.

Was den zweiten Bereich, nämlich die aktive Förderung der gewerblichen Produktion betrifft, waren Maßnahmen zur Unterstützung von Unternehmungen außerhalb der Zünfte zwar keineswegs eine neue Erscheinung, wurden aber seit den sechziger Jahren des 18. Jahrhunderts in anderen Formen und viel öfter angewendet. Da Fabriken und Manufakturen besonders dort begehrt waren, wo es sich um die Einführung neuer Produktionszweige handelte, wie z. B. der Fabrikation von Baumwollwaren, bediente man sich bis 1762 zur Unterstützung neuer Manufakturen der Erteilung des „Privilegium privativum", d. h. der Erteilung des ausschließlichen Rechtes für die Produktion gewisser Erzeugnisse, womit nicht nur eine Monopolstellung in der Produktion, sondern auch im Absatz zugesichert war. Angesichts der zunehmenden Zahl von Manufakturen erwiesen sich aber diese „Privilegia privativa" eher als Hemmschuh und wurden seit 1762, als das Privileg der Schwechater Kattunfabrik ablief, weder neu erteilt noch verlängert. Das bedeutete aber nicht die Abkehr von der Förderung der Manufakturen. Auch weiterhin kamen ihnen durch die Erteilung von Fabriksprivilegien wesentliche Begünstigungen zugute. An erster Stelle ist die Befreiung vom Zunftzwang zu erwähnen, dann das Recht, zünftige und unzünftige Arbeitskräfte ungehindert einzustellen, die Gleichstellung der Gesellen und Lehrlinge der Manufakturen mit denen der Zünfte, die Anerkennung der Lehrzeit in Manufakturen durch die Zünfte, die Befreiung sowohl der Unternehmer, wie auch der Arbeiter vom Militärdienst sowie Steuer- und Zollermäßigungen. Außerdem dienten die staatlichen Maßnahmen für die Ausbildung von Arbeitskräften (Spinnschulen) sowie die Förderung der Immigration ausländischer Fachleute unter Gewährung der freien Religionsausübung der Gewerbeförderung und besonders der Entwicklung von Manufakturen.

Eine wichtige Rolle spielten auch die direkte finanzielle Unterstützung, die Erteilung von Prämien und die Gewährung von sogenannten Vorschüssen, die zinslosen Krediten gleichkamen. Die genaue Summe dieser Unterstützungen ist nicht bekannt, wir wissen aber, daß von den in den zwei Jahrzehnten zwischen 1764 und 1784 gewährten Vorschüssen im Jahre 1784 noch immer fast 680 000 fl. ausständig waren.[8] Es ist bemerkenswert, daß mehr als die Hälfte dieser Summe an gewerbliche Unternehmungen in Böhmen und der Rest überwiegend an solche in Niederösterreich ausgezahlt wurde, so daß allen anderen Ländern der westlichen Hälfte der Monarchie kaum 12 000 fl. zugefallen sind.[9]

Diese großzügige Unterstützung der Manufakturen durch Privilegien war hauptsächlich für die sechziger Jahre des 18. Jahrhunderts kennzeichnend. Hand in Hand mit anderen erwähnten Maßnahmen bewirkte sie einen beachtenswerten Aufschwung vornehmlich der verschiedenen Sparten des Textilgewerbes, obgleich die Begleiterscheinungen einer protektionistischen Gewerbeförderung, wie Fehlinvestitionen, Scheingründungen und finanzielle Spekulationen nicht ausblieben. Der anscheinend schon ausreichende Aufschwung einerseits und die Schattenseiten der staatlichen Industrieförderung andererseits veranlaßten dann seit dem Anfang der siebziger Jahre insbesondere den Staatsrat und die Kaiserin zu einer Verschärfung der Bedingungen für die Erteilung von Fabriksprivilegien, sowie zur Einschränkung der direkten finanziellen Beihilfen.[10]

Die Gewerbepolitik Josephs II. hielt sich dann an den Grundsatz der freien Entwicklung der Großbetriebe, der „Fabrikindustrie", ohne staatliche Intervention, wobei übereinstimmend damit die Befugnisse der Zünfte weiter eingeschränkt wurden. Man war zwar grundsätzlich abgeneigt, schon bestehende Großbetriebe, sogenannte Fabriken, finanziell zu unterstützen, diese Beihilfe sollte eher kleinen Betrieben, den „Manufakturisten" zugute kommen, jedoch läßt das zur Verfügung stehende Material erkennen, daß die finanziellen Unterstützungen an Neugründungen gewerblicher Großbetriebe durch nun schon verzinste Kredite die Summe der Prämien und Beihilfen für die „Manufakturisten" weit übertraf.[11] Dazu kommt, daß viele der Reformmaßnahmen auf anderen Gebieten (Leibeigenschaftspatent, Toleranzpatent, Auflösung der Klöster u. a.) indirekt ebenfalls zur Förderung der gewerblichen Produktion beitrugen.

Ein sehr wichtiges Mittel der Gewerbeförderung in den Erbländern der Monarchie waren auch die zollpolitischen Maßnahmen in der theresianischen und josephinischen Zeit. Zwei Aspekte sind hier zu unterscheiden. Erstens stand die zentralistische Wirtschaftspolitik vor der Aufgabe, den altherkömmlichen Partikularismus der bestehenden Zoll- und Mautverordnungen für die einzelnen Länder zu überwinden. Auch darin gingen die Länder der böhmischen Krone voran, indem schon 1752 ein einheitlicher Zolltarif für Böhmen, Mähren und Restschlesien angenommen wurde, dem dann 1755 eine Mautordnung für Ober- und Niederösterreich folgte. Die Bemühungen um eine einheitliche Zollordnung für Innerösterreich, die schließlich 1766 mit einer Kompromißlösung erlassen wurde, stießen auf größere Schwierigkeiten. Die durch den Gegensatz fiskalischer und gewerbepolitischer Interessen belasteten Bestrebungen, ein gemeinsames Zollgebiet der österreichischen Erbländer zu errichten, wurden erst im Jahre 1775 mit einem Erfolg gekrönt, und seitdem bildeten diese Länder, d. h. Böhmen, Mähren, Schlesien, Österreich ob und unter der Enns, Steiermark, Kärnten, Krain, Görz und Gradiska sowie das österreichische Litorale ein einheitliches Zollgebiet. Gleichzeitig wurde ein großer Teil der zahlreichen landesfürstlichen, privaten und städtischen Abgaben und Mauten abgeschafft. Dadurch war die westliche Hälfte der Monarchie zu einem wirtschaftlichen Ganzen zusammengeschlossen.[12] Die zweite Aufgabe in der Zollpolitik war die Abschirmung der Wirtschaft der Erbländer gegen das Zollausland. Im Dienste der Förderung der gewerblichen Produktion bediente man sich der Einfuhrbeschränkung, und diese prohibitive Handelspolitik gipfelt vorerst in den Einfuhrverboten, die mit den Patenten aus dem Jahre 1764 und 1767 in Kraft traten. Zwar wurde 1774 ein beträchtlicher Teil von ihnen wieder aufgehoben und 1775 ein neuer Zolltarif eingeführt, der neue allgemeine Zolltarif aus dem Jahre 1784 bedeutete aber die Rückkehr zur Politik der Einfuhrverbote für alle ausländischen Waren, die den Erzeugnissen der Erbländer hätten Konkurrenz machen können. Andererseits bemühte man sich schon seit den fünfziger Jahren des 18. Jahrhunderts, mittels der für Ungarn erlassenen Zollverordnungen die Zufuhr von Rohstoffen und den Absatz gewerblicher Produkte aus und nach Ungarn für die Wirtschaft der westlichen Reichshälfte sicherzustellen.

Die wirtschaftspolitischen Maßnahmen zur Förderung der gewerblichen Produktion bezogen sich zum größten Teil auf die Gesamtheit der deutsch-slawischen Erbländer. Verfolgt man jedoch die Beratungen der Staatsbehörden über diese Maßnahmen, so ergibt sich, daß den Anlaß dazu meist das Interesse an der Entwicklung in zwei Ländern, nämlich in Niederösterreich und in Böhmen, bildete und nicht selten die Behörden dieser Länder die Initiative ergriffen. Nach dem Ausscheiden des größten Teils von Schlesien aus der Habsburger Monarchie waren es eben diese beiden Länder, die auf der höchsten Stufe der gewerblichen Entwicklung standen. In den fünfzig Jahren zwischen 1740 und 1790 vergrößerte sich noch ihr Vorsprung vor den anderen Erbländern. Die Spitzenstellung Böhmens in der Wirtschaft und in der gewerblichen Produktion war bei ähnlichen Voraussetzungen bedingt durch die größere Fläche und Bevölkerungszahl (im Jahre 1790 etwa 1:3), d. h. absolut, z. B. gemessen an dem Umfang der Produktion und der im Gewerbe tätigen Bevölkerung stand Böhmen an erster Stelle; relativ, d. h. aufgrund des Verhältnisses der beispielsweise angegebenen Meßwerte zur Bevölkerungszahl, jedoch Niederösterreich. Freilich ist es leider nicht möglich, einen Vergleich des Niveaus der gewerblichen Produktion beider Länder seit 1740 zu ziehen und auch für spätere Zeitpunkte stehen als einigermaßen vergleichbare Größen nur die Zahlen der Beschäftigten in den sogenannten Kommerzialgewerben zur Verfügung.

Unter dem gebotenen Vorbehalt zeigen diese Zahlen doch deutlich nicht nur das Wachstum der gewerblichen Produktion in beiden Ländern, sondern lassen auch erkennen, daß hauptsächlich in den achtziger Jahren das Wachstum in Niederösterreich viel schneller fortschritt. In beiden Ländern nahm dabei das Textilgewerbe die Spitzenstellung ein, in Niederösterreich die Baumwoll- und Seidenfabrikation, in Böhmen jedoch die Verarbeitung von Hanf, Leinen und Wolle. Die Baumwollproduktion holte in Böhmen in den letzten zwei Jahrzehnten des 18. Jahrhunderts rasch auf: zwischen 1780 und 1798 stieg die Zahl der Baumwollspinner in Böhmen um mehr als das Sechsfache (auf ca. 41000) und die Zahl der Beschäftigten in der Baumwollindustrie von 291 auf 8764 Personen.

Zahl der Beschäftigten in dem Kommerzialgewerbe[13]:

	Niederösterreich			*Böhmen*		
	A	B	C	A	B	C
1775	36 130	18 796	17 334	187 501	54 818	132 683
1783	94 094	21 839	72 255	308 548	88 679	219 869
1789	169 952	60 196	109 756	433 194	121 453	311 741

A = alle Beschäftigten; B = Beschäftigte ohne Spinner; C = Spinner.

Böhmen hatte im Vergleich zu Niederösterreich auch eine ausgeglichenere Gewerbestruktur (außer der Textilindustrie gab es hier noch eine bedeutende Glasindustrie) sowie eine günstigere Standortverteilung. Dennoch war auch für Böhmen in dieser Zeit eine strukturelle Einseitigkeit kennzeichnend. Von den in den Kommerzialgewerben Beschäftigten (ohne Spinner) fielen auf das Textilgewerbe im Jahre 1775 82,7% und im Jahre 1798 83,8%. Mit einem Gesamtwert der gewerblichen Produktion von etwa 34,7 Mio. fl. (1792) und dem entsprechend hohen Anteil Böhmens an dem Außenhandel der Monarchie[14] stand Böhmen in wirtschaftlicher Hinsicht an erster Stelle unter allen Ländern der Monarchie, wozu die gewerbefördernden Maßnahmen der Wirtschaftspolitik des Wiener Hofes wesentlich beigetragen hatten.

Am Anfang und auch in der Mitte des 18. Jahrhunderts unterschied sich der Entwicklungsstand Ungarns ganz erheblich von dem der Erbländer, und vor allem gegenüber den böhmischen, nieder- und oberösterreichischen Ländern ist es als weitgehend zurückgeblieben zu charakterisieren. Dabei sei festgestellt, daß sich in dieser katastrophalen Situation das ganze ungarische Gebiet befand, wenn auch gewisse Unterschiede zwischen den einzelnen Landesteilen, die räumlich im großen und ganzen durch die Grenzen der türkischen Besetzung umschrieben sind, keineswegs übersehen werden sollen. Der Entvölkerung wegen — die ca. 4 Mio. ungleichmäßig über das Gebiet verteilten Einwohner um 1720 entsprachen etwa dem Bevölkerungsstand am Ende des 15. Jahrhunderts[15] — standen vor allem bevölkerungspolitische Maßnahmen im Brennpunkt der Wirtschaftspolitik des Wiener Hofes. Die wichtigste war die Impopulation, durch die nicht nur, aber doch vorwiegend der südliche, als Temeser Banat bis 1778 direkt den Hofstellen unterstellte, also nicht Ungarn einverleibte Teil der Neoacquisita besiedelt wurde.

Der durch die Impopulationspolitik von der karolinischen bis zur josephinischen Epoche sowie durch die natürliche Immigration (Rumänen, Juden) bewirkte Bevölkerungszuwachs in Ungarn belief sich auf etwa 0,8 — 1 Mio., d. h. etwa auf 15 % der Gesamtbevölkerung in den achtziger Jahren[16]. Daneben gab es auch eine im wesentlichen von den Grundherren geförderte Besiedlung der mittleren und südlichen Teile Ungarns aus dem Norden, d. h. aus der Slowakei[17]. Die Bevölkerungspolitik des Wiener Hofes war im 18. Jahrhundert eine der positivsten Maßnahmen für die wirtschaftliche Gesundung Ungarns. Daran ändert auch die Tatsache nichts, daß sie, wie im Falle des Banats auch aus fiskalen Gründen vorangetrieben wurde. Mit dieser Impopulationspolitik, insbesondere im südlichen Teil des Landes, war auch eine ganze Reihe von Maßnahmen zur Förderung der Landwirtschaft, des Gewerbes, des Handels und des Bergbaus verbunden[18].

Der Bergbau, vor allem zur Gewinnung von Bunt- und Edelmetallen, verbunden mit dem Hüttenwesen, stand im Brennpunkt der Wirtschaftspolitik des Wiener Hofes, waren doch diese Zweige in Ungarn weitgehend Eigentum der Hofkammer in Wien. Im Zentrum dieser Industrie, dem nieder- und oberungarischen Bergbaugebiet (vorwiegend in der Mittel- und Ostslowakei) wurde von der Hofkammer schon seit den zwanziger Jahren die teilweise vernichteten Berg- und Hüttenwerke (Kupfer und Edelmetalle) instandgesetzt und modernisiert. In den vierziger Jahren begann der Ausbau einer großen, ebenfalls staatlichen Eisenhüttenindustrie in der Mittelslowakei, der dann im letzten Drittel des 18. Jahrhunderts beendet wurde[19]. Kennzeichnend für das große Interesse an dem Bergwesen war auch die Gründung der Bergakademie in Schemnitz im Jahre 1763, der ersten derartigen Lehranstalt in Mitteleuropa[20].

Nun sagten freilich weder die Förderung eigener staatlicher Unternehmungen im Bergbau und im Hüttenwesen, noch die Manufakturgründungen Franz Stephans von Lothringen[21] auf ungarischem Gebiet in der Westslowakei etwas über den Standpunkt des Wiener Hofes zur Gewerbeförderung in Ungarn aus. Dieses Problem trat überhaupt erst in der zweiten Hälfte des 18. Jahrhunderts im Zusammenhang mit den gewerbefördernden, darunter auch zollpolitischen Maßnahmen für die Erbländer in den Vordergrund. Auf Grund von Stellungnahmen der Herrscher und Staatsbehörden kann für die theresianische und josephinische Epoche festgestellt werden, daß trotz positiver Stimmen im Endergebnis die Grundhaltung negativ blieb. In der Zeit der zentralen staatlichen Interventionspolitik der theresianischen Epoche wurde also bis auf eine kurze Periode und einige Ausnahmen den Manufakturen in Ungarn eine Unterstützung weitgehend versagt. In der nachfolgenden Etappe, als sich immer mehr der Grundsatz der freien Entwicklung der gewerblichen Großbetriebe ohne direkte staatliche Förderung durchgesetzt hatte, also besonders in der josephinischen Zeit, hielt man sich auch in bezug auf Ungarn an diesen Grundsatz. Bei der wirtschaftlichen Lage in diesem Land konnte aber eine solche Politik nicht zum Vorteil der gewerblichen Produktion ausschlagen.

In beiden Etappen wog ein steuerpolitisches Argument gegen die Gewerbeförderung in Ungarn am schwersten: Ungarn, dessen Adel sich engstirnig und stur an seine Steuerfreiheit klammere, sei an den Staatslasten nicht im entsprechenden Verhältnis beteiligt, deshalb komme ihm auch keine Beteiligung an staatlicher Unterstützung zu. Dieses in den betreffenden Verhandlungen der Staatsbehörden mit Ungarn immer wiederkehrende Argument wird aber von einem zweiten, nicht minder wichtigen begleitet, nämlich von der unserer Meinung nach ganz grundlosen Befürchtung, die Förderung des Gewerbes in Ungarn könne sich auf die Entwicklung in den Erbländern negativ auswirken.

Die prinzipiell negative Einstellung des Wiener Hofes zu der Gewerbeförderung in Ungarn bedeutet aber nicht, daß in der theresianischen und josephinischen Epoche hier kein einziger Unternehmer eine Unterstützung erhalten hätte. Außer positiven Vorschlägen und wohlwollenden Erwägungen für die Förderung einzelner Wirtschaftszweige — wobei immer wieder sorgfältig jene ausgesucht wurden, welche nicht einmal theoretisch die Manufakturen in den Erbländern hätten schädigen können — bekundete Maria Theresia im Jahre 1765 ihren Willen, die Gründung von Manufakturen in Ungarn zu unterstützen[22]. In den folgenden Jahren gewährte man dann einigen von ihnen, die vor allem im Raum der heutigen Slowakei von Grundherren oder österreichischen Unternehmern gegründet wurden, auch Privilegien (Steuerbegünstigungen, freie Einstellung von Arbeitskräften und Gleichstellung mit den Zünften). Diese Förderung dauerte aber nur bis 1768 bzw. 1770, wurde also schon bald — offiziell durch das Patent aus dem Jahre 1771 über die Einschränkung von Fabrikbefugnissen in der ganzen Monarchie — eingestellt[23]. Es muß nicht besonders hervorgehoben werden, daß Beschwerden von Produzenten in den Erbländern diese Entscheidung weitgehend beeinflußten.

In der josephinischen Zeit fehlte es nicht an Empfehlungen zur Hebung des Gewerbes in Ungarn. Außer den Bemühungen um die Förderung der Seidenfabrikation (hauptsächlich in Pest und in Ofen) und der hausgewerblichen Leinwanderzeugung (in der Ostslowakei)[24] bekamen einige Unternehmer Zoll- und Steuerbegünstigungen, ja sogar ausnahmsweise auch finanzielle Unterstützungen. Im Vergleich mit den hauptsächlich nach 1784 in den Erbländern gewährten Krediten können diese Summen aber nur als Almosen bezeichnet werden[25].

Die Manufakturen in Ungarn wurden nur in geringem Ausmaß gefördert. Dazu kommt die Zollpolitik, die für die wirtschaftliche Entwicklung und das Gewerbe in Ungarn indirekt und direkt ausgesprochen schädlich war. Ohne Berücksichtigung der Verflechtungen und wechselseitigen Wirkungen direkter gewerbe- und zollpolitischer Maßnahmen ist es nicht möglich, ein einigermaßen zutreffendes Urteil über die Folgen dieser Wirtschaftspolitik für die gewerbliche Entwicklung in Ungarn zu fällen[26]. Wir meinen, daß die zollpolitischen Maßnahmen des Wiener Hofes letzten Endes für das langsame Wachstum der ohnehin spät einsetzenden frühen Industrialisierung in Ungarn viel wichtiger waren[27], als der Mangel an direkten gewerbefördernden Maßnahmen. Über die negative Wirkung der Zollpolitik darf man sich nicht wundern: Da ihre Ausübung zu den Kronrechten gehörte, Ungarn aber von den Erbländern durch eine Zollgrenze getrennt war, wurden die Zollsätze Ungarns sozusagen im Zollausland bestimmt.

Gemeint sind hier vorerst die Zollverordnungen der fünfziger Jahre, besonders der ungarische Vectigal aus dem Jahre 1754, der die Einfuhr ausländischer Waren nach Ungarn mit einem Zoll von 20% und später von 30%, die Einfuhr von Waren aus den Erbländern aber nur mit einem Zoll von 5% belastete. Seit 1755 kamen dann den erbländischen Händlern bei dem Reexport ausländischer Waren in das Zollausland, d. h. auch nach Ungarn und Siebenbürgen, beträchtliche Rückvergütungen des Einfuhrzolles zugute. Es ist bekannt, daß diese Zollverordnungen, zu denen sich die auch für Ungarn gültigen Einfuhrverbote der sechziger Jahre gesellten, im Sinne merkantilistischer Lehrsätze den Fluß des Geldes in das Ausland verhindern und den inneren „consumo“ fördern sollten. Sie bewirkten auch beides, was aber Ungarn betrifft, verdrängten sie die ungarischen Händler von den Messen in Breslau und Leipzig und erweiterten bzw. festigten die schon früher bestehende Vorrangstellung Wiener Handelshäuser im Warenverkehr mit Ungarn (1782 betrug der Anteil Wiens an der Vermittlung der Einfuhr ausländischer Waren nach Ungarn etwa 38%)[28] und monopolisierten den ungarischen Markt für gewerbliche Erzeugnisse aus den Erblanden. Ihre Fortsetzung fand diese Zollpolitik in den Zollverordnungen Josephs II. in den Jahren 1785—1788, welche den Erbländern eine zollfreie Ausfuhr nach Ungarn und Siebenbürgen (seit 1784 einheitliches Zollgebiet) zusicherten, ohne die allerdings weniger ins Gewicht fallende Verzollung ungarischer Agrarprodukte bzw. gewerblicher Erzeugnisse bei der Einfuhr in die Erbländer aufzuheben[29].

Die negative Auswirkung dieser Zollpolitik für die wirtschaftliche Entwicklung Ungarns bestand bei dem dort herrschenden Kapitalmangel nicht nur und nicht an erster Stelle in der Öffnung des ungarischen Marktes für die Industrieprodukte der Erbländer, sondern in der Benachteiligung ungarländischer Händler zugunsten der erbländischen, was letzten Endes zu der Abschöpfung des Handelsgewinnes beitrug. So schätzte z. B. der Staatsrat Freiherr von Borié im Jahre 1766 „den Gewinn, der den deutschen Erbländern durch alleinige Versorgung Ungarns mit den bisher von den ungarischen Kaufleuten auf der Leipziger und Breslauer Ostermesse eingekauften Artikeln erwachsen war, auf über vier Millionen Gulden jährlich“[30]. Unter diesen Umständen bot also die seit den vierziger Jahren ansteigende Kurve des ungarischen Exportes[31] die Möglichkeit einer Kapitalakkumulation, doch flossen die Gewinne aus diesem Handel zum großen Teil in das Ausland, d. h. überwiegend in die Erbländer[32]. Angesichts dieser ungünstigen Lage der ungarländischen Händler ist es keineswegs überraschend, daß die Beteiligung von privatem

Kapital an den sowieso geringfügigen Investitionen in die Industrie bis zum Ende des 18. Jahrhunderts kaum der Rede wert war.

Zu der Verunsicherung der Kapitalgeber und zu ihrer Abneigung gegen eventuelle gewerbliche Unternehmungen trug allerdings auch außer der Zoll- und Gewerbepolitik des Wiener Hofes das Verhalten der Handelsgilden in den ungarischen Städten wesentlich bei. In diesen (z. B. in Pest) herrschten „kapitalarme, engstirnige Händler mit einem Kleinkrämergeist“ [33], was besonders in dem Verhalten gegenüber den sogenannten Griechen (Händlern, meist orthodoxen Glaubensbekenntnisses aus Teilen des türkischen Reiches) und gegenüber den Juden zum Ausdruck gekommen ist. Es ist bekannt, daß diese „Griechen“, denen der Passarowitzer Vertrag Begünstigungen für den Handel mit „türkischer“ Ware eingeräumt hatte, im ganzen 18. Jahrhundert, und die Juden im letzten Drittel desselben, eine bedeutende Rolle im ungarischen Handel spielten. Das feindliche Verhalten der Gilden und die ungünstigen Bedingungen für eine industrielle Tätigkeit veranlaßten manche zur Abwanderung, oder nach Erlangung der Bürgerrechte zu unproduktiver Kapitalanlage in Haus- und Grundbesitz. Die Stadt Pest z. B. verweigerte jüdischen Woll- und Textilhändlern jahrzehntelang die Ansiedlung, so noch im Jahre 1793 einem der reichsten Wollhändler, Boskowitz, und diese Gildenpolitik trug dazu bei, daß Pest bis zum Ende des 18. Jahrhunderts nicht diejenige Rolle im Wollhandel spielte, welche der Bedeutung des ungarischen Wollexportes angemessen gewesen wäre [34]. Zwar hatte diese engstirnige Zunftpolitik auch in Ungarn ihren Widersacher in der obersten Staatsbehörde, der ungarischen Statthalterei, die die Gilden und Zünfte sehr oft und manchmal mit Erfolg zu Beschlüssen drängte, die ihrer Gesinnung nicht entsprachen, doch fehlte in Ungarn jene energische Politik der Staatsbehörden, die wir in den Erbländern bemerken können [35]. Die vorherrschende Rolle des ungarischen Adels in der Verwaltung wirkte sich in all diesen Fragen, wie z. B. auch bei der Verhinderung der vom Wiener Hof angeregten Bildung von Wechselgerichten in den sechziger Jahren nur zum Nachteil des Handels aus. Selbstverständlich gab es auch Ausnahmen, so waren z. B. einige ungarische Großgrundbesitzer ihren jüdischen Getreidehändlern bei der Einbürgerung behilflich [36].

Die Auswirkungen der Wirtschaftspolitik in der Periode des aufgeklärten Absolutismus auf die wirtschaftliche Entwicklung Ungarns kann folgendermaßen zusammengefaßt werden: Die gewerbe- und zollpolitischen Maßnahmen des Wiener Hofes ließen im Interesse der Förderung der Industrie in den Erbländern keine zentrale, mit staatlichen Mitteln betriebene Gewerbeförderung in Ungarn zu. Die zu den Kronrechten zählende Zollpolitik stand ebenfalls im Interesse der Wirtschaft in den Erblanden und bewirkte, daß Ungarn die Rolle eines Lebensmittel- und Rohstofflieferanten zugewiesen und als Absatzmarkt der erbländischen Industrie geöffnet wurde. Das behinderte weitgehend die Kapitalakkumulation in Ungarn, was eine industrielle Entwicklung aus eigenen Kräften wesentlich erschwerte. Das starre und kurzsichtige Festhalten des ungarischen Adels an seiner Steuerfreiheit lieferte das wichtigste Argument für die Gegner einer handelspolitischen Gleichberechtigung und Gewerbeförderung in Ungarn. Zwar bemühten sich gelegentlich auch ungarische adelige Großgrundbesitzer um die Gründung gewerblicher Großbetriebe, was mit einigen Ausnahmen im letzten Drittel des 18. Jahrhunderts überwiegend im Bergbau und im Hüttenwesen in Nordungarn geschah, im großen und ganzen stand aber der Adel im Unterschied zu einem Teil des böhmischen Adels den gewerblichen Unternehmungen gleichgültig gegenüber. Vielmehr nützte er in Transdanubien und in der großen ungarischen Ebene die sich auch infolge der Wiener Wirtschaftspolitik bietende Gelegenheit zur Steigerung des extensiven Getreidebaus und der Viehzucht. So bahnte sich schon zu dieser Zeit die künftige Interessengemeinschaft des adeligen Großgrundbesitzes in Ungarn mit den führenden Schichten in den Erbländern an, durch welche auch später die Industrialisierung vernachlässigt wurde.

Die schon in der zeitgenössischen Publizistik gestellte und von der Geschichtsforschung immer wieder aufgegriffene Frage nach dem Sündenbock für diese Entwicklung wurde meist im Sinne einer nationalen Argumentation beantwortet[37]. Dabei hat weder die österreichische noch die ungarische Geschichtsforschung je behauptet, daß die theresianische und josephinische Wirtschaftspolitik die wirtschaftliche Entwicklung Ungarns oder gar die Industrialisierung vorangetrieben habe. Bloß schoben die einen die Schuld dem ungarischen Adel zu und schilderten sachlich die Wiener Wirtschaftspolitik, während die anderen umgekehrt verfuhren. In dem überwiegenden Teil der neuesten, nicht aus ungarischer Feder stammenden Forschungen herrscht Übereinstimmung darüber, daß die Wirtschaftspolitik des aufgeklärten Absolutismus ein Hemmschuh für die Entstehung einer

Manufakturindustrie in Ungarn gewesen ist[38]. Auch die marxistische Geschichtsforschung Ungarns hat den Standpunkt der fünfziger Jahre, als die alte These Berzeviczys von der österreichischen Kolonialpolitik im neuen Gewande hochgespielt wurde, zum großen Teil wieder verlassen, und man verkennt heute in Ungarn auch nicht mehr die wechselseitige Wirkung des habsburgischen Zentralismus und der egoistischen Klassenpolitik des ungarischen Adels[39].

Geht man, wie das Eckhart für die achtziger Jahre des 18. Jahrhunderts getan hat, allerdings von der Behauptung aus, daß die Voraussetzungen für die Entwicklung der Industrie in Ungarn in derselben Weise gegeben waren wie in den Erbländern[40], dann muß man zu dem Schluß kommen, daß die Wirtschaftspolitik des Wiener Hofes die Industrialisierung mit Absicht verhindert hat. Dadurch, daß die Wirtschaft Ungarns der den höchstentwickelten Erbländern gleichgesetzt wird, geht freilich der Ansatz für eine sachliche Beurteilung dieser Wirtschaftspolitik verloren. Unserer Meinung nach liegt das Problem darin, daß die wirtschaftliche Struktur, der Stand der Produktivkräfte in Ungarn einerseits und in den Erbländern andererseits, um die Mitte des 18. Jahrhunderts wesentlich verschieden war. Da sich die Wirtschaftspolitik des Wiener Hofes nach dem Verlust Schlesiens keineswegs die Aufgabe stellte, die Unterschiede zwischen den einzelnen Teilen der Monarchie durch die Förderung der rückständigen Länder aufzuheben, sondern vor allem versuchte, das wirtschaftliche Wachstum des Gesamtstaates durch die forcierte Förderung der gewerblichen Produktion derjenigen Länder, welche die besten Voraussetzungen dafür hatten, zu erreichen, mußte sich diese Wirtschaftspolitik auf die Anfänge der frühen Industrialisierung in Ungarn und die wirtschaftliche Lage dieses Landes überhaupt negativ auswirken. Daß die Gewerbeförderung in Ungarn, mit welchem Grunde auch immer, unterlassen wurde, daß man den selbständigen Handel behinderte und die Kapitalakkumulation erschwerte, hatte zur Folge, daß nach 40 Jahren Wirtschaftspolitik des aufgeklärten Absolutismus Ungarn gegenüber den Erbländern nicht aufgeholt hatte, sondern zurückgefallen war. Von einer Wirtschaftspolitik, die durchaus nur auf die schnellste Entwicklung der fortgeschrittensten Teile des Reiches bedacht war und in diesem Sinne die besonderen Bedürfnisse der rückständigeren Erbländer auch nicht berücksichtigte, kann ein anderes Ergebnis nicht erwartet werden.

Anmerkungen

1 Diesem Beitrag liegt ein Kurzreferat zugrunde, dessen Text ergänzt und umgearbeitet und mit Anmerkungen versehen wurde.

2 Vgl. E. Wangermann: Von Joseph II. zu den Jakobinerprozessen. Wien 1965, S. 14.

3 F. Hartung: Der Aufgeklärte Absolutismus. In: Historische Zeitschrift, Bd. 180 (1955), S. 20.

4 Ebenda, S. 21.

5 K. Přibram: Geschichte der österreichischen Gewerbepolitik von 1740 bis 1860. Bd. 1, Leipzig 1907, S. 27 f.

6 In den 20 Jahren zwischen 1748/49 und 1768/69 gelang es dem Wiener Hof, die passive Handelsbilanz mit Schlesien durch Steigerung der Ausfuhr und Senkung der Einfuhr in eine aktive umzuwandeln. Die Importe aus Schlesien an Wollfabrikaten schrumpften auf etwa 30 %, jene an Leinenfabrikaten etwa auf 11% der Einfuhr im Jahre 1748/49 (Wertangaben); vgl. H. Fechner: Die handelspolitischen Beziehungen Preußens zu Österreich. Berlin 1886, S. 491 f., 565 f.

7 Insofern nicht anders vermerkt, schildern wir die gewerbefördernden Maßnahmen überwiegend aufgrund der Werke von K. Přibram, a. a. O.; G. Otruba: Die Wirtschaftspolitik Maria Theresias. Wien 1963; A. Klima: Manufakturní období v Čechách (Die Manufakturperiode in Böhmen). Praha 1955; J. Purš: Struktur und Dynamik der industriellen Entwicklung in Böhmen im letzten Viertel des 18. Jahrhunderts. In: Jahrbuch für Wirtschaftsgeschichte. Berlin 1965, Teil 1 u. 2. Die Begriffe „Fabrik" und „Manufaktur" benützen wir im zeitgenössischen Sinne, d. h. beide bezeichnen Manufakturen oder die Kombination von Manufakturen mit Verlagen.

8 Siehe K. Přibram, a. a.O., S. 396; A. Klima. a. a. O., S. 281. Klima bezeichnet allerdings die angeführte Summe irrtümlich als die Gesamtsumme der gewährten Vorschüsse. Eine ausführlichere Aufzählung der finanziellen Unterstützungen an einzelne Unternehmer findet man bei A. Beer: Studien zur Geschichte der österreichischen Volkswirtschaft unter Maria Theresia, 1. Die österreichische Industriepolitik. In: Archiv für österreichische Geschichte, Bd. 81 (1894), S. 101 ff.

9 Vgl. K. Přibram, a. a. O., S. 127 f., 132, 230 f.; A. Beer, a. a. O., S. 101 ff, 116 ff. Über die günstigen Bedingungen des Adels für industrielle Unternehmungen vgl. J. Purš, a. a. O., T. 1, S. 191 f.

10 Gemeint ist das Handschreiben Maria Theresias vom 21. 1. 1771. Diese Verordnung bezweckte u. a. auch die Einstellung der Erteilung von Privilegien an ungarländische Antragsteller; A. Beer, a. a. O., S. 34. Beer meint sogar, das wäre der unmittelbare Anlaß zu dieser Verordnung gewesen (ebenda, Fußnote 1); in diesem Sinne auch F. Eckhart: A bécsi udvar gazdasági politikája Magyarországon Mária Terézia korában (Die Wirtschaftspolitik des Wiener Hofes in Ungarn zur Zeit Maria Theresias). Budapest 1922, S. 111. A. Špiesz: Die Wirtschaftspolitik des Wiener Hofes gegenüber Ungarn im 18. Jahrhundert und im Vormärz. In: Ungarn-Jahrbuch, Mainz 1969, S. 63 interpretiert allerdings das Staatsvotum vom 18. 6. 1770 irrtümlich in dem Sinne, als ob dieses an die ungarischen Stellen adressiert gewesen wäre, verkennt also, daß das Handschreiben vom 21. 1. 1771 eben den Zweck verfolgte, die Ungarn betreffenden Beweggründe nicht hervortreten lassen zu müssen.

11 K. Přibram, a. a. O., S. 401.

[12] Die beste Darstellung befindet sich bei A. Beer: Die Zollpolitik und die Schaffung eines einheitlichen Zollgebietes unter Maria Theresia. In: Mitteilungen des Instituts für österreichische Geschichtsforschung, Bd. 14 (1893); eine Übersicht der zollpolitischen Maßnahmen bei R. Sieghart: Zolltrennung und Zolleinheit. Die Geschichte der österreichisch-ungarischen Zwischenzoll-Linie. Wien 1915.

[13] Die Angaben sind entnommen den Arbeiten von J. Purš, a. a. O., Tafel 3, 15, 16 und H. Hassinger: Der Stand der Manufakturen in den deutschen Erbländern der Habsburger Monarchie am Ende des 18. Jahrhunderts. In: Die wirtschaftliche Situation in Deutschland und Österreich um die Wende vom 18. zum 19. Jahrhundert, Stuttgart 1964, S. 147. Die Zahl der Spinner für das Jahr 1783, die bei Hassinger irrtümlich mit 17 255 angeführt wird, ist aufgrund von K. Přibram, a. a. O., S. 407 berichtigt. Ein detaillierter Vergleich aufgrund des von Hassinger und Purš dargelegten Materials ist leider nicht möglich, da sich Hassingers branchenspezifische Angaben über die Zahl der Beschäftigten nur auf Manufakturen („Fabriken") beziehen, jene von Purš aber auf das gesamte Kommerzialgewerbe.

[14] Vgl. H. Hassinger: Der Außenhandel der Habsburger Monarchie in der zweiten Hälfte des 18. Jahrhunderts. In: Die wirtschaftliche Situation in Deutschland und Österreich um die Wende vom 18. zum 19. Jahrhundert, Stuttgart 1964, S. 67 ff.; zum Außenhandel und Gesamtwert der Produktion vgl. J. Purš, a. a. O., Tafel 41—43.

[15] Die auf Acsády zurückzuführende Schätzung der Bevölkerungszahl Ungarns (ohne Siebenbürgen und die sogenannten Neoacquisita) auf etwa nur 2,5 Millionen um das Jahr 1720 ist durch die neue Forschung widerlegt und durch die angeführte Zahl berichtigt. Dementsprechend ändert sich auch der Rhythmus des Bevölkerungszuwachses bis zur josephinischen Volkszählung; vgl. dazu grundlegend, mit vorzüglicher Bibliographie: Magyarország történeti démográfiája (Die historische Demographie Ungarns). Budapest 1963, S. 149 f.

[16] Ebenda, S. 149. Zur Problematik der Impopulationspolitik ist trotz zahlreicher Einzeldarstellungen das Werk von K. Schünemann: Österreichs Bevölkerungspolitik unter Maria Theresia. München 1935 noch immer grundlegend. Für das Banat vgl. S. Jordan: Die kaiserliche Wirtschaftspolitik im Banat im 18. Jahrhundert. München 1967.

[17] Die Bedeutung der Migration aus der Slowakei wurde dargestellt von J. Siracký: Stahovanie Slovákov na Dolnú Zem (Die Übersiedlung der Slowaken in das Tiefland). Bratislava 1966.

[18] Vgl. dazu S. Jordan, a. a. O.

[19] Es geht hier um die sogenannten Rohnitzer Eisenwerke (Hronec, ČSSR). Im Hinblick auf die Zollpolitik des Wiener Hofes sowie auf unseren Hinweis, daß Fiskalinteressen Vorrang hatten, auch wenn sie nur durch Förderung der Industrie in Ungarn zu erfüllen waren, möchten wir hier erwähnen, daß die Bemühungen, die „Einschwärzung" des schlesischen Eisens bei gleichzeitiger Versorgung der Grenzgebiete mit Eisen wesentlich dazu beigetragen haben, die Produktionsanlagen dieser Hüttenwerke zu erweitern. Dadurch sollte die Versorgung der im Jahre 1781 in Troppau (Opava) und 1791 in Mährisch-Ostrau (Ostrava) errichteten Niederlagen (Faktoreien) der Rohnitzer Eisenwerke sichergestellt werden; vgl. Á. Paulinyi: Železiarstvo na Pohroni v 18. a v 1. polovici 19. storočia (Das Eisenhüttenwesen im Grantal im 18. und in der 1. Hälfte des 19. Jahrhunderts), Bratislava 1966, S. 92 ff.

[20] Die letzten Forschungsergebnisse über diese für viele Jahrzehnte bedeutendste Bergakademie in Mitteleuropa sind zusammengefaßt in: Z dejin vied a techniky na Slovensku (Aus der Geschichte der Wissenschaften und der Technik in der Slowakei). Bd. II., Bratislava 1965.

[21] Vgl. H. L. Mikoletzky: Kaiser Franz I. Stephan und der Ursprung des habsburgisch-lothringischen Familienvermögens. München 1961, S. 41 ff.; A. Špiesz: Manufakturne obdobie na Slovensku 1725—1825 (Die Manufakturperiode in der Slowakei 1725—1825). Bratislava 1961, S. 26 ff.

[22] A. Špiesz, Die Wirtschaftspolitik ..., a. a. O., S. 62.

[23] A. Špiesz bezeichnet diese 3—5 Jahre der theresianischen Gewerbeförderung in Ungarn als eine „Periode jahrelanger Unterstützung", obwohl er selbst betont, daß nach 1770 „dank dieser Politik ... der größte Teil der neuentstandenen Manufakturen in Ungarn schnell zugrunde [ging] oder ... zumindest seine Produktion stark reduzieren [mußte]"; vgl. Špiesz, Die Wirtschaftspolitik ..., a. a. O., S. 64.

[24] Über die Förderung der Seidenindustrie vgl. F. Eckhart: A bécsi udvar gazdasági politikája Magyarországon 1780—1815 (Die Wirtschaftspolitik des Wiener Hofes 1780—1815). Budapest 1958, S. 96 ff., 124 ff. Über die Anfänge der Seidenindustrie in Pest und Ofen ist noch heute grundlegend: J. Kosa: A budapesti selyemipar kialakulása (Das Entstehen der Budapester Seidenindustrie). In: Jahrbuch des Graf Klebelsberg Kunó Instituts für ungarische Geschichtsforschung in Wien, Jg. IX, Budapest 1939, S. 125 ff. Über viele Erwägungen und einige Maßnahmen zur Förderung des Leinengewerbes in der Ostslowakei vgl. F. Eckhart, A bécsi udvar ..., a. a. O. (1958), S. 120 ff.; A. Špiesz, Manufakturne obdobie ..., a. a. O., S. 142 ff.

[25] Nach K. Přibram, a. a. O., S. 401 betrugen die Darlehen an Industrielle in den Erbländern im Jahre 1786 etwa 140 000 fl., 1787 etwa 110 000 fl. und in den letzten Regierungsjahren Josephs II. etwa 36 000 fl. jährlich. A. Špiesz, Die Wirtschaftspolitik ..., a. a. O., S. 68, gibt für Ungarn drei Geldanleihen an, bei denen es sich „nur um kleinere Beträge" handelte.

[26] A. Špiesz verzeichnet nicht nur die Situation, indem er dem Monarchen wenn auch nicht große Verdienste, so doch wenigstens guten Willen in bezug auf die Industrieförderung in Ungarn zuerkennt und der Wirtschaftspolitik des Wiener Hofes, „der Ungarns industrielle Entwicklung weder vernachlässigte noch hemmte" (A. Špiesz, Die Wirtschaftspolitik ..., a. a. O., S. 73), Neutralität bescheinigt, er beachtet vor allem auch ungenügend eben diese Wechselwirkung. Zwar verkennt er nicht dieses Problem, doch stellt er den kausalen Zusammenhang auf den Kopf. So behauptet Špiesz, Die Wirtschaftspolitik ..., a. a. O., S. 63 z. B. von den Auswirkungen der 1775 eingeführten Ausfuhrzölle, sie hätten einige österreichische Manufakturen zur Einstellung der Produktion veranlaßt („So wurden zum Beispiel im Jahre 1775 so hohe Ausfuhrzölle auf die in Ungarn erzeugten Kattune eingeführt, daß auch die österreichischen Manufakturen, die diese hier erzeugen ließen, die Produktion einstellen mußten"). Dabei hat Špiesz, Manufakturne obdobie ..., a. a. O., S. 65 und bes. S. 113 f. selbst dargelegt, daß nicht die Friedauer Kattunfabrik, um die es geht, sondern die Spinnerei in der Mittel- und Westslowakei zugrunde gegangen ist.

[27] Vgl. Gy. Mérei: Über einige Fragen der Anfänge der kapitalistischen Gewerbeentwicklung in Ungarn. In: Etudes Historiques, Budapest 1960, T. I, S. 731; F. Eckhart, A bécsi udvar ..., a. a. O. (1958), S. 120.

[28] Vgl. H. Hassinger, Außenhandel..., a. a. O., S. 89.

[29] Eine kurze Übersicht der Zollverordnungen findet man bei R. Sieghart, a. a. O., S. 8 ff., 15 ff.; vgl. ferner A. Beer, Zollpolitik..., a. a. O., sowie beide Werke von F. Eckhart, a. a. O.

[30] R. Sieghart, a. a. O., S. 231.

[31] Nach H. Hassinger (Außenhandel, a. a. O., S. 86 f.) stieg die Einfuhr Ungarns von 1748 bis 1786 von 4,98 Mio. fl. auf 12,1 Mio. fl. Sie bestand bis zu 60 % aus Halb- und Fertigwaren, also überwiegend aus Industrieprodukten. Die Ausfuhr, die in derselben Zeit von 6,05 auf 17,8 Mio. fl. stieg, bildeten zu 97 % Tiere, Lebensmittel und Rohstoffe. Ausführliche Ausweise des ungarischen Warenverkehrs mit den Erbländern und dem Ausland für die theresianische Zeit, auf die Hassinger nicht verweist, befinden sich bei F. Eckhart, A bécsi udvar..., a. a. O. (1922), Anhang S. 313—342.

[32] Von den am Ende der theresianischen Epoche nach Ungarn eingeführten Waren im Werte von 12,1 Mio. fl. kamen aus den Erbländern Waren im Werte von 8,1 Mio., d. h. etwa zwei Drittel, davon bildeten Waren ausländischer Herkunft mehr als 20 % (1,8 Mio. fl.). Über 70 % der ausländischen Produkte wurden also über die österreichischen Erbländer nach Ungarn eingeführt; vgl. F. Eckhart, A bécsi udvar..., a. a. O. (1922), S. 322, 340; H. Hassinger, a. a. O., S. 86.

[33] S. Gyömrei: A kereskedelmi töke kialakulása és szerepe Pest-Budán 1849-ig (Die Entwicklung und Rolle des Handelskapitals in Pest-Ofen bis 1849). In: Tanulmányok Budapest multjából, XII, Budapest 1957, S. 204.

[34] Ebenda, S. 205 f.

[35] Über den Widerstand der Zünfte vgl. A. Špiesz, Manufakturne obdobie..., a. a. O., bes. S. 70 ff.

[36] Da in Ungarn kein Wechselgericht bestand, mußten sich ungarische Händler in wechselrechtlichen Streitfragen vor dem Wechselgericht in Wien verantworten; vgl. F. Eckhart, A bécsi udvar..., a. a. O. (1922), S. 131 ff.; zu der Frage der jüdischen Getreidehändler, ohne die die ungarischen Großgrundbesitzer nicht auskommen konnten, vgl. S. Gyömrei, a. a. O., S. 205 f.

[37] Als ein Musterbeispiel für Arbeiten, in denen die „Schuldfrage" den Blick für die wirkliche Lage weitgehend getrübt hat, sind beide Werke von F. Eckhart zu nennen. Als Beispiel für Arbeiten, die um jeden Preis beweisen wollen, daß nicht Maria Theresia und Joseph II. die Schuld an der Entwicklung Ungarns trugen, was Eckhart letzten Endes behauptet, sei hier der schon öfters zitierte Beitrag von A. Špiesz, Die Wirtschaftspolitik..., a. a. O., genannt.

[38] So z. B. J. Purš, a. a. O., II. Teil, S. 195; K. M. Fink: Die österreichisch-ungarische Monarchie als Wirtschaftsgemeinschaft. Südosteuropa-Schriften, Bd. 9, München 1968, S. 9; auf S. 11 spricht Fink sogar von einem kolonialen Abhängigkeitszustand Ungarns. Unserer Meinung nach ist der Begriff der Kolonie weder für das Abhängigkeitsverhältnis Ungarns zu dem Wiener Hof, noch für die wirtschaftliche Abhängigkeit von den Erbländern zutreffend.

[39] Dieser Wandel könnte an den Aussagen von Gy. Mérei, einem der besten Kenner der ungarischen gewerblichen Entwicklung in den Jahren 1951 und 1960 dokumentiert werden. Hier sei nur hingewiesen auf Gy. Mérei, a. a. O., S. 728 ff. und Gy. Mérei: Magyar iparfejlödés 1790—1848. Budapest 1951.

[40] F. Eckhart, A bécsi udvar..., a. a. O. (1959), S. 120.

DIE OLMÜTZER „SOCIETAS INCOGNITORUM“

Zum 225. Jubiläum ihrer Gründung und zum 200. Todestag ihres Gründers

Von Eduard Wondrák

Das Zeitalter der Aufklärung brachte neben dem Drang nach Wissen auch die Erkenntnis, welchen wahren ökonomischen und moralischen Wert einerseits das Wissen selbst und andererseits seine schnelle Verbreitung hat. Mit Recht kann man wohl im Bemühen der führenden Gelehrten jener Zeit die ersten Anfänge des modernen wissenschaftlichen Denkens und der systematischen Verbreitung wissenschaftlicher Informationen sehen.

Seltsamerweise spielten die böhmischen Kronländer eine nicht unbedeutende Rolle im Geistesstrom der Aufklärung innerhalb der alten Donaumonarchie. Diese Tatsache scheint einerseits durch die hier aufeinandertreffenden nationalen und religiösen Kräfte und Gegensätze, andererseits wohl auch durch den vom benachbarten Sachsen ausgehenden Einfluß bedingt zu sein, der wohl protestantisch geprägt, aber von Persönlichkeiten wie Leibniz und Christian Wolff getragen, auch die katholischen Gelehrten mächtig beeindruckte. Insbesondere waren es die Angehörigen des Benediktinerordens, die ihren eigenen Einfluß zu stärken und die Monopolstellung der Jesuiten auf dem Gebiete des Unterrichts zu unterbinden versuchten. Diesem Ziele sollte schon im Jahre 1743 der Plan einer benediktinischen Adels- und Gelehrtenakademie in Prag dienen. Eine Zeitschrift — ähnlich wie es die in Leipzig seit 1682 erscheinenden „Acta eruditorum“ waren — sollte die neuesten Erkenntnisse verbreiten.

Obzwar an der Wiege dieses Planes Persönlichkeiten wie Magnoald Ziegelbauer, Anselm Desing und Oliver Legipont standen, kam diese Akademie nicht zustande, da es wahrscheinlich nach dem Zweiten Schlesischen Krieg den Benediktinerklöstern an dem nötigen Geld fehlte.

Der zweite, glücklichere Versuch ging zwar im Einklang mit den Bemühungen der Benediktiner, aber doch von Laien aus und führte zur Gründung der ersten Gelehrtengesellschaft der Aufklärungszeit in den österreichischen Ländern, und zwar in der alten mährischen Hauptstadt Olmütz.

Am Donnerstag nachmittag, dem 15. Dezember 1746, fand in einem nicht großen, aber doch ansehnlichen Palais, dem Haus Nr. 410 am Olmützer Marktplatz, direkt gegenüber der damals noch unvollendeten Dreifaltigkeitssäule, die Gründungssitzung dieser Gesellschaft statt, deren Mitglieder sich bescheiden als „Gesellschaft der unbekannten Gelehrten in den österreichischen Ländern" („Societas eruditorum incognitorum in terris austriacis") bezeichneten, ihren ersten Präsidenten wählten und die von ihm verlesenen Satzungen annahmen.

Diese Sitzung war aber keineswegs ihre erste Versammlung. Schon seit Monaten trafen sich hier jeden Donnerstag nachmittag zwischen vier und sechs Uhr einige gelehrte Männer — Laien, Geistliche und Offiziere —, wie sie sich zufällig in der Festungs- und Universitätsstadt kennengelernt hatten, hielten Vorträge, lasen literarische Neuigkeiten vor, brachten Briefe von ausländischen Gelehrten mit und besprachen deren Inhalt.

Die Gesellschaft wurde von Anfang an mit einem gewissen Unwillen seitens des Jesuitenordens, dem die Olmützer Universität damals unterstand, verfolgt. Obzwar oder vielleicht gerade weil der Gastgeber der Gesellschaft und nun auch deren erster Präsident ein ehemaliger Zögling der Olmützer Jesuitenuniversität war, sahen seine einstigen Lehrer in diesen an Geheimbündelei erinnernden Sitzungen gefährliche Eingriffe in ihre geistigen Rechte. Wer war der Mann, der es wagte in der vom Jesuitenorden beherrschten Stadt eine so aktive Tätigkeit im Geiste der Aufklärung zu entfalten?

Joseph Freiherr von Petrasch wurde am 19. Oktober 1714 in der Festung Brod in Slawonien als Sohn des aus den Türkenkriegen und aus dem Gefolge des Prinzen Eugen bekannten Generals Maximilian von Petrasch und seiner Frau Anna Maria, einer geborenen Gräfin Beckers, geboren. Die Familie, besonders die Mutter und Großmutter, sorgten für eine gute Erziehung und für zeit- und standesgemäße Bildung. Oberstleutnant Hayss unterrichtete ihn in Mathematik, in Spanisch und Italienisch. Er studierte vier Jahre in Tyrnau, wo ihn besonders Domherr Matthias Schupanschik in Latein, Poetik und Rhetorik unterrichtete. Dann kam Petrasch nach Olmütz, studierte am Jesuitenkolleg und beendete bereits mit 16 Jahren sein Studium der Philosophie. Ein Jahr lang studierte er Rechtswissenschaft in Löwen, bereiste Holland, England, Schottland, Frankreich und die Schweiz und trat mit 20 Jahren ins kaiserliche Heer ein, wurde Offizier und Adjutant des Prinzen Eugen, nahm an einigen Feldzügen am Rhein teil, erhielt später eine Kompanie im Daunschen Regiment, verließ aber, da er nach dem Tode seines Vaters (1724) ein ansehnliches Vermögen geerbt hatte, den Militärdienst und begab sich wieder auf Reisen. Er besuchte einige deutsche Universitäten, studierte Griechisch, bereiste Griechenland und die griechischen Inseln, dann Italien, und hielt sich besonders in Florenz und Cortona auf, wo ihm auch der Zutritt zu den dortigen gelehrten Gesellschaften gewährt wurde. Aus Florenz haben wir dann auch später den ersten Beleg seiner literarischen Tätigkeit. Hier erschienen allerdings erst 1742 die „Petri Cinerei Dissertationes litterariae varia hebdomade publicatae“, insgesamt elf verschiedene Abhandlungen unter einem seltsamen Pseudonym, das er durch Übersetzung seines Namens (Peter-Asche) ins Lateinische (Petrus Cinereus) konstruierte.

Das einzige uns zur Verfügung stehende Porträt, das als Bild Petraschs bezeichnet ist, stammt aus den „Abbildungen böhmischer und mährischer Gelehrten“ (1782). Außerdem soll noch ein uns zur Zeit nicht zugängliches Bild existieren, das ihn zusammen mit dem Schriftsteller K. G. Windisch zeigt. Ferner besteht nach einer Mitteilung von H. Rokyta die Aussicht, daß in einem Freimaurerarchiv ein weiteres Porträt von Petrasch gefunden wird.

In Augsburg hatte Petrasch Fräulein Anna von Hettersdorf kennengelernt und brachte sie als seine Frau nach Olmütz, wo seine Mutter 1743 drei Tage nach seiner Rückkehr verschied und ihm ihre zahlreichen Besitzungen hinterließ. Der wohlhabende, deutsch, lateinisch, französisch, italienisch und spanisch sprechende, griechisch, hebräisch, englisch, niederländisch sowie „slawonisch“ verstehende Joseph von Petrasch fand bald Anschluß in der Olmützer Gesellschaft, und es kam zu Kontakten zwischen ihm und den gebildeten, dem aufgeklärten Humanismus zugewandten Persönlichkeiten der Stadt.

An erster Stelle war es zweifellos Graf Franz Gregor Giannini, der, 1683 in Modena geboren, seit 1722 Pfarrer und seit 1732 Propst zu St. Mauritz in Olmütz war. Besitzer einer einzigartigen Bibliothek, Sammler alter Handschriften und Drucke, war er selbst auch schriftstellerisch tätig und verfaßte ein Werk über den Ursprung der mährischen Hanaken. Dazu kamen Freiherr von Saint Genois d'Alencourt, der allerdings schon 1747 im Alter von 29 Jahren starb, dann der Offizier und erste Sekretär der Gesellschaft de la Motte des Aulnois und seltsamerweise auch der Mathematiker und Jesuit Lewald. Weit über die Grenzen von Mähren hinaus reichten die Verbindungen Petraschs zu gelehrten Persönlichkeiten seiner Zeit. Manche traten nun auch der 1746 gegründeten Gesellschaft als Mitglieder bei. Wir finden darunter Namen von Männern, deren Bedeutung bis heute anerkannt ist, wie Gottsched in Leipzig, Köhler in Göttingen und der evangelische Prediger Matthias Belius in Preßburg. Daneben stehen allerdings Namen, die uns heute kaum noch etwas sagen, die aber wohl zu ihrer Zeit durch ihre gesellschaftliche Stellung Bedeutung hatten, wie Abt Gori, Ritter von Baillou, Raimund Duellius, Generalwachtmeister und Kommandant von Kaschau, Freiherr von Engelhard, Herr Sandern usw. Im Mai 1747 kamen hinzu die Benediktiner Hergott, Legipontius und Hieronymus Pez aus Melk, ferner die Hofräte von Jordan und von Kannegießer, die Kardinäle Quirini und Passionei, der Jesuit Fröhlich, der Mathematiker Patricius Marinoni aus Wien, der Krakauer Bischof Załuski, der Bibliothekar von Wolfenbüttel Jakob Burkart, der Wiener Archivar von Rosenthal, weiter folgten Namen wie Ch. Scheyb, der Dichter der „Theresias", Schwandtner, Mahler, Walz, Widmann, Gemmel, ja sogar Gerhard van Swieten wurde die Mitgliedschaft angeboten. Die Lebensschicksale und das Wirken mancher dieser Persönlichkeiten warten noch auf eine eingehendere Bearbeitung. Der bekannte Benediktiner M. Ziegelbauer wurde 1747 zum neuen Sekretär bestimmt.

Interessant sind die Statuten der Gesellschaft, die am 15. Dezember 1746 auf der Gründungssitzung angenommen wurden. Ihr deutscher Text wurde zusammen mit der kaiserlichen Genehmigung von D'Elvert 1859 veröffentlicht. Zusammen mit dem lateinischen Text befinden sich die Satzungen auch in der Handschriftensammlung Cerronis im Staatsarchiv in Brünn. Die 32 Punkte dieser „Statuta" beweisen, daß die Gründung der Gesellschaft lange und mit Sorgfalt vorbereitet wurde.
Der Text lautet:

„Gesätze, unter welchen sich die Gesellschaft derer Unbekannten Gelehrten gestaltet hat und welche den 15. Christmonat vorgelesen und einmüthig beschlossen worden.

I. Die Akademie wird suchen so viel wie möglich in allen sowohl einheimischen als fremden Landschaften fähige Mitglieder sich zu erwerben, Briefe und Schriften wechseln, emsig zu unterhalten, auf daß sie ihres eigenen als fremden Lichts in denen schönen Wissenschaften und freyen Künsten theilhaftig machen.

II. Zu diesem Ende wird sie aus dreyerley Mitgliedern, erstlich deren wirklichen akademischen Beysitzern, deren Schülern und Beyständen bestehen.

III. Die akademischen Beysitzer, aus welchen auch der Vorsteher erwählet wird, sollen fürohin alle theils aus ihren schon ausgegebenen Werken, theils sonsten bekannten sonderbarer Fähigkeit angesehene gelehrte Männer sein.

IV. Sie müssen dem Präsidenten und Beysitzern von einem Mitglied, nebst dessen Verdiensten vorgestellet, durch die mehrere Stimmen angenommen, als dann nach eingeholter genugsamer Erkundigung durch den Geheimschreiber der Akademie die gehörige Urkunden darüber unter unserer Petschaft ausgefertigt werden.

V. Jeder deren wirklichen Beysitzern wird sich innerhalb Jahr und Tag einen Liebhaber deren Wissenschaften, welcher nebst besitzender Fähigkeit, auch in selbiger weiter fortzukommen verlanget, sich zur Seite nehmen ihn der Akademie vorstellen, welche selbigen unter ihre Schüler aufnehmen und allmöglichen Vorschub zu seinem Fortkommen leisten mus.

VI. Weilen die Gesellschaft sowohl in ihrem Brief- als Schriftenwechsel und nötigem Handel Beyhilfe und Vorschub vonnöten hat, wird sie die denen Wissenschaften wohlwollenden ihre Freundschaft zu erkennen geben und durch eigene Urkunden als ihre Beystände annehmen.

VII. Alle wirklichen Mitglieder werden künftig im Christmonat mündlich oder schriftlich alle Jahr ihre Stimmen zur Wahl oder Bestätigung eines Vorstehers einschicken.

VIII. Der Vorsteher muß in deren österreichischen Erblanden wohnhaft, auch in einem Ort allwo füglich 3 oder 4 Gelehrte der Gesellschaft bey ihm stets zusammen kommen können, sich aufhalten.

IX. Dieser soll allzeit ein Mann von bekannter Fähigkeit und welchem seine anderweitige Geschäfte Zeit und Muße überlassen, das Beste der Gesellschaft zu besorgen.

X. Eben an dem Orte, wo der Vorsteher ist, muß auch ein fähig und emsiges Mitglied zum Geheimschreiber der Gesellschaft erwählt werden, welchem das Einschreibebuch, jährliche Register und Petschaft der Academie zu bewahren anvertraut wird.

XI. Bey dem Präsidenten wird alle Woche einmal, das ist am Donnerstag von 4 Uhr nachmittags bis nach 6 Uhr Sitzung gehalten.

XII. Ausgenommen die Char-Oster-Pfingsten-Frohnleichnams und Christwochen allwo gar keine — den Heu- und Augusti Monat welchen wegen Größe der Hitze nur eine gehalten wird.

XIII. So ein Feyertag einfallet, wird sie auf den Tag vor oder dem nach verlegt.

XIV. Erstlich wird in selbiger, so ein Mitglied eine Entscheidungsrede oder einig gelehrte Sache vorlesen will, oder überschickt hat, wo aber nicht, eine andere dergleichen eines gelehrten Mannes abgelesen. Nach diesem so jemand einige gute Vers verfasset hat oder selbige neulichst gesendet emfangen hat, kann er sie der Gesellschaft vorlesen, darauf berichtigt der Geheimschreiber die Gesellschaft deren durch Briefe zugesendeten Neuigkeiten. Und endlich wird es mit einem gelehrten Gespräch oder von dem Präsidenten gehaltenen Rede beschlossen.

XV. Alle anbei befindlichen dreyerlei Mitglieder sitzen mit dem Praesidenten an einem Tisch und wird allen wohlgesitteten Zuhörern Platz gemacht und jedermann höflichst dazu eingeladen.

XVI. Die auswärtigen Beysitzer sollen monatlich eine ausführliche Nachricht aller gelehrten Neuigkeiten ihres Landes überschreiben, davon sie hinwiderum einen Auszug aller bey dem Vorsteher zusammengekommenen Merkwürdigkeiten zu emfangen haben.

XVII. Es wird vornehmlich nicht allen in denen Zusammenkunften auf das schärfste untersagt, sondern auch in denen Schriften erinnert, sich in keine Religionsstreitigkeiten einzulassen, ja in denen ersteren darf weder von dieser, noch von denen Aussprüchen großer Herren und politischen Handeln geredet werden.

XVIII. Dahero niemand in seinem Werk den Titel academicus zusetzen soll, welches nicht von zweien Mitgliedern überlesen und von dem Präsidenten bekräftigt worden.

XIX. Doch wird die Academie niemand hindern außer denen wöchentlichen Zusammenkünften sowohl seinen Glauben als auch die Rechte seines Landesherren zu beschützen, so es nur mit gebührender Bescheidenheit aus Liebe zur Wahrheit geschieht, wird auch dergleichen Werken ihren Beyfall nicht entziehen.

XX. Werden demnach alle Mitglieder sonderbar ersucht sich sowohl in mündlichen als in schriftlichen Streitigkeiten niemals bitteren Ausdrückungen zu bedienen.

XXI. So auch jemand der kein Mitglied ist, der Academie etwas beybringet oder vorleset, soll es mit noch mehrerer Dankbarkeit angenommen, seine Aufgaben aber mit willigsten Fleiss, soviel es sich thun lasset, beantwortet werden.

XXII. Indem man jedem Gelegenheit geben will sich in denen Wissenschaften zu üben, wird niemand zu befahren haben, dass man ihn wegen Schwäche seiner Versuchen verspotte, wohl aber so sie es verdienen, mit gebührendem Lob beehret werde.

XXIII. Wird auch der Vorsteher die abgelesenen Sachen nach erkannter ihrer Stärke schriftlich zu erhalten suchen, um sie es verdienen in das Jahresregister oder Archiv einverleibt zu werden.

XXIV. Die wirklichen Beysitzer haben zwar ausser besagter monatlicher Nachricht keine auferlegte Arbeit, doch sollen sie, so es ihnen ihre Haus- oder Amtsgeschäfte zu lassen, sich etwas auszuarbeiten ihrer eigenen Wahl nach vornehmen, oder von dem Vorsteher begehren.

XXV. Diejenigen derohalben, welche schon vorhero in einer gelehrten Mühewaltung begriffen sind, werden nur selbe fortsetzen und zu ihrer gehörigen Vollkommenheit zu bringen ersucht.

XXVI. Was aber kleine Entscheidungsschriften, die keinen eigenen Band ausmachen, sind ersucht der Academie ihr selbige zuzusenden, werden auch selbige öffentlich abgelesen und nach Befinden einmal mit denen Jahrbüchern derselbigen aufgelegt werden.

XXVII. Die Schüler der Gesellschaft werden ermahnet sich emsig alles zu Nutzen zu machen, was zu Erlangung eines guten Geschmacks in denen Wissenschaften beytragen möge, darum sich jeder bey ihren Meistern fleißig einstellen und deren Licht teilhaftig machen wird, dagegen sämtlich denen Schülern auf ihr Begehren möglichste Beyhülfe leisten sollen.

XXVIII. Gleichwie auch alle Mitglieder einer dem anderen ohne Widerrede an die Hand gehen und dem gemeinen Wesen deren Wissenschaften durch Mitteilung seiner Entdeckungen nützlich seyn soll.

XXIX. Jedem Mitglied soll erlaubt sein sich bei dem Geheimschreiber in den Jahresregister zu ersehen.

XXX. Was die Entscheidungen gelehrter Sachen anbelangt, sollen die Schüler um ihre Stimme befragt werden, was aber die Anstalten, Einrichtungen und Gesätze der Gesellschaft anbetrifft, nur die wirklichen Beysitzer zu reden haben.

XXXI. In diesen Gesetzen solle nichts ohne erhebliche Ursache und ausser denen wöchentlichen Versamlungen verändert werden können.

XXXII. Es sollen die Gesetze allen Verzeichnissen und Jahresregistern einverleibt und jedem Mitglied durch sonderbare Abschrift mitgeteilt werden.“

Diese sicher gut durchdachten und vollständigen Satzungen hätten wohl unter anderen Bedingungen ihre Absicht erreichen können. Aber diese Aufgaben überschritten weit die administrativen und technischen Möglichkeiten der Olmützer Gesellschaft, denn der Großteil der Arbeit und Agenda lag zweifellos auf den Schultern Petraschs bzw. Gianninis und Ziegelbauers, die trotz ihrer Agilität nicht alles erfüllen konnten, was sie sich vornahmen.

Hierzu kamen noch die äußeren Schwierigkeiten, die von Anfang an der Gesellschaft im Wege standen und die sie überwinden mußte. Schon am 20. Februar 1747 wurde vom Kreishauptmann Šubíř ein Protest gegen die Gelehrtengesellschaft nach Wien eingereicht, anscheinend von Jesuiten angeregt, denen die Bezeichnung „Societas" unannehmbar schien. Es wurde sogar behauptet, daß die Bezeichnung der Gesellschaft als „Societas incognitorum" absichtlich nur deswegen gewählt worden sei, damit die Abkürzung „S. I." die gleiche wie die des Jesuitenordens (Societas Iesu) sei. Aber schon am 16. März des gleichen Jahres genehmigte ein Hoferlaß die Statuten der Gesellschaft, deren Wirken als nachahmungswürdig gepriesen wurde. Nur mußten die jeden Donnerstag stattfindenden Sitzungen „apertis valvis", also öffentlich, gehalten werden, wohl um Geheimbündelei vorzubeugen.

Die Gesellschaft wußte die Gunst der Kaiserin zu schätzen. Das 20 Seiten lange Gedicht von Scheyb „Theresia" wurde veröffentlicht und ausführlich besprochen, der Geburtstag der Kaiserin am 15. Oktober 1747 durch eine Festsitzung und eine von Giannini in St. Mauritz zelebrierte Messe gefeiert.

Inzwischen hatte die Gesellschaft ihren bedeutendsten Beitrag zur Verwirklichung der festgesetzten Ziele geleistet: die Gründung und das Erscheinen ihrer Zeitschrift, des ersten gelehrten Literaturblattes der Donaumonarchie. Vom Jänner 1747 an erschienen die „Monathlichen Auszüge Alt- und neuer Gelehrten Sachen". Das Titelblatt mit einer symbolischen Illustration wollte auf den aufgeklärten Charakter des bildungs- und wissensfördernden Bestrebens der Zeitschrift hinweisen: Über dem Schild der Pallas Athene mit dem Haupt der bezwungenen Gorgo wacht die Eule Minervas, und die Aufschrift über diesen Emblemen lautet: Hic monstra deae secura quiescunt.

Wie sehr man diese Zeitschrift seitens des Hofes schätzte, beweist das mit der Genehmigung der Satzungen erteilte „Privilegium de non reimprimendo", also das Verbot, die Beiträge der „Monathlichen Auszüge" ohne Genehmigung weiterzuverbreiten. 1750 wurde auf die Gesellschaft sogar das Zensurrecht für Olmütz übertragen.

Die Gründung sowohl der „Societas incognitorum" als auch der „Monathlichen Auszüge" bedeutete einen wichtigen Schritt vorwärts auf dem Wege des aufgeklärten Humanismus in den österreichischen Ländern. Aus privater Laieninitiative wurde hier das geschaffen, was in anderen Ländern Europas Regierungen, gekrönte Häupter oder auch kaum beachtete, heute fast vergessene Männer schon früher ins Leben gerufen hatten. Frankreich hatte seit 1663 sein „Journal des Savants“ und England die „Philosophical Transactions“. In Deutschland erschienen zu gleicher Zeit die „Erbaulichen Monatsunterredungen“.

Schon 1652 hatte in Schweinfurt der Arzt Johann Lorenz Bausch ein „Collegium naturae curiosum“ gegründet, dessen Erbe dann von dem Arzt J. H. Fehr 1687 wiedererweckt und von Kaiser Leopold zur „Academia Leopoldina“ umgewandelt worden war. Seit 1682 erschienen in Deutschland Menckes „Acta eruditorum“. Petrasch konnte sich also an Vorbilder halten, hatte aber oft mit Neid, Mißgunst, Verständnislosigkeit und Feindschaft zu kämpfen, insbesondere weil er seiner Zeitschrift einen aufklärerischen, fortschrittlichen Charakter geben wollte. Die Zeitschrift sollte zwar auf internationalen Grundmauern aufbauen, verkündete aber bereits in der 25 Seiten langen Einleitung, daß das „Teutsche als unsere Muttersprach“ der Verbreitung der Gedanken dienen müsse.

Die „Monathlichen Auszüge“ brachten keine Originalia, sie waren ein ausführliches Referatenjournal, wie wir das heute bezeichnen würden, das allerdings nur wenige, dafür aber sehr detaillierte Berichte enthielt. Die ersten Nummern erschienen zwar in Olmütz, die Zeitschrift konnte aber an bestimmten Adressen in Wien (bei Conrad Monath), in Nürnberg (auch bei Monath), in Breslau (bei Korn), in Leipzig (bei Gleditsch), in Bautzen (auch bei Gleditsch), in Prag (in der kgl. Hofdruckerei) und in Brünn (bei Mathias Obladen) bezogen werden. Neben den ausführlichen Referaten über wissenschaftliche Werke enthielt jede Nummer auch Kurznachrichten in Form von Briefen aus verschiedenen Ländern und Städten, z. B. aus Konstantinopel, London, Neapel, Petersburg, Straßburg, Warschau, Danzig. Es gab kaum eine größere Stadt Europas, die im Laufe des Jahres nicht in den Briefen genannt worden wäre.

Wenn wir heute die nur in wenigen Exemplaren erhaltenen Bände der „Monathlichen Auszüge“ durchblättern, überrascht uns die Vielfalt der Themen und Wissensgebiete, über die hier eingehend berichtet wird. Wir finden z. B. im ersten Band Nachrichten über alte und neue ungarische Schriftsteller, ein diplomatisches Lexikon, Übersetzungen des Evangeliums ins Grönländische, ferner die griechische Aussprache, über Kirchenversammlungen und Kirchengeschichte, über den Ursprung der Slawen (von Jordan), über das Leben des Hl. Leopold (von H. Pez), über die Isis-Binde an einer Bildsäule auf dem Capitol, die Oden Davids, das Colosseum in Rom und Illyrien; im zweiten Band z. B. über das polnische Reichsrecht, über die Taufe des römischen Kaisers, über die Schlachtordnung der Türken, über Edelsteine, Vergrößerungsgläser usw.

Die meisten Arbeiten, die sich bis jetzt mit der „Societas" und den „Monathlichen Auszügen" befaßten, wiesen vor allem auf die geisteswissenschaftlichen Beiträge hin. Nicht weniger interessant sind jedoch auch die naturwissenschaftlichen Abhandlungen. An erster Stelle sei eine umfassende Polemik über das Werk des englischen Arztes Johann Woodward (1665—1728) betreffend die Geschichte der Erde und die Einteilung der Fossilien genannt, gegen die der deutsche Arzt Elias Camerarius (1673—1734) Einwände gemacht hatte. Man versäumte nicht, auch wichtige Abbildungen zu reproduzieren und die Antworten Woodwards sowie andere Diskussionsbeiträge, z. B. von B. Halloway, in Fortsetzungen zu veröffentlichen. Von geheimnisvoller Aktualität war damals die Elektrizität: „Von der elektrischen Kraft deren Körper nebst einer Anzahl Anmerkungen und Versuche über das elektrische Licht, dessen Ursprung und bewundernswürdige Eigenschaft durch die natürlichen Erfahrnisse entdecket und mit zwei Entscheidungsschriften wegen des Nutzens solcher Kraft in der Arzney begleitet" war der Titel eines 1746 in Venedig bei Johann Recurci erschienenen Werkes, über das berichtet wurde.

Großes Interesse fanden Reiseberichte und geographische Schriften, in denen die besonderen Lebensbedingungen fremder Völker beschrieben wurden, wie z. B. die der Lappländer und der Bewohner Islands und Grönlands. Von der Schnelligkeit der Berichterstattung zeugt „der Nekrolog des hervorragenden Naturforschers und Forschungsreisenden G. W. Steller (1709—1746) und die damit verbundene Mitteilung über die geographischen Entdeckungen und das tragische Schicksal der zweiten Expedition Kapitän Vitus Berings", worüber J. Vávra ausführlich in seinem Aufsatz „Die Olmützer Societas incognitorum und die Petersburger Akademie der Wissenschaften" berichtet.

Die Erfindungen der Optik halfen den Gelehrten der Zeit, eine neue Welt zu entdecken. Auf Grund von Schriften des polnischen und sächsischen Hofoptikers J. F. Meyer wurden Vergrößerungsgläser, Linsen in Fernrohren, z. B. zur Beobachtung von Sonnenflecken, beschrieben, vor allem aber das Mikroskop und sein Zubehör, das damals eine Rarität darstellte. Der Blick durch das Mikroskop, vorerst in die Welt der Insekten, wurde zum Wegbereiter eines neuen Weltbildes. Verworren sind noch die Vorstellungen der Chemie. Man staunt über die Kuriositäten des Raritätenkabinetts von Baillou mit seinen vielen Edelsteinen, Metallen und „Erdsäften". Aber neben grundlosen Phantasien finden wir auch originelle philosophisch-naturwissenschaftliche Gedanken.

Weder der gute Wille noch die Gunst des Hofes ermöglichten der „Societas incognitorum" und ihrer Zeitschrift ein längeres Bestehen. Trotz der Freunde im Ausland, trotz einer gewissen Propaganda, so schrieb z. B. Gottsched 1747 einen Bericht über die Societas im „Neuen Büchersaal der schönen Wissenschaften", fehlte es an Kräften. Die „Monathlichen Auszüge" erschienen im Jahre 1748 noch mit zwei Heften in Olmütz, dann wurde der Druck nach Frankfurt und Leipzig verlegt. Die letzten Hefte des Jahres 1748 sind nur in Wien und Nürnberg zu finden. Heute ist schwer zu sagen, wann das letzte Heft überhaupt erschienen ist.

Petrasch stand wohl weiterhin am Wiener Hof in sehr hohem Ansehen. Wir wissen, daß man noch nach Jahren seine Tätigkeit würdigte und sich Minister Graf Haugwitz seiner im Zusammenhang mit einem Plan zur Gründung einer Akademie der Wissenschaften erinnerte. Einen solchen Plan nach dem Vorbild der von Richelieu in Paris gegründeten Academie française hatte bereits im Jahre 1743 Gottsched nach Wien gesandt. Man fand ihn jedoch undurchführbar und legte ihn später Petrasch vor. Dieser entwarf danach einen neuen Plan und schickte ihn am 6. Jänner 1759 von Olmütz an Graf Haugwitz. Doch auch Petraschs Plan wurde nicht realisiert. Die „Vorschläge wie man neue gelehrte Akademien errichten und alte verbessern solle" blieben unveröffentlicht.

Petrasch zog sich allmählich aus der Öffentlichkeit zurück und lebte als Schriftsteller und Gelehrter nur seiner literarischen Tätigkeit. Schon 1750 hatte er von der Gräfin Maximiliane von Oudeville für 85 000 Fl. das in den Jahren 1561—1571 erbaute, aber nicht vollendete Renaissanceschlößchen Neuschloß in Südmähren unweit von Butschowitz gekauft und siedelte dorthin über. Hier schrieb er auch die in zwei Bänden 1767 und 1768 in Frankfurt und Leipzig erschienene „Sammlung verschiedener deutscher Gedichte eines Sclavoniers" und errichtete ein Theater, auf dem er mit den Untertanen besonders zur Karnevalszeit Lustspiele und antike Dramen aufführte, von denen nur eines, der „Oinomaos", wenigstens dem Namen nach bekannt ist. Allerdings erschienen im Jahre 1765 von ihm in Nürnberg elf Schauspiele „zur Besserung der deutschen Schaubühne" in zwei Bänden, mit denen er versuchte, dem klassisch gebauten Drama zum Sieg über die Hanswurstiaden zu verhelfen.

Petrasch war seit 1753 Mitglied der gelehrten Gesellschaften in Kempten und Augsburg, wo er 1757 bis 1760 sogar drei Jahre lang die Präsidentschaft innehatte. Hier veröffentlichte er in der Zeitschrift „Probe einer neuen Zeitung" seine Abhandlung „Von der Erfindung". Seit 1762 war er Mitglied der Gelehrtengesellschaft in Altdorf. Einige seiner Werke blieben unveröffentlicht. In seinem Nachlaß fand man das Manuskript eines umfangreichen Gedichtes „Die Träume", das an Dantes „Göttliche Komödie" erinnert, und 4 Bände über die Geschichte und Sitten der Griechen unter dem Titel „Arbaces", in Form eines Romans für die Jugend, der mit Begeisterung die Gebräuche, Kriegs- und Baukunst der Antike schilderte, heute jedoch verschollen ist. Die umfangreiche Bibliothek Petraschs kam nach seinem Tode in Wien zur Versteigerung und ist auf Grund eines Auktionskatalogs aus dem Jahre 1776 wenigstens zum Teil bekannt.

Vielleicht kurz vor seinem Tode übersiedelte Joseph von Petrasch wieder nach Olmütz. Er starb am 15. Mai 1772. Wo er verschied und wo er seine letzte Ruhestätte fand, ist jedoch nicht bekannt. Im Schrifttum über Petrasch wird behauptet, daß er auf Neuschloß gestorben sei. In der für Neuschloß zuständigen Sterbematrik Milonitz (Staatsarchiv Brünn Sar 2014/70—030) ist jedoch keine Eintragung über seinen Tod zu finden. In der Sterbematrik zu St. Mauritz in Olmütz (Tom. II, Fol. 319, p. v.) fand ich die Eintragung über seinen Tod zum 15. Mai 1772, jedoch ohne die sonst übliche Angabe des Sterbeortes und der Stelle der Beisetzung.

Die Gruft unter der 1725—1727 errichteten Lorettokapelle zu St. Mauritz in Olmütz, wo nachweisbar die Mutter und Großmutter Petraschs liegen und wo heute noch das Wappen die Innenseite des

Eingangs schmückt, ist derzeit nicht zugänglich. Die Inschrift auf dem Gruftstein ist nicht zu entziffern, und ob sich die sterblichen Überreste Petraschs unter den namenlosen Toten der Krypten zu St. Mauritz oder auf einem der schon längst aufgelassenen Friedhöfe von Olmütz befinden, wird wohl nie mehr geklärt werden.

Eine Beisetzung bei St. Mauritz erscheint aber unwahrscheinlich. Die Mutter Petraschs hatte nämlich einst eine Stiftung von 14.000 Fl. für die erwähnte Lorettokapelle zu St. Mauritz begründet. Petrasch zahlte jedoch seit 1747 keine Zinsen dieser Dotation mehr, und nach dem Tode seines Freundes und Propstes von St. Mauritz Giannini verlangte das Olmützer bischöfliche Konsistorium die Nachzahlung der ganzen Schuld. Es kam zu einem Prozeß, und das Gericht verurteilte Petrasch 1773, also ein Jahr nach seinem Tode, zum Nachzahlen der schuldigen Summe. Dadurch wurde das Gut Neuschloß mit einer Hypothek von 17.000 Fl. belastet. Es wurde von den drei Töchtern Petraschs Karolina von Lipowski, Josepha von Hochberg und Antonia von Pötting geerbt, doch waren sie bald durch schwere Geldsorgen gezwungen, das ganze Gut mit den dazugehörigen Gebäuden, dem Bräuhaus, der Weinbrennerei, dem Gasthaus, den Schafställen und allem Inventar für 100.000 Fl. an Graf Johann Nepomuk Wegner zu verkaufen. Neuschloß wechselte noch oft den Besitzer.

Verödet und teilweise verfallen, aber doch weit sichtbar, steht heute das Schlößchen auf dem rasigen Hügel über der vielbefahrenen Straße zwischen Brünn und Ungarisch Hradisch. In seiner Verlassenheit ein symbolisches Denkmal seines fast vergessenen einstigen Besitzers, des Gründers der ersten modernen Gelehrtengesellschaft und der ersten Gelehrtenzeitschrift in der alten Donaumonarchie.

Die Olmützer „Societas incognitorum" hat nicht lange bestanden. Sie ging ein, bevor sie die Ziele verwirklichen konnte, die sie sich in ihren Statuten gesetzt hatte. Weder örtlich noch zeitlich und noch weniger in personeller Hinsicht waren die Voraussetzungen dafür vorhanden. Wir finden heute in der Literatur nur wenige Hinweise auf die Gesellschaft und auf die Werke ihres Gründers.

Die „Societas incognitorum" bemühte sich in kleinen, provinziellen Verhältnissen das zu verwirklichen, was den Akademien der europäischen Großstädte nur schwer gelang. Ihre Zeitschrift ist nur eine kurze Zeit lang erschienen, und wir wissen nicht, welche Gelehrten sie gelesen haben. Sicher waren es wenige Männer, die aber über Einfluß verfügten und von dieser Zeitschrift beeinflußt wurden. Manch einer mag durch sie einen Blick in ferne Länder, aber auch in die Welt neuer Lebensanschauungen, Entdeckungen und Forschungen getan haben. Manchen lehrte sie wohl auch Zweifel an alteingebürgerten, dogmatischen Anschauungen. Und für diesen ersten Schritt gebührt der Gesellschaft der unbekannten Gelehrten bei „gebührender Bescheidenheit aus Liebe zur Wahrheit", wie es in den Satzungen steht, eine ehrenvolle Stelle in der Geschichte der Wissenschaften.

Literatur

Abbildungen böhmischer und mährischer Gelehrten und Künstler nebst Nachrichten von ihrem Leben und Werken. Bd. 1—4. Prag 1773—1782.

Allgemeine deutsche Biographie. Bd. 25, Leipzig 1877, S. 516 f.

Beran, J.: Osmdesátiletá diskuse o vzniku Soukromé společnosti nauk. In: Dějiny věd a techniky 1 (1968) 4, S. 237—250.

Beran, J.: Před 225. výročím vzniku Společnosti neznámých. In: Archivní zprávy ČSAV 1 (1970), S. 5—7.

D'Elvert, Ch.: Die gelehrten Gesellschaften in Mähren und österreichisch Schlesien. Brünn 1853.

D'Elvert, Ch.: Die Gelehrten-Gesellschaft in Olmütz. In: Notizen-Blatt, Mitteilungen der k. k. Mährisch-schlesischen Gesellschaft zur Beförderung des Ackerbaus, der Natur- und Landeskunde 1859, Nr. 8, S. 68—71.

Freude, F.: Die Schaubühne des Freiherrn von Petrasch. In: Zeitschrift des deutschen Vereines für die Geschichte Mährens und Schlesiens, Jg. 1914/15.

Králík, O.: Olomoucká Societas incognitorum. Olomouc 1947.

Králík, O.: Moravské počátky osvícenského humanismu. Brno 1947.

Prasek, V.: Vzpominka na učenou Společnost neznámých v Olomouci. In: Časopis Společnosti vlast. musea v Olomouci, 1897.

Schramm, W.: Joseph Freiherr von Petrasch und die Gelehrte Gesellschaft der Unbekannten in Olmütz. In: Notizen-Blatt 1894, Nr. 10.

J. Siebmachers großes und allgemeines Wappenbuch in einer neuen, vollständig geordneten Auflage. Bd. 1—7, 1854—1961.

Slabý, F.: Nové Zámky u Bučovic. Bučovice 1938.

Vávra, J.: Die Olmützer Societas incognitorum und die Petersburger Akademie der Wissenschaften. In: Ost und West in der Geschichte des Denkens und der kulturellen Beziehungen. Festschrift für Eduard Winter zum 70. Geburtstag. Berlin 1966, S. 278—289.

Winter, E.: Der Josephinismus und seine Geschichte. Beiträge zur Geistesgeschichte Österreichs 1740—1848. Brünn, München, Wien 1943.

Winter, E.: Tausend Jahre Geisteskampf im Sudetenraum. Salzburg, Leipzig 1938.

Wurzbach, C.: Biographisches Lexikon des Kaisertums Österreich. Bd. 22, Wien 1870, S. 106—109.

Zlámal, B.: Dějiny kostela sv. Mořice v Olomouci. Olomouc 1939.

PERSONENREGISTER

Die kursiv gesetzten Zahlen verweisen auf Erwähnungen im Anmerkungsapparat. Im Ortsregister wurden besonders oft wiederkehrende Ländernamen weggelassen.

ORTSREGISTER